出版策划：方国根　洪　琼

编辑主持：方国根　洪　琼　李之美

本卷责编：崔秀军

国家出版基金项目

李达全集

汪信砚 主编

第八卷

人民出版社

国家社会科学基金重大招标项目
“李达全集整理与研究”（批准号：10ZD&062）最终成果

国家出版基金项目
“《李达全集》（1–20卷）的整理、编纂与出版”最终成果

目　　录

土地经济论(1930.10)

前篇　地代论

后篇　土地问题

土地经济论*

(1930.10)

---

* 《土地经济论》由日本河田嗣郎著,前篇"地代论"由李达译,后篇"土地问题"由陈家瓒译,1930年10月由商务印书馆列入《经济丛书》出版,1933年8月又列入《大学丛书》出版(国难后第1版),两版内容相同。——编者注

"Imperious Caesar, dead and turn'd to clay,
Might stop a hole to keep the wind away.
O, that that earth, which kept the world in awe,
Should patch a wall to expel the winter flaw!"

——Hamlet

例 言

一、是书分前后两篇，前篇为地代论，由李达担任翻译，后篇为土地问题，由陈家瓒担任翻译。译笔虽出自两人，而译名则已归一致。

二、地代二字，系 rent 之译名，为日人专用之名词，若谋便于了解，自应译为普通所指称之“地租”，但日人既指国家对于土地所征收之租税曰地租，而我国译书中亦往往有之，窃恐阅者不免误会，亦遂仍之不改。

三、所有权为一确定之名词，不便更易，且近时对于版权所有之字样，通行已久，则对此所有二字，当不觉其生硬，惟希阅者谅之。

四、书中引例，以日本者居多，盖译书之体例则然，自不便轻易更动或删节，且藉此可多得无数参考资料，谅亦阅者所乐闻也。

序

土地为万物之母，万灵化育于其怀。吾侪人类，乃处于此大怀抱中之爱儿，吾侪思慕土地之情，犹赤子思慕慈母之情也。慈母之思其爱儿也，无爱憎，无差别，一视同仁，俾各得均沾于其慈爱焉。爱儿无慈母之扶育，不得成长，人类无土地之养护，不能生存。耕地而食，构屋而居，谁不思土地之恩惠乎？

对于具有此种大意义之土地，而追怀颂德之道，自古即已开端。如诗人与画家，盖已着其先鞭者也。然与此同时研究土地之性状而从事学理的研究之途径，其开拓亦已其广。如地质学与土壤学是也。至于最后考察土地之效用，讲求利用之方法，并研究其间所生种种社会关系之学问，亦决非付诸等闲者。例如农学，其起源甚早，至于吾人所研究之经济学，虽不无后时之感，然迩年来之发达，亦不必落于人后。尤以吾人所研究之经济学，其主要点在于其价值上考察土地，颇重视土地之意义，视为价值产出之要素，视为价值分配之条件。关于此点之研究，不惟在理论上可资尊重而已，即在实际生活之各种关系上，亦甚为有用而切实者也。

土地利用之方法，在农业经济方面，即已需要渊深之研究，加以方今都市生活之发达，所谓都鄙关系之新重要问题，于以发生，又如都市生活中取得土地之问题（即广义的居住问题），迩来亦陷于复杂难解之境地。语其研究，非不至要至切者也。

虽曰同言土地，而其所关联者则广。故关于土地之经济的研究，亦不免复杂多端。吾人之研究，即在于涉及此复杂多端之土地经济各方面，作充分精细之考察，且欲用系统之理论以贯通之。其劳苦虽多，其叙述虽亦困难，倘幸而能建立终始一贯之土地经济论，亦不仅著者一人之荣幸也。

本书所讨论之节目纷繁，曰地代论，曰地价论，曰土地投机论，曰自然增价及增价税论，曰土地所有之理论及沿革，曰土地公有论，其所涉及之方面颇多，不能谓为农业经济，亦不仅限于都市宅地之问题，要不外凡论土地一般状态之经济论也。然在此等论题之中，其构成根本之理论者，实为地代论，故以本书之最大部分充之，是为前篇，至于其他各论题，则概括于后篇之中。其体裁虽非无不备，抑亦著者用意之所在也。就前篇言，实为纯理论，就后篇言，则稍具政策之臭味。读者先通晓于地代之理论，然后进而研究其他问题可也。由来叙述理论之方面，多属干燥无味，且又烦杂难解，故人多欲舍理论而研究与实际问题相近之政策方面，然此决非妥当之研究方法也。欲进于政策之途径，必先突入理论之范围。而同时又有不可忽忘者，欲进于理论之堂，又须潜入政策之门是也。

要而言之，一篇之土地经济论，原在阐明土地对于人生之真意义，藉以认识其真价值。土地既为自然赐予万民之共同赠品，则使此共同赠品发挥其本来之意义，即吾侪万民之义务也。苟有少数人垄断其利益，岂非一大曲事乎？吾侪兄弟中苟有人专拥慈母而虐待吾人者，谁能坐视而不顾耶？关于土地之现状，果无此专拥虐待之事实乎？此土地经济论之所以出世也。

著者识（李达译）

前　篇

地 代 论

第一章 地代论之发达

第一节 重农学派及亚丹斯密之地代论

关于地代之学理，多无一定，综其大要，则地代论所欲说明之处，可得而言焉。人对于土地举行某种投资时，其生产所得之结果，除去其所出费用外，尚有几许之赢余，且对于不同种之土地投下同一资本施行同一劳动时，其所得之赢余，各地必不相同，恒因土地之相异而有多少差别，此种事实果何由而来，皆地代论所欲说明者也。而是时所谓生产之费用，其意如何，赢余之有差异，因何而致，亦地代论所欲说明之事也。

一、堵哥关于 Produit net 之说

上述第一种事实，重农学派之学者（die Physiokraten）夙已说明，如堵哥（Turgot，A.R.J.）所论，最为明晰。彼以为文明进步之处，土地已非自然物，已确立所有权于其上，且因人多而土地不足之故，至有土地所有者与无所有者之分，所谓地主之一阶级遂以发生，而无土地之人乃向有土地之人借用土地，从事耕种，对于借用一层，则由土地生产之结果中划出若干部分以偿之。然而借用土地从事耕种之人，不能不取得其自身及家族所耗劳动之报酬，故除去此劳动报酬以外，余者作为土地之报酬，交付于土地所有者。此种借用土地之报酬，在土地所有者，则构成其纯利得（Produit net）焉。

关于此土地所有者之利得之说，诚构成地代论之本质者也。堵哥对于农业上之劳费，颇具明确之见解，彼谓农业经营者亦如工业上之企业者，事前筹措企业所必需之资本，先由其中支出劳动者之工银，其次除收回其所使用之资本以外，必须获得彼拥有此资本而不事活动时亦能取得之所得，又必须获得对

于彼自身之劳动、技能，及其所负危险之报酬取得足以填偿彼经营业务时所用器具机械等项之耗损。诸如此类，皆必须先由土地生产物之价格中收回者。除此以外，如尚有赢余，彼始能用以报酬使彼使用土地之地主。而此项报酬，实为土地贷借之代价，即土地所有者之“纯利得”也。彼又曾道破：土地贷借费之多寡，得因佃户间互相竞争之故，而按照土地肥沃之程度定之。

重农学派之人关于土地上此种纯收益之说明，实由彼派主义之根本观念借用而来，彼辈以为，投下资本于土地而于其上从事生产时，除收回其所投资本及给养劳动者以外，必更有多量之生产，其赢余之发生，与由佃户经营企业或由土地所有者自行经营，并无关系，且此项赢余，惟限于土地可以发生，而其他产业部门则不能发生者也。至其赢余之多少，则比例于各地所有肥沃之程度而异。而此项赢余，又非由经营农业生产之企业者之技能而发生，虽属由土地固有性质发生之天赋恩惠，然当然归于土地所有者之所得。盖当土地有余而任何人皆可以自由取得之时，此天赋之赢余，任何人亦可以自由取得之，但在方今人多而土地不足，而土地所有权因以确定之时代，则惟有土地所有者方能取得此天赋之赢余也。

上述所谓土地之生产必有多少赢余一事，实为重农学派主义之根本观念，其谓农业独能产生赢余而其他产业部门则不能产生一事，即使彼辈所以得有重农学派之名者也。彼辈所谓惟农业适于造出财富惟农业足以成为真正生产事业之思想，实由此理而出。质言之，即“纯利得”之思想，构成彼派主义之根本也。

此“纯利得”之思想，原为自然科学的观念。土地所以能生产赢余而超出其所投资本所施劳动以上，实为土地具有固有的某种自然性能，故惟农业能产生此种赢余，至如工业，则仅就农业所供给之原料加工，使其变形而已，并不能创造新物。若夫所谓惟农业能产生此种赢余之科学的说明，则在当时尚未十分明晰，而以颇幼稚之说明自足也。

然至于赢余生产之原因，说明虽太不完全，但重农学派，惟注重于赢余生产之当面事实，对于土地上此种有机的生产能力，过于重视，以为惟有土地具有生产能力，惟有土地独能生产财富。若夫当时自然科学之智识略见发达，则凡宇宙间之物质及势力，皆知其为不生不灭，不仅工业上如是，即在一切方面亦莫不如是,人唯能藉自然力使物质变更其适于满足人类欲望之状态而止,而物质之为物固非能丝毫增减者,农业亦然,人亦仅能使物质变更形态,决不能从新造出物质也。此理在当时苟能充分阐明,则重农学派终必不能成其为一学派,其“纯利得”之观念,当亦无由成立也。

惟有一事不可忘者,农工生产上果如上所述在其根本上毫无所异乎?此难无庸置疑,然两者之间仍有不能忽视之差异存在。即,在农业方面,其生产固为物质之变形,而其变形所需要之自然力,则以有机的生产力为主,至于工业方面,物质变形所需要之自然力则有种种,其中得以人力自由利用者,以无机的生产力为限,若夫有机的生产力,人则不能自由增减,此乃自然之限制也。而此点诚非不重要之点也。

二、亚丹斯密之地代论

关于土地收益之理论,其后颇经亚丹斯密(Smith,Adam)氏所开展。即重农学派之人,谓财富及劳动之经济的重要,由其新物质创造力之多少而决;反是,亚丹斯密则阐明“财富之为物,在于天赋之物质及人藉劳动所赋与之价值”之理由。故彼与重农学派之人不同,并说明对于工业亦当表示十分尊敬态度之原因。

亚丹斯密谓地代之为物,在土地悉成为私有权之目的以后,始得发生。地主与一切人同欲于不播种之处获得收获,对于天赋之收益,要求地代,即彼对于劳动者所集得之一部分,要求分占,而此分占,即称为地代(参阅下文)。

As soon as land becomes private property, the landlord demands a share of almost all the produce which the labourer can either raise, or collect from it. His rent makes the first deduction from the produce of the labour which is employed upon land.①

盖彼相信惟劳动独具生产力者,故谓地主对于劳动者所生产之物要求分占也。

土地所有者于其土地上自营生产时,则地代与彼之劳动报酬及资本之报

① Ad.Smith, *The Wealth of Nations*; Cannan's edition, Vol.l, p.67.

酬，混合表现，其辨别固属困难，然在地主与佃户各别之时，则颇能明了辨别之，是时地代乃佃户对于借用土地所支付之最高价格，佃户虽先由其生产之结果中，取出其对于自身劳动之报酬，对于资本之报偿，及要求普通一般之赢益，但地主方面如无报偿，必不肯贷借土地，故以其残余部分，作为地代，支付于地主（参阅下文）。

Rent, considered as the price paid for the use of land, is naturally the highest which the tenant can afford to pay in the actual circumstances of the land. In adjusting the terms of the lease, the landlord endeavours to leave him no greater share of the produce than what is sufficient to keep up the stock from which he furnishes the seed, pays the labour, and purchases and maintains the cattle and other instruments of husbandry, together with the ordinary profits of farming stock in the neighbourhood.①

地代之为物，虽亦可以视为土地所有者为改良土地使适于使用而投下资本时所应得之利息，然此亦仅一部分为然，至对于一切方面则不必皆然。何则？以地主对于自然状态未加改良之土地，仍得要求地代故也。

亚丹斯密以为一地地代之发生，与其生产物之种类大有关系；生产物之种类，可分两种：其一，无论在任何状态，皆可以发生地代；其二，则惟于某种情形之下方能发生地代。据彼之见解，地代之发生与否，因土地生产物价格之高低如何而定，价格至少必可以收回其投下于土地之资本，及获得相当之利益，此外如尚有多余之时，则其赢余即作为地代，归还于地主。而生产物之价格，又视市场上对于该生产物之需要多寡而定，常能产生多大需要之生产物之土地，常能发生地代，而此项需要之大者，必须为食料品；若夫生产衣服原料建筑材料等物之土地，或成为煤田金矿之土地，则因市场上对于此等产物之需要，变动无常，有时能发生多大之地代，有时完全不发生地代。是以亚丹斯密以为此等生产地之发生地代，必附有一种条件，其条件即基于土地之生产力与位置者也。此种见解，后经李嘉图及杜能两氏加以完成，盖两氏皆以此条件为一切地代发生之条件也。惟亚丹斯密对于货物价格之决定，则以其由最有利最丰富

① Ad.Smith, *The Wealth of Nations*, Cannan's edition, Vol.I, p.145.

之生产来源产出者为标准，而李嘉图之见解则完全相反，系由充实现有需要所必需之生产范围中，取其在最不利之条件下产出者，为其决定之标准。

要而言之，亚丹斯密关于地代之见解，仍未能完全脱出重农学派之窠臼，构成其根本观念者，仍为 produit net（纯利得）也。又如彼谓生产能力之大者无如农业之见解，亦未能逃出重农主义之范围，惟关于矿山地代之说明，略与后世之地代论相近似而已。

其实在重农学派及亚丹斯密之时代，工业上利用自然力之处，不如农业上之多而且大，彼辈所以有上述之见解，亦非无故，至工业上利用自然力方法之大见开展，确由近时科学上之大进步所促进者也。要之，如谓地代发生之原因基于各种自然力之生产能力，则地代在工业方面亦可以发生，自然力之关系与其生产力之有无，固非地代发生之唯一原因也。此中理论，必须阐明尽致，而后地代论之发达，始能至于最后之境，然在此历程之中，实有赖于学者之辩难与论战，故自李嘉图杜能出世之后，后世学者对于彼辈学说之论难攻击，极其纷纠错综之致，此在学说之成立上实属必要者也。

第二节　李嘉图之地代论

李嘉图之地代论，据吾人所知，与上节所述之见解，面目颇异，而地代论实由彼始得确立者也。在李嘉图氏之前，原有安得孙（Anderson，J.）其人，对于李嘉图学说之根本观念，夙已说明，此为吾人所不应遗忘之事。惟彼之学说，未为世人所周知，故李嘉图转能擅有建设地代论之功名也。

重农主义者及亚丹斯密等考察地代时，恒就单一土地以观察其赢余生产之如何，尚未能就多数之土地，加以比较。彼等以为农业生产上所发生之赢余生产之原因，实由于土地中所具之天然有机的生产力助长生产之故。至亚丹斯密，则更于食料品之独占性质中，探求地代发生之原因。

至于李嘉图，则完全采取与彼等相反之态度。彼之主张，谓文明已进步之处及未进步之处，常有一种土地，其所有之生产，仅能与耕种者所出之费用相抵而无余；彼否认土地之特别生产力，又否认食料品之独占性质，以为地代之理论，非仅就单一土地加以考察，即可构成，必须就数种不同土地间之收益，加以比较，方可构成也。

李嘉图对于下述之经验的事实，又曾加以说明。所谓经验的事实，即对于同一面积之土地投下同一资本施行同一劳动时，其生产之结果恒有差异是也。此种差异，即地代之所由发生者。故在生产之结果与所出之费用恰相抵偿之土地，地代不能发生，必其生产之结果，多少超出其所出费用以上时，地代始能发生，此李嘉图所道破者也。

至于所出费用相同，而各种土地间之收益所以有差等之原因，彼则归结于土地所固有而不可破坏之性能，故彼所下地代之定义曰：

一、地代之定义

地代者，土地之生产中，因使用原始而不可破坏之土地性能而支付于地主之部分也（参阅下文）。

Rent is that portion of the produce of the earth, which is paid to the landlord for the use of the original and indestructible powers of the soil.①

李嘉图氏之见解，虽亦如重农学派及亚丹斯密之见解，亦谓土地生产上自然力之参与，为地代发生所必须之要件，但在李嘉图一方面，则与重农学派及亚丹斯密不同，彼以为地代之发生，不仅为土地生产上自然力之参与，实则因其天然力受自然的限制，非可以用人力增减，且其作用之力，在各种土地又不相同故也，此则两方见解之根本的差异也。

李嘉图氏因说明地代发生之理由，谓假定于此有未经开发之地，而人口稀薄，土地有余，人得以自由利用之时，则地代之为物，毫无可以发生之理由，盖人对于得以自由利用之物，决不肯支出任何代价也；即在未经开发无人居住之地开始殖民，而其地有多量肥沃之土地存在，为给养现有人口起见，唯开垦其土地之一部分，即为已足，或其耕种得由该地人口所能处理之资本实行之时，则其地当无地代存在，盖当有多量未归私有之土地存在，而欲从事耕种之任何人皆可任意选择之时，则对于其土地之使用，决无人愿支付代价也（参阅下文）。

---

① *The First Six Chapters of the Principles of Political Economy and Taxation*, Ashley's edition, 1909, p.51.

On the first settling of a country, in which there is an abundance of rich and fertile land, a very small proportion of which is required to be cultivated for the support of the actual population, or indeed can be cultivated with the capital which the population can command, there will be no rent; for no one would pay for the use of land, when there was an abundant quantity not yet appropriated, and, therefore, at the disposal of whosoever might choose to cultivate it.①

二、地代发生之原因

若一切土地具有同一性质,且其存在量为无限而其性质又属相同,则除其一地之位置特别有利外,对于其土地之使用,当不支付代价。至对于使用土地而支付代价者,则因其土地之存在量并非无限而其性质并非相同故也。因其人口繁殖,而性质低劣位置不便之土地亦不得不耕种故也。故当社会进步而在肥沃之程度上处于第二位之土地亦经耕种之时,则地代即时发生于第一性质土地之上,而其地代之额,则当由此两地间性质上之差异决定之(参阅下文)。

If all land had the same properties, if it were unlimited in quantity, and uniform in quality, no charge could be made for its use, unless where it possessed peculiar advantages of situation. It is only, then, because land is not unlimited in quantity and uniform in quality, and because in the progress of population, land of an inferior quality, or less advantageously situated, is called into cultivation, that rent is ever paid for the use of it. When in the progress of society, land of the second degree of fertility is taken into cultivation, rent immediately commences on that of the first quality, and the amount of that rent will depend on the difference in the quality of these two portions of land.②

当第三性质之土地实行耕种之时,则地代即时发生于第二性质之土地之

① *The First Six Chapters of the Principles of Political Economy and Taxation*, Ashley's edition, 1909, p.53.

② *The First Six Chapters of the Principles of Political Economy and Taxation*, Ashley's edition, 1909, p.54.

上，而其地代之额，亦如前所述，由两者性质上之差异决定之。同时，第一性质土地上之地代，即当增高，盖较之第二性质土地之地代，必超乎其上，其所增高之分量，即用一定量之资本与劳动所得之两地间生产之差额也。于是人口每经繁殖一次，因谋食料品供给之增加，而劣等性质之土地亦经耕种之时，则较为肥沃之一切土地上之地代，亦当增加也(参阅下文)。

When land of the third quality is taken into cultivation, rent immediately commences on the second, and it is regulated as before, by the difference in their productive powers. At the same time, the rent of the first quality will rise, for that must always be above the rent of the second, by the difference between the produce which they yield with a given quantity of capital and labour. With every step in the progress of population, which shall oblige a country to have recourse to land of a worse quality, to enable it to raise its supply of food, rent, on all the more fertile land, will rise.①

因于此假定有三种土地，而第一种土地之地质最为优良之时，则任何人皆当先选择此优良之土地耕种之。而第二号土地，非至第一号土地之耕种不能适应已增加之需要时，必不至于耕种，然如第二号土地亦发生耕种之必要时，则由其耕种之时期起，第一号土地即能发生地代，此已叙述于前矣。今试假定第一号土地每一英亩能生产百单位量之小麦，而第二号土地仅能生产 90 单位量之小麦。则此时在借用土地者一方面，或不出报酬而借用第二号土地之 1 英亩，或支付十单位量之租费而借用第一号土地之 1 英亩，两者可谓相同。然若人口仍继续增加，惟耕种第一号土地及第二号土地尚不能适应食料品之需要，而每一英亩仅能生产 80 单位量之小麦之第三号土地亦经耕种之时，则第一号土地之地代当增至 20 单位量，而从来不发生地代之第二号土地，今亦开始获得 10 单位量之地代矣。盖就借用土地之人而言，或不出报酬而借用第三号土地，或支出 10 单位量之租费而借用第二号土地，或支出 20 单位量之租费而借用第一号土地，一切皆相同也。

---

① *The First Six Chapters of the Principles of Political Economy and Taxation*, Ashley's edition, 1909, p.55.

上述李嘉图氏见解中之重要者,即谓地代之所以发生,实由于肥沃优良之土地并非无限,而其存在量实系有限而且较少之故也。盖人口增加,对于食料品之需要亦因而增加,而至于渐次耕种劣等土地之时,则地代遂因而发生,因而增加,故如李嘉图所言,若土地之存在量为无限而其性质又相同,则地代当无发生之余地也。

然李嘉图氏以为:如适应食料品需要之增加,除上述张土地耕种之范围而渐次耕种劣等土地以外,又可从新添加资本与劳动,以达到其目的(参阅下文)。

It often, and, indeed, commonly happens, that before No.2, 3, 4, or 5, or the inferior lands are cultivated, capital can be employed more productively on those lands which are already in cultivation.①

若此时对于最初所施之资本与劳动,与对于以后所加之资本与劳动,而两者恰能产生相同之利益时,则地代之为物,当无发生之余地,其与优良肥沃之土地多量存在之状况实无所异也。然据经验所诏示于吾人者,对于土地即令从新加添资本与劳动而超出于从前所投下之资本与劳动以上,而其生产之增加,亦非可以比例于其所投资本与劳动之分量而增加。此普通学者所称之"收益递减之法则"(The Law of Diminishing Returns)所以发挥其势力也。假定于此对于第一号土地1亩所投下之资本与劳动之第一量,能生产100单位量之米,若更于其上投下相同之资本与劳动之第二量,则仅能生产95单位量之米,第三量仅能生产90单位量之米。是则对于第一号土地虽投下第三量之资本与劳动,与对于第三号土地投下第一量之资本与劳动,其结果当必相同也。然若收益递减之法则不行,则仅耕种肥沃之土地1亩,即足以适应于所增加之全人口食料之需要而绰有馀裕,但实际上此事完全无望,故一面须逐渐增加资本与劳动,一面又须次第开垦新土地也。

惟有一事不可忘者,即对于第一号土地发生投下第二量之资本与劳动之必要时,则对于与其地质相同之土地,同时发生地代是也。盖此种土地,在耕种土地之人观之,其投下第二量之资本与劳动而每亩获得95单位量之米,与

① *The First Six Chapters of the Principles of Political Economy and Taxation*, Ashley's edition, 1909, p.56.

耕种同地质之新土地而支出 5 单位量之地代，其结果实相同也。要而言之，李嘉图又于此收益递减法则实行之事实，发见地代发生之原因也。

如上所述，要为地代发生之理论，然李嘉图氏则更进一步，由农产物价格决定之理论以说明此理，同时又说明由此以知地代之货币额之方法，而对于地代与农产物价格之相互关系，亦有所发挥。惟吾人因欲于第二章申论地代发生之形态，故将此点留在后方说明之。

三、李嘉图地代论之骨格

要而言之，据李嘉图之见解，地代之为物，由土地所固有之原因而生，彼所谓“土地之原始而不可破坏之能力”（The original and indestructible powers of the soil）一语，最能说明此意者也。即李嘉图地代论之重要点，谓地代之为物，与所施于土地之资本及劳动无直接关系，而地代发生之原因，完全出于自然，与土地所有者无关系，与耕种土地者亦无关系，而存于脱离人意与人为之要素。然依某种人为的或社会的原因，而一时生产之结果，超过其所出费用以上，此虽发生与地代相似之多余利益，但此非地代而为赢益，吾人不容忽视。此事与吾人以后所论有关，故于此促读者之注意。

最后尚有一言者，即李嘉图所谓地代发生之原因，亦未完全忽视地代与土地之位置一事是也。如前所述，彼曾说明“若土地之存在量为无限而其性质又属相同，则除其一地之位置特别有利外，对于其土地之使用，当不支付代价。”惟彼仅有此一言，尚未深入而就位置之关系详细说明耳。关于此点，后经杜能（Thünen，J.H.）所说明。而李嘉图氏在其所谓“地代系因使用原始而不可破坏之土地能力所支付之代价”一点，实为彼之地代论之骨格，尔后继续发生之激烈反对论，则对于此点而发者也。兹请先介绍杜能氏地代论之大概，再研究李嘉图学说之反对论。

第三节　杜能之地代论

一、土地所占位置之关系

如前节之末所述，李嘉图氏建设地代论之时，亦未完全忽视土地所占位置之关系足以成为地代发生之原因，惟彼仅有一言而止，并未深入而就位置之关系详论而已。逮杜能及拉乌(Rau)两氏出，始重视对于地代发生之位置关系，始就位置之关系作详细之研究。尤以杜能所论，用其精细之研究，阐明位置之关系以了解地代之本质，具有甚重要之意义。

土地所占位置之关系，其影响于地代之发生者，可分为两方面说明之。

其一，即土地与市场接近一事是也。土地与市场接近，则凡不能常有或搬运不便之农产物，容易致送于市场；且与市场接近之土地之生产物，较之与市场远隔之土地之生产物，其运费大可节省，而土地之距市场愈远者，虽有同样之生产物，而其价格因运费浩大之故，发生耗折，是与价格之减少有相同之结果矣(参阅下文)。

Der Wert des Getreides auf dem Gute selbst nimmt ab mit der grösseren Entfernung des Gutes vom Marktplatze——J. H. V. Thünen, Der isolierte Staat in Beziehung auf Landwirtschaft und Nationalökonomie.①

其二：即农地对于其所管理之农民住所之位置关系是也。农地与农村距离之远近及交通之难易，对于土地之耕种，肥料之搬运，收获之往还，及其他监督上管理上一切事务，其所耗劳动之多少必生差异也(关于此点，须一读"Der isolierte Staat. § 11 Ueber den Einfluss, den die Entferung des Ackers. vom Hofe auf die Arbeitskosten hat." S.98 fg.)。

二、位置关系与肥沃程度之调和

土地之自然肥沃程度优良者，其对于所施同一之资本与劳动，必较他地能发生多量之收益，此种事实，在位置法则上，非无缓和之力。又如因土地之自然肥沃而有多量之收益发生时，亦不能使地代减少，而可以用其一部分以补偿因位置低劣而发生之运费。故位置关系与肥沃程度可以调和也。至若顾虑土地之肥沃程度及其位置关系而讲求适当之耕种方法时，则地代之多寡，必随其所采用之方法而异。苟非土地肥沃而位置优良者，则愈行集约的经营方法，而

① *The First Six Chapters of the Principles of Political Economy and Taxation*, Ashley's edition, Jena, 1910, S.45.

地代愈不能多得。反是,若土地自然硗薄而位置亦劣恶时,则与其实行集约的经营方法,不如采用粗放的经营方法转可以多得地代。盖实行集约的经营方法,必须使用多量之资本与劳动,其结果所得之土地生产物之价格,常有不能偿其所出费用而发生可以成为地代之赢余也。然细加考察,彼自然肥沃而位置优良之土地,虽可以发生多量之地代,但其量亦自有一定限度。何则?资本与劳动之所耗虽多,而其所得之收益,不必比例于其所费之资本与劳动而增加,且转而减少其收益之比率,此"收益递减法则"所命令者也。当此之时,其结果正与耕种彼自然硗薄而位置恶劣之土地相同,唯谷物价格则因农耕费用增加而收益减少之故,循同一之比率趋于腾贵而已,仍旧可以期待同一之地代也。然杜能氏则以为肥沃程度最恶劣位置最不便之土地,当其生产物有满足现有需要之必要时,亦可发生地代,而其原因则完全归着于土地之自然力也。

杜能氏根据其实际经验与敏锐之观察力,实行精细的分析研究之结果,其说明地代发生之原因,较之李嘉图实能更进一步,至于细目之关节,则彼与李嘉图之见解,亦无根本冲突之点。所谓"经济上可以发生之地代,在事实上在法律上必归属于土地所有者"一点,杜能氏与李嘉图氏之见解,完全一致,彼以土地所有,足以支配地代发生原因之要素,且惟有由土地私有,方能排除土地上其他生产要素(劳动与资本)与地代之关系,可以使工银及利息与其相适合。

要之,杜能氏所以得有建设地代论之不朽功勋者,以其能阐明土地所占位置之关系也,而其对于地代发生之说明,亦颇有可观者,兹介绍如下:

三、杜能氏对于地代发生之说明

杜能氏以为:若由与都市接近之土地及由与都市远隔之土地,同时运售裸麦于市场之时,则远隔之土地所出之裸麦,每一"歇勿尔"(德量名)必须以一"达伦"(德币名)半之价格售出之,盖必须有此种卖价,方能抵偿生产者之生产费也。反是,在都市附近之生产者,售其所出之裸麦时,每一"歇勿尔"仅以半"达伦"之价格出售,即足以抵偿其生产及搬运所需之费用。惟事实上即属都市附近之生产者,若其所生产之物而与在远隔之地所生产者之品质相同,则所售之价格必无较后者更为低廉之理由,且无由强使其以低廉价格出售也。

又就都市中之购买者一方面言之，远地生产者所出之裸麦与近地生产者所出之裸麦，若其品质相同，则对于两者之间必不至认定其有差异之价值，生产者别出生产费之多寡，固与购买者无关系也。于是裸麦无论其为远地或近地之生产者所生产，亦皆以同一价格出售，其少出运费而多得便利之近地生产者之利益，在彼则构成其“纯利得”焉，此种利得若能继续维持而比年相同，则彼之所有地，即每年发生地代。是即“纯利得”造成地代者也。

是故杜能氏继续而言曰：一地之地代，由其地对于最劣等土地（即因有满足需要之必要而必须增加生产，始行耕种之最劣等土地）所占位置上及品质上之优越而发生者也，以货币或谷物表示此优越者，即指定地代之额者也（参阅下文）。

Die Landrente eines Gutes entspringt also aus dem A^orzug, den es vor dem, durch seine Lage oder durch seinen Boden, schlechtesten Gute, welches zur Befriedigung des Bedarfs noch Produkte hervorbringen muß, besitzt. Der Wert dieses Vorzugs, in Geld oder Korn ausgedrückt, bezeichnet die Größe der Landrente.①

四、杜能之对于李嘉图

据上述杜能氏之见解，在已经耕种之土地中，如有一种土地对于“其他肥沃程度与位置状态皆处于最劣等地位”之土地所有之价值优越，即为测定地代多寡之标准。由此可以窥知彼之学说实对于李嘉图学说补充其位置之关系，藉以完成李嘉图之地代论者也。关于此点，杜能氏之功绩固不可没，但彼又同时继承李嘉图学说之缺点，凡属对于李嘉图学说之批评，彼之学说大致亦不能避免。惟彼所认为地代发生原因之位置关系一说，则不能加以责难。故李嘉图所谓“土地之原始而不可破坏之能力”，及其地代论，虽为后来学者所攻击，而对于此位置关系之说则无由攻击者也。

要之，李嘉图可谓为古典式地代论之建设者。而杜能则可谓为地代论之补充者完成者也。

---

① *The First Six Chapters of the Principles of Political Economy and Taxation*, Ashley's edition, Jena, 1910, S.45.

第四节　李嘉图地代论之驳论

一、喀列[①]对于土地开垦次序之驳论

学者对于李嘉图地代论之论难攻击，喧嚣一时。其中最有名者，厥为美国之揆立（H. Carey）。揆立于其所著之 *The Past, the Present and the Future*（1853）及 *Principles of Social Science*（1859）（*die Grundlagen der Socialwissenschaft, deutsch von Adler*）各书中，大张其反李嘉图之气焰。彼对于李嘉图学说所不能首肯之第一点，即李嘉图于说明地代发生之理由时，所谓首先耕种肥沃土地，而渐次扩张耕种范围于不肥沃土地之说是也。揆立对此，谓李嘉图何以能断定"优良肥沃之土地首先耕种，而渐及于不肥沃土地"之事实？如谓此为历史上之事实，则当有历史上之佐证，然吾人由历史上之事实征之，李嘉图之说明，正与事实相反，盖人类实先耕种高地之硗薄土地，而后渐至于耕种平地之肥沃土地者也。故彼对于历史上此种佐证，搜集甚力焉。

以言乎文明史上之事实，两说孰为正当，吾人固不易了解。但无论何说为正当，而于说明地代之理论上，并无丝毫关系。李嘉图关于耕种次序之说明，即令完全谬误，亦不因此而摇动其地代论之基础。李嘉图所谓"凡人皆选择其以最少劳力收最大效果之途径进行"一事，实能把握经济之原则，关于肥沃程度之耕种次序如何，固无多大关系。今虽假定喀列氏之说为正当而加以考察，最初耕种之土地与以后耕种之土地之间，若其生产能力显有差等，则不问前后两者之生产能力孰优，而地代依然可以发生。故其要点惟在对于同一收益之生产费差异，或对于同量资本与劳动之收益多寡，不问其耕种之次序如何，如土地之间有上述之差异存在，则地代必至于发生也。又如可以耕种之土地已经完全耕种，而地代惟由已耕土地间生产力之差异及对于所投资本之收益递减事实而发生之时，则耕种之次序如何，直可以完全不问也。

今更试从揆立氏之说，假定每亩仅能产米九十单位量之下等土地，首先耕种，后因人口增加，此种下等土地已经耕种无余，则其次仅能产米九五单位量

---

① 本书中亦译为"揆立"。——编者注

之土地亦经耕种，而最后则产米百单位量之土地亦经耕种。然是时耕种土地之人，亦知耕种第一次土地，与支出五单位量之代价耕种第二次土地，与支出十单位量之代价耕种第三次土地，其结果完全相同，是生产量较多之土地依然可以发生地代也。彼上等土地发生地代所需之时间虽久，而关于决定地代发生理由及地代多寡之原因，则揆立氏之说与李嘉图之说，固毫无迳庭也。

所谓开垦耕种之次序云者，除其土地之肥沃硗薄一事以外，尚有许多应行斟酌之事，如对于开垦者住处之远近及便利与否，交易之难易，开垦时所需劳力之多少，所需资本之多寡，及其他一切事情，皆必须斟酌之后，始能决定。故即令有相等之肥沃程度或更为肥沃之土地，如因开垦为耕地而需要多大之劳力与费用时，亦有不能开垦因而弃置之者。是即新殖之民所以先选择比平地较高之土地从事开垦之原因也。夫新殖之民，非不知平地之肥沃，但因平地多为河边沼泽或卑湿之地，受蘆荻杂草所掩没，如垦为耕地，则需要多大之劳力与费用，故无可如何。即令不惜劳力与费用而垦为耕地，但无如所得之生产不能抵偿其所出之劳力与费用，终亦无可如何也。又假定支出劳力与费用从事开垦，而日后确实可以获得十二分之报酬，且于计算上亦为有利，但无如因资本不足，而收回利益之时期难于久待，亦属无可奈何之事，故往往有因资本不足之故，而故意将有希望之事弃置不为也。

要而言之，李嘉图氏因有"由肥沃土地渐次扩张耕种范围于不肥沃土地"之说明，故引起上述之驳论，假如不用"肥沃"之特定文字，而仅言"优良之土地"，且将其意义作为包含一地对于他地所有之一切利便解释之时，则上述无益之责难当不至发生也。虽然，李嘉图氏地代论之根本决不因此种责难而动摇，此吾人所不应遗忘者也。

二、对于"土地之原始而不可破坏之能力"之驳论

其次，揆立氏与巴斯榻（Bastiat，F.）氏，又驳论李嘉图氏所谓"地代系因使用土地所固有之原始而不可破坏之能力所支付之代价"一说，主张天然力原为人类所能自由利用，不当付以报酬，并谓土地所以发生地代，系因土地开发以后会加以资本与劳动之故，地代即对于此种蓄积之资本与劳动之报酬，决非对于天然力之报酬也。然彼等虽如此主张，但未示人以可以证明此主张之言

论，亦难令人首肯也。

关于此点，迩来曾发生一种最有力之驳论，即谓：李嘉图所言之原始而不可破坏之性能，由现代进步之自然科学见地观之，殊难承认，彼所谓原始之土地性能，究不外为人类施以资本与劳动之结果而由后天赋予者，故彼以此种不当之见解为基础之地代论，实无根据也。盖李嘉图对于所谓原始而不可破坏之土地性能，并未详细说明其究为何物，故吾人不能知其命意之所在，或者当时自然科学上之智识幼稚，不能认识此种性能，由今日之吾人观之，彼或以非土地所固有或非不可破坏之性能而认为土地所固有所不可破坏之性能也。故彼以为劳力与资本对于此种自然力具有重要意义，此显而易见者也。然于此成为问题者，即由现今进步之科学智识观之，土地果仍有原始而不可破坏之性能与否，土地之生产物果全为所施资本与劳动之结果与否是也。

三、李比西之新研究

关于此点，欲得解答，必须参考就自然科学作精细观察之书籍然后可。据吾人所知，可供此项参考之书籍，当以李比西（Liebig）氏所著之"Die Chemie in ihrer Anwendung auf die Agrikultur und Physiologie，2 Bde.7 Aufl.1862"最为精细，是书所言，对于李嘉图之说实为有力之驳论，同时又为对李嘉图学说所作无根据之驳论也。

凡植物体皆由多数之原素结合而成，酸素、水素、炭素、窒素等构成其有机的部分，磷、酸、加里、钠、镁、加尔克、基舍尔曹尔等构成其无机的部分。此等要素随植物之种类而异，有种种复杂之构成，植物之成长，皆视此等要素之存否如何，视其存在分量及结合配置之状态如何而定。然植物吸收此等养分，一面取自空中，一面采自土中，此为吾人所熟知者，至其中有机的成分之要素，如加里、安莫尼亚、硝石及水，由空中及水中采取之，其无机的成分，则专由土中采取之。因此吾人须加考虑者，彼由空中采取之养分，固无穷尽，但如土中所包含之矿物性，其存在量原有限制在自然历程上原非时常可以补充者。是则其存在量及其分布状态当因土地之不同而有差异也。

人所称最肥沃之土地，即含有此等养分之量最多且处于最适宜之状态者也，此种土地上之植物，其最能繁茂成育，当无疑义。惟吾人应当加以考察者，此等养分之存在与结合之状态，原由天然所定，人力固无可如何者。人工所能为力之处，惟能于此等植物吸收此等养分而成长之时，去其可以妨害发育之障碍而使其处于最适宜之状态已耳。

植物之养分如此受天然所限制之事实，吾人可据以说明土地收益递减之法则焉。

就农作而言，每经一次收获，其植物成育所需之养分，即由土地中吸取之，故土地中所含有之养分，随收获次数之加多而趋于贫弱。其可以由自然补充者，惟由大气中吸取而已，至土地中所含蓄之矿物性养分，终不能发见可以补充之途径。此时如不能由人工加以补充，则其养分势必渐趋于枯竭。故李比西能说明此理，谓人必须补充此种养分，方可谓为经营农业，否则只能谓为掠夺农业（Raubbau）也。

李比西氏此种主张之核心，诚建立于自然科学的基础之上，甚正确而可信。彼所谓土地之养分受自然所限制，人苟不欲失其生产力，必须讲求补充之方法，即其主张之要点也。

此种说明，实可取以为答复前述对于地代论之疑问之材料。吾人据此，可知所谓将土地生产悉归原于人类所施之资本与劳动一说，实属不当，而各地间生产能力之差异又不仅由其所施资本与劳动之多寡而生；同时又可知土地所固有之生产能力决非不可破坏，实因收获次数之增加而渐次减少，人苟不讲求补充之方法，则土地之生产力终当趋于枯竭也。

然则李比西氏之研究，一面说破李嘉图所谓土地生产能力不可破坏之主张之谬误；同时又说明土地之生产力完全为人工之结果，并否认土地之天然性质，而应视土地为人类劳动积聚而成之资本，彼基于此项理由，驳论李嘉图之说，又指摘其他学者所谓土地并无固有性能一说之非是。故依李比西氏之研究言之，则在李嘉图所谓“土地之原始而不可破坏之性能”一句之中，对其所谓“原始之性能”则证明其正当，而对其所谓“不可破坏之性能”则指摘其谬误。质言之，即说破李嘉图之见解半为正当半为谬误也。

是则李比西氏之主张，其一半可以视为对于李嘉图学说之驳论；其他一半则可视为对于李嘉图学说驳论之驳论也。

关于此方面之详细研究，吾人欲于以后第四章论“土地之经济的性质”时再行叙述，望读者比较研究之。又李比西氏所论，亦于第四章另立一节，详细介绍。盖以其为近时农业科学研究上之一大成绩也。

四、关于论地代腾贵倾向之谬见

其次对于李嘉图学说之反对论，则以为若如李嘉图氏所说明，最初耕种肥沃土地，渐因人口繁殖，而食料品之需要随以增加，至于劣等土地亦经耕种，于是对于肥沃土地发生地代，若果如此，则地代当因人口之繁殖及食料品需要之增加而有上腾之倾向。然依实际上之统计所示，地代反有下降之倾向，尤以近年为显著。是岂非证明李嘉图所论之为空想而不适合于经济之实际者乎？

然据吾人之见解而言，李嘉图氏所以采用此种说明者，不过指示地代如何发生及在如何状态可以增加之理而已。尤以彼之说明，亦与一般学理之说明相似，假定其他一切事情为一定不变，而于不发生紊乱事理当然之原因范围以内，说明其应当如彼如彼而已，决非顾虑经济实际上一切条件而就其适合于实际之倾向预言者也。要而言之，李嘉图氏之地代论，惟拈出关于经济静态（Static）之理论，非欲树立关于经济动态（dynamic）之法则者。惟其说明有多少未能彻底之处，又有不及注意之处，而用语又多未能审慎，且多语而不详，故不免易招误解，是在读者及研究者由研究之理路斟酌之，惟勘破其说明之根柢中所有学理之大本可耳。

五、关于论谷价腾贵倾向之谬见

此外尚有一种驳论，其见解与上述驳论相同，而表示之形式则异，即谓："若李嘉图氏之说为正当，则农产物之价格必当继续腾贵，然在实际上，欧洲农产物之价格（尤以小麦之价格为甚），在最近一二世纪之间，颇形低落，是即证明李嘉图氏所论之前提已属谬误也。"然而此说，已忽视地代之增加得与农产物价格之低落相并存之理。即地代以生产及耗费之差额为基础，换言之，即以生产物之市场价格及其耗费价格之差额为基础，由此种差额对于界限地之差异而成立者，故谷价即令降低，苟能使耗费节减，亦非不能增加地代，或因其他理由，为谋土地生产力之增加，遂得以增加收获，或因搬运便利，遂得以节减其费用，此时地代之增加，与谷价之低落无关，亦有可以表现者也。

惟此等理由，非就地代发生之原理及其增加之原因等事，略加说明，读者不易了解，故由以后所论者观之，自可期其明了也。望读者于本书第二第三两章特别考究之。

第二章　地代之发生

第一节　地代发生之理

李嘉图及杜能两氏所建设所提倡之地代论，谓地代为赢余生产之差额，由土地肥沃程度之优劣，由收获递减法则之实行，由土地对于市场所占位置之便否等事实发生而来者也，其发生之形态，已于前章叙述两氏地代论时略言之。

一、地代因耕种范围之扩张而发生

兹先由李嘉图氏所说者言之。假定于此有未经开辟之土地，而于其地开始殖民，且此处有多量肥沃之土地存在，为给养其人口计，仅开垦其土地之一小部分即为已足，又其耕种惟由该地人口所能处理之资本实行之时，地代虽不存在，然若人口繁殖，食料品之需要增加，而从来耕种之土地生产物终不能应付此增加之需要时，则肥沃程度较为劣恶而位置较为不便之土地，亦有从新耕种之必要，于是其先经耕种之优良土地，遂至于发生地代。而其地代之额，则由此等性质不同两地间生产能力之差异决定之。

其后人口若犹繁殖，食料品之需要若更增加，至是即不能不扩张其耕种之范围，于是肥沃程度及位置状态更为低劣之第三次土地，亦至于从新耕种，因而从来不生地代之第二次土地，亦从新发生地代，其地代之额，亦如前述，由第二次土地与第三次土地生产能力之差异决定之，同时第一次土地之地代，今则增加，其额由第一次土地与第三次土地生产能力之差异决定之。

循序上进，如人口愈繁殖，食料品之需要愈增加，而耕种范围遂至逐渐扩张于劣等土地之时，则地代常能发生而且增加；其结果所致，各地之地代，由其地对于在现已耕种诸土地（即因有满足现有食料品全部需要之必要而至于耕种者）中肥沃程度及位置状态皆为最低之土地所有生产能力上之优越决定之。换言之，一地之地代，由其地与最劣耕地——即立于耕种界限（the margin of cultivation）上之界限地（the marginal land）——两者间所有生产力之差异决定者也。

以上为地代由耕种范围扩张而发生之形态。兹为便于了解，以图示之如下：

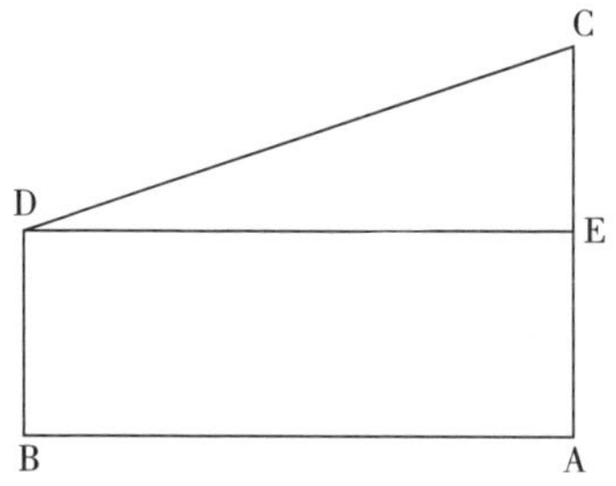

图中之 A，表示优良土地，B 表示劣等土地，AC 表示 A 地之生产量，BD 表示 B 地之生产量，BD 与 AC 之差额 CE，即 A 地之地代也。

此图若就耕种多数等级不同土地之情形考察时，则 A 为最优良土地，而以 AB 线向 B 方引长之次序，作为土地肥沃程度渐趋恶劣之程度，则 AB 线上所有无数之土地，与 B 方愈接近者愈劣，与 A 方愈接近者愈优。而 B 则为现已耕种诸土地中之最劣者也。在此种情形，AC 为最优土地上之生产量，BD 为最劣土地上之生产量，故以 AB 线为底线，而与 AC 及 BD 平行所引之无数平行线，即 AB 线上所有无数土地上之生产量，其线之长度，与 AC 愈接近者愈长，与 BD 愈接近者愈短，而其顶端则当由 CD 线限制者也。

此时各地之地代，由其地之生产力与最劣土地之生产力两者之差额决定之，故其地代，由以 DE 线为底线以 DC 线为顶端而与 CE 平行之无数直线表示之。是即现已耕种之一切土地之地代总计，可由 CDE 表示之。CDE 即全部耕地之全部地代也。

二、地代因农耕方法之集约而发生

据李嘉图氏之见解，为应付食料品需要之增加计，除上述渐次扩张土地耕种范围于劣等土地以外，又可添加资本与劳动，以达到其目的。然因土地之上有收获递减之法则显现，故以后所投之资本不能与以先所投之资本产出同一比率之生产。资本之投下者愈多，而其生产利益乃递减也。此生产结果之差额，亦有成为地代之性质，对于一地发生有投下第二量资本与劳动之必要时，则对于与其地质相同之土地，即可发生地代。盖就此地之耕种者而言，其投下第二量资本与劳动而获得九五单位量之米，与支出五单位量地代而耕种他种地质相同之土地以获得百单位量之米，其结果实相同也。

三、依据农产物价格之说明

上述一切说明，系由土地之生产量比较其生产力，以表示地代发生之形态，但此又可由其生产物之价格以说明之。而依据此种方法之说明，亦已为李嘉图氏所提倡，兹略述如下：

据李嘉图之见解，一切在同一状态下生产之同一货物之价格，由其在最不利之生产条件下所生产者之生产费（费用价格）决定之。彼之言曰：一切货物之交换价值，无论其货物为制造品，或为矿产物，或为土地之生产物，皆不由在特别状态（即最为利便且惟具生产上特别能力之人所能享有之状态）下生产所需之最少劳动量所决定，乃由缺乏此种能力者生产所必需之较多劳动量所决定者也。质言之，即由处于最不利状态继续生产之人生产所必需之较多劳动量所决定者也。而此最不利状态之意义，即因供给所要求之生产物之量而必须于其状态下实行生产之最劣生产条件也（参阅下文）。

The exchangeable value of all commodities, whether they be manufactured, or the produce of the mines, or the produce of land, is always regulated, not by the less quantity of labour that will suffice for their production under circumstances highly favorable, and exclusively enjoyed by those who have peculiar facilities of production; but by the greater quantity of labour necessarily bestowed on their production by those who have no such facilities; by those who continue to produce them under the most unfavorable circumstances; meaning—by the most unfavorable circumstances, the most unfavorable under which the quantity of produce required, renders it necessary to carry on the production.——The first six chapters of the

Principles of Political Economy and Taxation of David Ricardo.①

关于此说之当否，吾人颇有所见，但以不限于此处论及，姑不具论。要之，李嘉图氏由此种根本见解出发，谓农产物之价格，在因满足现有需要而必需耕种之土地中，应由其处于最劣恶最不利生产条件下继续生产者之生产费（即彼所云之劳动）总量所决定，其处于较优状态下生产而出者之价格，皆一律由此决定之。

是则地质肥沃而位置接近市场且有便利之土地上所生产之农产物价格，与地味硗薄而位置隔离市场且交通不便之土地上所生产之农产物价格，皆一律由后者所需生产劳动总量及搬运其生产物于市场所需之费用决定之，故地质优良而接近市场之土地上之生产者，得以较少之劳力及费用获得较高之价格，其对于劣等土地上之生产者，占有多余之利得。

此多余之利得，即优良土地上生产者所出生产上之费用及劣等土地上生产者所出之费用之差额，即所以构成地代者，毕竟因土地之地质优良位置便利之故而发生者也。

满足全部需要所必需之食料品总量之价格，在其所由生产之耕地中，由其处于最劣生产条件下（即所谓界限地）者之生产耗费价格决定之，故优良土地之地代额，由此费用价格（即全部食料品之价格）与其地生产所需之费用价格之差额决定之。因此，欲知一地之地代额，惟观其生产物之价格——即界限地之费用价格——与其地之费用价格之差额可也。

兹仿照前例，为便于了解计，以图示之如下：

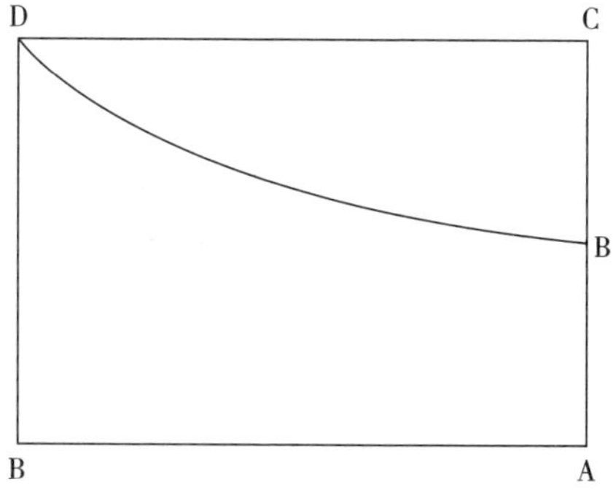

① Asheley's ed.N.Y.1909,p.57,58.

A为最优土地,B为最劣土地。AE及BD系表示A地及B地生产之费用价格。据李嘉图氏所说,农产物之价格由最劣土地之费用价格决定之,故其价格必与BD一致;而优良土地之生产物,皆当与此有相同之价格,故表示最优土地之A地生产物价格之线即为AC,AC之长度,必须与BD线相同。而地代由其与最劣土地间之费用价格之差额而成立,故A地之地代,必由其地生产物费用价格之AE,与最劣土地B地生产物费用价格之AC两者之差表示之,即由CE表示者也。

今试假定AB两地间有无数土地存在,而就此图考察之,则各地之生产费,以AB线为底线,由BD向右渐次缩短,由AE向左渐次延长。即各线皆由其顶端之DE线所限也。因而各地之地代,以DE线为底线,受DC线所限,当由与CE线平行之无数直线表示之,而各地地代之总额,即当由DCE表示者也。是DCE即由最优土地A至最劣土地B止,除B地以外,而为其余一切土地地代之总额也。

四、界限地无地代

由以上所论,其最当注意者,即最劣土地——界限地——毫无地代发生一事是也。耕种最劣土地之人,除获得其足以继续生产之资本与劳动之报酬外,不能获得丝毫地代。而谷物之价格,由此界限地之耗费价格所决定,故谷物之价格中,并不包含地代。因此谷物之价格,不因地代之支付或增加而增高;反之,地代之发生或增加,转因谷价之腾贵而来者也。

李嘉图氏之言曰:谷价非因地代之支付而增高,地代转因谷价之增高而支付,即令地主完全抛弃其地代而不取,而谷价亦不因此而减少,此正当之事实也(参阅下文)。

Corn is not high because a rent is paid, but a rent is paid because corn is high; and it has been justly observed, that no reduction would take place in the price of corn, although landlords should forego the whole of their rent.①

关于此点,尚有可以讨论之处,且有不少异论存在,惟吾人以为与其在本

① Asheley's ed.N.Y.1909, p.60.

节陈述，不如留待后方论农产物价格与地代之关系时讨论为宜，故不多赘。此外其他处所亦时有论及者。

要而言之，地代发生之理，实可由农产物之价格立论，彼李嘉图氏似专从价格论出发者。然由土地肥沃程度之差异及对于所投资本（劳动）收回利益之差异以说明地代之发生时，价格之观念亦无甚必要，即仅视其生产量而不问其价格，亦可以探求地代发生之理，说明地代之额也。惟至于就位置关系（即某种土地距离市场之远近及交通之便否）以说明地代之发生时，如不假用价格之观念，即无由说明。故欲就此种情形以说明地代发生之理，或如李嘉图氏之说明方法，先说明农产物之价格，在其应付实际需要之供给量中，由其处于最不利生产条件下之土地生产物之耗费价格而定，再由其耗费价格中所包含生产物运费（由生产地运至市场之费用）一事以解说之；否则亦必如杜能氏之说明方法，先说明品质相同之生产物，不问其地点距离市场之远近如何，在市场上恒有相同价格，再观察生产者由运费多寡以获得利得之差异，以阐明地代发生之理。二者必居其一也。盖不用价格之观念而惟用生产量以说明之之时，则地质相同，所投资本相同，所得生产量相同之土地，即令其对于市场之位置有差异，其间亦无发生地代之余地也。惟具有同一价格之农产物，因其距离市场之远近及交通之难易与便否而其所需运费发生多少之差异时，吾人始可据此种差异以说明地代发生之理耳。

此外，欲知地代发生之理，又须就地代发生之形态略加观察，须就地代发生之原因详细研究，方能充分了解，兹分别说明于下：

第二节　地代发生之形态

地代发生之理，吾人已于前节所论，略知梗概。兹更就地代发生之形态，略加研究。惟此项研究，以按照数字，由计算上举例表示，最便了解，故本节多用数字说明之。

一、地代由土地肥沃程度之差异而发生之形态

于此有甲乙丁丙四种土地，而假定对于各地之投资皆为150元，其赢益率

各为二成之时，则各地之管理者，对于其生产，至少可望收回108元之利益。今如假定最劣土地之生产量为米10石，则此地之生产费，可以决定一切土地所生产之米之价格，故各地所生产之米，每石必皆叫价18元。然如乙地以其与甲地同一之资本而能生产20石之时，则其总生产额为甲地之二倍，正可以算成360元，因而乙地之所有者，可以收得180元之地代。而丙地如能生产30石，丁地如能生产40石之时，则前者之地代当为360元；后者之地代当为540元。

兹以图表示之如下：

土地种类	资本	平均赢益	生产价格	生产额		每石市价（元）	地代	
				石	元		石	元
甲	150元	30元	180元	10	180	18	——	——
乙	150元	30元	180元	20	360	18	10	180
丙	150元	30元	180元	30	540	18	20	360
丁	150元	30元	180元	40	720	18	30	540

今因便于了解，就人口繁殖米谷需要渐增之状况，说明此种关系时，则初时人口尚少，惟耕种丁地，即为已足，其生产量为40石，其生产价格为180元，故米1石仅有4元5角之价格，此时之丁地，当无地代。然人口增加，惟耕种丁地，不能供给米谷之需要，而至于耕种丙地之时，则是用180元之生产价格，耕种仅能产米30石之土地，其结果，米每石之价格，必由4元5角增至6元，因而丁地之总收益，增至240元，遂发生60元之地代，而丙地之所有者，当以取得30元之平均赢益为满足也。

然如人口仍见增加，而乙地亦至于耕种之时，则米1石之价格当增至9元，于是丙地之所有者可得90元之地代，丁地之所有者可得180元之地代。

然如人口仍继续增加，而甲地亦至于耕种之时，则米价当增至18元，于是乙丙丁三地，各各可以取得180元、360元、540元之地代。

此种关系，如上所述，系由优良土地开始耕种而渐次及于劣等土地者，今若颠倒其耕种之次序，先耕种劣等土地而渐次及于优良土地之时，其结果当无以异。譬如其先惟耕种甲地，则其生产量为1石，其生产价格为180元，故米价每石为 18 元,此时甲地并无地代。然如人口增加,米谷之需要由 10 石增至 30 石,而乙地必至于从事耕种,且是时因甲地亦不停止耕种之结果,则谷价每石仍为 18 元,乙地即可获得 180 元之地代。其次丙地亦至于耕种,最后米谷之需要增加为百石而丁地亦经耕种之时,但因米价每石常为 18 元,故乙丙丁三种优良土地,亦各各可以取得 180 元、360 元、540 元之地代。

惟最初耕种优良土地与最初耕种劣恶土地两者之差异,在前者则谷价由低廉而渐趋腾贵,在后者则谷价自始即有高等价格而一定不变。然于地代发生之形态仍无所异。又如耕种范围不必常由优地至劣地或由劣地至优地逐渐扩张,而其关系乃由优劣混合极其复杂之时,则在理论上亦不发生差异,仍可由如上所表示之最简单状态,以推知任何状态也。

由此可知前述揆立氏对于李嘉图地代论之驳论(即谓土地之耕种次序就文明史上之事实言,并不如李嘉图所论首先耕种肥沃土地而渐及于劣等土地,反之,乃首先耕种劣等土地而渐及于肥沃土地者),于说明地代发生之理,并无意义。如上段所示之例,已属明了,土地耕种之次序,无论其先由优等土地而渐及于劣等土地,或先由劣等土地而渐及于优等土地,其于地代发生之形态,并无所异也。又因上段所示,已证明地代发生不必需要谷价腾贵之理,故在最初耕种劣等土地而渐及于优等土地之情况,即令谷价并不腾贵并不变动,而地代仍得发生仍得增加也。此点望研究者注意及之。

吾人兹更进而并合制造工业加以考察,以详细说明地代发生之形态。

二、与制造工业对照之说明

假定于此有甲乙两制靴匠,甲仅使用普通制靴机械,而乙则使用更有效而便利之进步机械。如甲每年耗费 3200 元,制成 400 双之靴,而普通赢益率为二成五之时,则甲对于 3200 元之耗费,当以 800 元之赢益即以每双 10 元之价格贩卖之。然乙同以 3200 元之耗费,能制成四百五十双之靴,故其每双之价格,不如甲靴之定为 10 元而仅以 8 元 8 角 8 分出售,亦可占得与甲相同之利润。但市场价格,对于甲乙两种制品,当一律每双 10 元,故乙之售出额当为 4500 元。其结果,乙除获得如甲所占之 800 元赢益以外,更可获得 500 元之多余赢益也。

今移此例于农业方面考察之时，亦假定于此有肥沃程度不同之两种土地，耕种甲地者以 3200 元之耗费生产 400 石之米，耕种乙地者以同一耗费生产 450 石之米。然如经营甲地之人，以每石 8 元之耗费，获得二成五分之普通赢益，则每石必须以 8 元加 2 元(即 10 元)之价格售出之，其总赢益恰为 800 元。但经营乙地之人，其所生产之米，每石同以 10 元之价格出售，故其结果可以收得 4500 元，除普通赢益以外，更可得 500 元之多余赢益也。

上述两种情形，虽似乎完全相同，但实际则不然。工业上与农业上之多余赢益虽同，而两者之性质则异。

工业上之多余赢益，多出于企业者所固有之人工原因，否则亦必发源于该事业所附带之特别条件。然土地上之多余赢益，则出于土地所固有之原因，且土地不如器械等物之能自由增减，即其所固有之性能，亦附着于各地，成为各地之特征，非可以由一地转移于他地者也。又工业方面，因企业者竞争激烈之结果，多余赢益常有暂时性质，不久即归于消灭，故工业上之多余赢益，常为例外的，且为暂时的，至农业上之多余赢益，原生于土地所固有之性能，故常为永久的且非暂时的。

此外，在工业制品一方面，其生产价格，由其在特定条件下平均所必需之费用价格与普通赢益之和而定，因而在社会上能以比较必需之费用价格更少之费用价格成就其生产之人，始可占得多余赢益，否则或不免受其损失；至于农业生产方面，成为决定农产物价格之标准者，非具有平均性质之土地上之生产价格，乃为充足现时农产物全部需要而必须耕种诸土地中之最劣土地上之生产价格，此吾人所当记忆者也。

然吾人于此非论地代之本性，非论其与工业上之多余赢益之异同者，故无再深入而详论之必要。关于此点，在以后论地代之本性一章，其理论自能明了。惟当此叙述农业地代发生之形态时，因其有与工业上之多余赢余显现之形式相似，因两者根本上之性质相同，故略为论述，以预促读者之注意已耳。

要之，在工业上生产繁盛之处，人口增加，其对于农作物之需要亦随而增加，故生产力劣恶之土地耕种范围，遂至于逐渐扩张，而优良土地与劣恶土地间生产力之差异愈大，其结果所致，地代之发生乃愈广，且不得不随而增加也。

兹就前例，更进而表示地代发生之形态，今假如因食料品之需要增加，而较之以前已耕土地尤为劣恶之土地亦经耕种，则以后所耕种之土地，即令其面积与以前相同，所投资本与以前相同，亦为 3200 元，但其生产量不能达于 400 石而仅有 320 石。若就此状态表示之，则当如下：

第　一　表

土地种类	米生产量（石）	投资额（元）	赢益率（%）	各地生产价格		一般生产价格		地代（元）
				全体（元）	每石（元）	全体（元）	每石（元）	
甲	450	3200	25	4000	8. 88	4500	10	500
乙	400	3200	25	4000	10. 00	4000	10	——

第　二　表

甲	450	3200	25	4000	8. 88	5650	12. 50	1650
乙	450	3200	25	4000	10. 00	5000	12. 50	1000
丙	450	3200	25	4000	12. 50	4000	12. 50	——

因丙地之经耕种，而甲地之地代，由 500 元增至 1650 元，最初不生地代之乙地，亦从新发生 1000 元之地代。

今假定上述劣等土地不经耕种，而如前所言，至于耕种优等土地之时，则无论如何观察，其理亦无所异，惟当初不生地代之优等土地亦从新发生地代而已。以表示之如下：

土地种类	米生产量（石）	投资额（元）	赢益率（%）	各地生产价格		一般生产价格		地代（元）
				全体（元）	每石（元）	全体（元）	每石（元）	
X	500	3200	25	4000	8. 00	5000	10	1000
甲	450	3200	25	4000	8. 88	4500	10	500
乙	400	3200	25	4000	10. 00	4000	10	——

即甲地之地代，毫无增加，从新至于耕种之 X 优等土地，新发生 1000 元之地代是也。

是故渐次耕种优良土地，而农作物之价格低落，从来已耕种之劣等土地，即照旧耕种，亦不能使收支适合之时，其地代在特定之土地上虽亦可以减少，然由地代之总额观之，其对于全部之投资额，仍见增加也。以表示之如下：

土地种类	米生产量（石）	投资额（元）	赢益率（%）	各地生产价格		一般生产价格		地代（元）
				全体（元）	每石（元）	全体（元）	每石（元）	
Y	600	3200	25	4000	6.66	5328	8.88	1328
X	500	3200	25	4000	8.00	4440	8.88	440
甲	400	3200	25	4000	8.88	4000	8.88	——

即乙地已不耕种，甲地之地代已经消灭，X 地之地代亦由 1000 元减至 440 元，但从新耕种之 Y 地，乃发生 1328 元之地代，此由地代之总额上观之，已由以前之 1500 元增加至 1768 元矣。

三、地代因位置优劣而发生之形态

除上述土地之肥沃程度之差以外，由其对于市场之距离远近及交通难易，亦可以促地代之发生，而谷价如不能填偿生产费及其运售于市场之运费而尚有普通赢余之时，则处于隔离市场及交通不便之位置之土地，必不至于耕种。故对于谷物之需要增加，而所处位置不便之土地亦至于耕种之时，则谷价随而腾贵，彼所处位置便利之土地，由是发生地代。今为使此问题化为最简单之形式起见，假定于此有三种土地，其肥沃程度相同，但位置有优劣之差。又假定谷米之运费，每石每里为一分，则可由下表表示之：

土地种类	去市场之距离（里）	米之生产量（石）	生产地之生产价格（元）	运费（元）	米四百石之市场价格（元）	地代（元）
甲	5	400	4000	0.20	4400	380
乙	50	400	4000	2.00	4400	200
丙	100	400	4000	4.00	4400	——

四、地代因新投资本发生之形态

除从新耕种向未耕种之土地以外，如对于从来之耕地投下新资本之时，则地代亦可以发生，此时之地代额，即由投资所收回之多余利益也。

为举例表示起见，仍以采用前记第一表为便。即假定有面积相同之甲乙两地，乙为劣等土地，其土地上之生产价格，支配谷价，每石作为 10 元。今如不耕种丙地，而于甲地上从新投下资本，其所投之新资本较以前所投之资本，若为加倍，则新投资本，虽不能收回与前两届所投资本所取得之利益，但较之从新耕种丙地，则可得多余之利益。其形态可由下表表示之：

投资	产米额（石）	投资额（元）	赢益率（%）	生产费（元）	市价		地代（元）
					每石（元）	全生产额（元）	
甲 1	450	3200	25	4000	10	4500	500
甲 2	420	3200	25	4000	10	4200	200
合计	870	6400	25	8000	10	8700	700
乙	400	3200	25	4000	10	4000	——

由上所述，自信已略能说明地代发生之形态。此外尚欲究明此地代发生之原因，就地代所以增减之理法及原因略为论述，藉以论述地代发生理论之各部分而精细研究之。此以下所论者也。

第三节　地代发生之原因

关于地代发生之原因，由前章第二节及第三节叙述李嘉图杜能两氏地代论之处，由本章第一节及第二节叙述地代发生之理由及其形态之处，已足以明了其大概，兹更不欲多论。惟吾人于此尚须用数页之篇幅，以贯通关于地代发生原因之理论，并就李嘉图等地代论未能彻底说明之处及其理论上之误解，加以纠正。

一、土地肥沃程度之差异

李嘉图氏建设其地代论时，谓地代发生之原因，由于土地所具自然肥沃程度之差异，并考察土地所占位置之优势，而最后则举出土地上所显现之收获递减法则。

彼谓当最初人口稀少，土地有余，且其地肥沃，而耕种所需之资本能为该地人口所能处理之时，则其地无发生地代之余地；但人口增加，惟恃从来之耕种地而不能满足已增加之食料品之需要,因而肥沃程度较劣之土地亦至于耕种之时,于是已耕地与新耕地之间,对于同一资本与劳动之收益,发生差额,此种差额,即构成地代者也。故此时地代发生之原因,实由于此土地所有肥沃程度之优劣,因有此优劣,即对于同一之资本与劳动,其生产之结果乃生差异,此差异原由土地所固有之肥沃程度之性能而来,故亦为土地所固有,因而使用土地之人,对于此种性能之使用,当然支出其生产结果之差额以为报酬,是之谓地代。

然则据彼之见解,其视土地所有肥沃程度之优劣一事为地代发生之第一原因也明矣。

二、位置之优劣

但彼又以为:如土地之性质相同,而其存在量又为无限,则地代无发生之余地;惟实际上土地之存在量乃有限制,而其性质又有肥沃程度之优劣,故能发生地代。又如土地之性质相同,而其存在量为无限时,则除土地在其位置之关系上有便否之差别而外,地代不能发生,是彼又视此位置之便否为地代发生之原因也。惟关于位置之关系一层,李嘉图氏并未深入而详论,至于谓此位置关系为地代发生原因之详细说明,则有待于杜能氏也。自杜能氏用其精细之研究,阐明土地对于市场所占位置之便否及交通之难易,为地代发生之必然的原因以后,学者之间,虽有人怀疑李嘉图氏之地代论,而对其所谓地代发生之原因及发生之途径,不能置信,但对于杜能氏之说明,尤其对于所谓位置关系为地代发生之原因一事,则并无异议,此已经一般人承认其为定论矣。

然如前所述,李嘉图氏又曾说明:食料品之需要随人口之增加而增加时,为讲求应付之方法,除扩张耕种范围于劣等土地以外,又可就已耕之优良土地,从新投下资本,以达到其目的,但因土地上有收获递减法则实行之故,以后所投之资本,不能获得如以前所投资本所收回之利益,故地代即因有此种事实而发生也。由此可知彼又以此种收获递减法则实行之事实,作为地代发生之一种原因矣。

惟因彼之说明过于简单,彼果就以上三种原因分别观察乎?抑或三种原因互生关系而实为同一原因之两种说明乎?彼对于此点,未及明言。又肥沃程度之差异与收获递减法则实行两事，其成为地代发生之原因，果有何种意义之联络乎？彼对于此点，亦未论及也。

李嘉图对于上述诸问题虽无所说明，而后世学者亦多不顾虑此等精细之点，其论地代发生原因之形式虽不同，要可归着为下列三事：（一）肥沃程度（Fruchtbarkeit，fertility）之差异；（二）位置（Lage，situation）之便否；（三）收益递减法则（Law of diminishing returns）之实行是也。

三、三种原因之关系　收获递减法则之实行为地代发生之第一原因　耕地肥沃程度及位置优劣之发生为地代发生之第二原因

关于上述三种原因之关系，吾人认为有详细研究之必要，兹依次说明于下：

夫谓地代由土地所有肥沃程度之优劣而发生，其说良是。然所谓最初惟耕种优良土地即足以给养该地人口，后因食料品之需要随人口之增加而增加，而肥沃程度较劣之土地亦至于耕种之时，于是优良土地因此两地间生产力之差异而发生地代。由此言之，则地代之发生，实因土地上实行收获递减法则一事而来，是上述之说明，即所以证明土地收获递减法则之实行者也。兹申论之。

假如土地之上不实行收获递减法则，而土地具有无限之生产力，对于最初所投资本之生产结果，与对于以后继续所投资本之生产结果，毫无所异，则人类惟耕种最初已耕种之优良土地，即为已足，倘食料品之需要随人口之增加而增加时，则亦惟就已耕之优良土地加重其所投之资本可矣，固无须扩张耕种范围于地质恶劣而收益较少之土地也。

如果土地之上不实行收获递减法则，则人口之数无论为一千或一万或一千万，惟耕种一小部分之土地，即能获得足以充分给养之生产，人口每经增加一次，但加重其所投于土地之资本额及增加所施之劳动量可也。岂有耕种劣等土地之必要乎？且是时即对于优良土地之耕种，亦无推广其面积之必要，惟耕种数亩，或一亩，甚言之，即耕种一分土地，亦足以给养百千万人。古人所谓："五亩之宅，树之以桑，五十者可以衣帛矣；百亩之田，勿夺其时，八口之家，可以无饥矣"云云，岂惟五十者可以衣帛八口之家可以无饥而已哉，即以

之给养天下国家可也。

然而事实上并不如上述之为乐天的,自然之大法与经济之大则,固不许人类享有如许便利也。收获递减法则于此严格实行,无论对于如何优良之土地,其所投之资本与劳动愈增加,收益愈递减,终则达于一定限度,此时即令投下新资本,其所得之收益,较之支出资本以从新耕种肥沃程度恶劣之土地,其结果必无差异,若超过此一定限度而对于优良土地更投以新资本,当不如从新耕种更劣恶之土地,转为有利。又如第二性质之土地,不久亦必达于此一定限度,且肥沃程度较劣之土地,其达到此一定限度之时期,较第一性质之土地尤速。如此依次实行之,则在第三性质以下之土地亦同。

耕种范围由劣等土地顺次扩张及于最劣等土地(此所谓最劣等土地,并非绝对之意,乃为满足现有需要而必须耕种之范围中之最劣等土地也),此最劣等土地上生产之结果,与其生产之耗费恰相符合,并无赢余,此种土地称为耕种界限上之土地,即为界限地,如此达到之界限点,称为"耕种扩张之界限"(The extensive margin of cultivation),对于一地投下资本而所得收益,递次减少,终则达于收益与耗费恰相适合之点,是称为"耕种集约之界限"(The margin of intensive cultivation)。

是故土地之实际利用状态,在优良土地一方面,则于其上充分加重资本与劳动,用集约的方法充分利用之,终则达于一定限度,与其再行投资,不如就较为劣恶之土地从新投资,更为有利,于是第二第三性质之土地,顺次实行,终则一面尽量用集约方法以利用之,一面扩张耕种范围,遂至达于耕种扩张之界限。

兹为便于了解,以图示之如下(由河上氏所评解之费达氏经济原论中"物财之价值"6465页借用):

如图,甲乙丙丁戊为肥沃程度渐次劣恶之五种土地,甲为最优良土地,甲地虽应首先耕种,但其耕种集约之程度愈进,终至于卯点之时,于是较为劣恶之乙地,亦于卯之程度开始耕种;又此两耕种集约之程度愈进而至于巳点之时,则丙地亦于巳之程度开始耕种;如此耕种集约之程度顺次达于午点与未点之时,则丁地亦开始利用,于是丁地成为耕种扩张之界限地,而戊地当尚未至于耕种也。

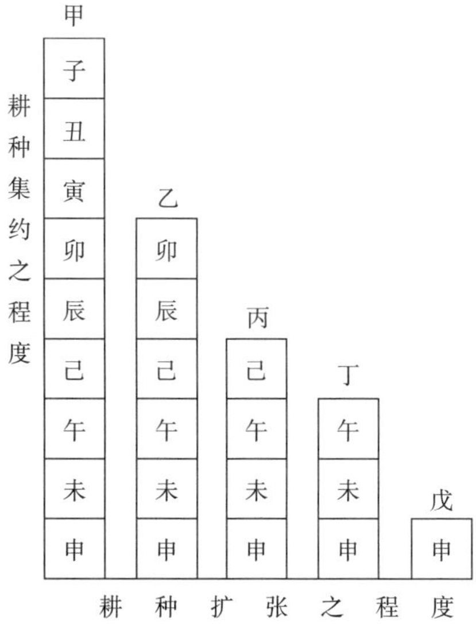

由是观之，耕种之由地质最良土地而渐次扩张及于劣等土地，实由于土地上实行收获递减法则之故，而对于一地实行集约的耕种方法，或渐向劣等土地扩张耕种范围，原同受收获递减法则所支配者也。故地代或因土地耕种范围之扩张而发生，或因利用集约的耕种方法实行收获递减法则而发生，从理论上观之，两者实由同一原因发生者也。

若就李嘉图氏之说明，作皮相之观察，则上述两者，其成为地代发生之原因，虽似乎相异，但就其真相以穷其理论，实一而二二而一者也。

是故论地代发生之原因，而第一列举肥沃程度之差异，第二列举收获递减法则之实行，实有易招误解之虞。不如概括此两项而以收获递减法则之实行作为地代发生之原因，转为简便。惟为便于说明起见，即仿照李嘉图氏之论法，先说明肥沃程度之差异，再说明收获递减法则之实行，亦无不可也。但有一事不可忽者，即肥沃程度不同之两地或数地所以渐次实行耕种，实由于土地上实行收获递减法则之故是也。故土地上收获递减法则之实行，为地代发生之第一次原因，而耕地上肥沃程度差异之发生，则由此法则实行之故而来，乃地代发生之第二次原因。前者为主，后者为从；前者为实体，后者不过为其反射影而已。

其次又就土地所占之位置关系观之，其对于收获递减法则所有之关系，殆与对于肥沃程度差异所有之关系，完全相同。譬如土地之上不实行收获递减法则，而其生产力为无限，其利用又无止镜之时，斯无耕种劣恶土地之必要，又焉有必须耕种位置不便交通困难之土地之愚事乎？人口之数无论如何增加，亦惟有耕种在市场附近而便于搬运之土地可耳。

然实际上所以不然者，实因土地上实行收获递减法则，苟超出一定限度以上，即不能藉集约方法以利用之，因此之故，人不得已始耕种偏僻不便之土地，而不厌远道不感困难，以运其生产物于市场，且有其必要也。

惟在位置关系一方面，与肥沃程度之关系一方面不同，按照收获递减之法则观之，对于收获之递减一层，无甚深之关系，但对于所谓土地利用之程度有一定限度而不能无限利用不能无限发挥效用一事，则有甚重要之意义。故收获递减之法则，若照字义解释，而注重于收获之递减一层，则成为地代发生原因之位置关系，虽似乎不能由此法则表现而出，但所谓收获递减法则之意义，实由“收益之递次减少”与“终达于集约之界限”之两观念成立者，是以收获递减法则之中，实包含“土地利用有一定限度，如超过其限度即不能利用”之理由在内也。由此点而言，收获递减法则与成为地代发生原因之位置关系，两者实有继续之关联也。

若一种土地而可以无限利用，则无论作为耕地或作为宅地，人皆欲选择位置最便者而用之，当不至使用位置不便之土地也。此点吾人应当充分注意，就此种意义言，则成为地代发生原因之位置关系与肥沃程度关系，两者实无所异。

是故土地所占位置之关系，亦因土地上实行收获递减法则之故而来，其与肥沃程度之关系，盖皆属于地代发生之第二次原因也。

总括以上所论，地代发生之原因，实由于土地上实行收获递减法则之故，因有此法则实行，而地味恶劣位置不便之土地遂至于不能不耕种，因其不能不耕种，而地代乃由地质之优劣与位置之便否两事而发生。故收获递减法则之实行，为地代发生之第一次原因；而土地所有地质之优劣与位置之便否，为地代发生之第二次原因。如以为地质之优劣与位置之便否乃地代发生之直接原因，因而谓此即为地代发生之原因，信斯言也，则收获递减法则之实行，即当成为产生此原因之原因，是可谓为地代发生原因之原因也。但“原因”与“原因之原因”，亦犹第二次原因与第一次原因，两种说法实属相同，吾人不容忽视。

要之，论地代发生之原因，而先言地质之优劣，次言位置之便否，最后则言收获递减法则之实行，而使其与前两者相并立，此种论法，吾人殊不知其所以然之理。据吾人所知，此种见解，实属谬误，盖三者不能并立，前二者实隶属于最后者，因有最后者，前二者始能发生也。

第三章　地代之增减

第一节　地代增减之理

由前两章所论，吾人已能了解地代发生之原因。即因土地上实行收获递减法则，及多数人口所需之农产物不能充分供给，除渐次励行集约的农耕方法以充分利用优良土地外，更有扩张耕种范围于地质恶劣位置不便之土地之必要，其结果所致，乃因地质优劣及位置便否之故，即对于各地投以同一之资本与劳动，而其生产之结果恒生差异，且可以用同一价格售出之农产物，亦因其生产地之肥沃与否，及其对于市场所占位置之便利与否，而其生产之费用（可包括运费而考察之）恒有差等，地代之为物，即因此等差异与差等而发生者也。而如此发生之地代额，则由所谓界限地与优良地两者间对于同一耗费所得之生产量之差异决定之，或由对于同一价格之生产物所需生产费之差额决定之。

是则地代额所以发生增减之原因，可以从两方面说明之。自其一方面而言，则必因农耕技术改善及土地改良等事，而土地之生产力得以增给，生产量得以增加；否则必因实行"掠夺农法"而地力趋于枯竭。自其他方面而言，则必因人口繁殖，农产物之需要增加，而农产物之价格乃趋于腾贵，否则必因上述农耕技术改善或农耕经营组织改良，而生产费得以节减，又或因交通运输机关之发达普及，而农产物之运费得以减低。地代之所以有增减，要不外乎此等原因也。

一、农产物腾贵之情形

就上述各种原因，加以考察，而先就农产物腾贵之情形说明之。农产物腾贵之情形,亦有两种区别。其一,人口繁殖,食料品之需要随而增加时,惟耕种从来之土地,已不能应付此增加之需要,乃不得不扩张其耕种范围于较为恶劣之土地,且因有此种扩张,而界限地之品位渐趋低劣,因而生产所需之耗费愈益加多,其运送于市场之运费亦随而加大,于是农产物之价格不能不渐趋腾贵(因农产物之价格由界限地生产之耗费决定故也),此其第一种情形也。其二,一国以内之土地,悉经耕种,其耕种扩张之界限,早已不能越雷池一步,即欲扩张耕种范围而不能,或因其他理由,不扩张耕种范围,但谷价则因供不应求之故而渐趋腾贵,无有止境,此其第二种情形也。

上述两种情形,皆为促进地代增加之原因,其理甚明。其中第一种情形,已于第二章第二节论地代发生之形态时,用数字举例表示,所谓肥沃土地之地代因耕种范围渐次扩张于劣等土地之故而发生而增加之形态,吾人已于彼处说明之,对照观察,其理自易了解。关于此点,吾人当于后节再论之。

至如第二种情形——即耕种范围不扩张,而谷价腾贵,因而谷价超出界限地生产费以上之情形——自表面上观之,亦似乎可以增加地代,例如其先谷价每石为十五元,生产费每石仅需 12 元,可以收得 3 元地代,今则谷价增至每石 17 元,其与生产费之差额为五元,此五元即可作为地代,是较前已增加地代 2 元矣。而原无地代之界限地,因其生产费为 15 元,谷价为 17 元,似亦发生 2 元之地代也。学者称如此发生之地代为“绝对地代”,仍作为地代处理之。

然据吾人所见,上述之差异,原非界限地与优良地之间所有之差额,系对于各地平均发生而来者,实与李嘉图等所建立之地代之性质相反。故此种差异不能作为地代处理之,虽赐以“绝对”之名,亦不能因此而具有地代之性质,盖此原非出于土地所固有之原因,而完全出于所谓需给关系之社会的经济的原因,故与地代之地字,并无关系。

吾人之论地代本来之性质,原视为一种差额的多余利益或差别利益,不仅限于土地可以发生,即企业上与劳动上亦可以同样发生者,故不能以其与土地无关,而一概否认其为一种(Rent 或 Pramie)之性质,惟如此处所论者,原无差别利益之性质,故否认其为地代之性质也。

又对于所谓“绝对地代”之事,以后第五章第二节更当详论,望读者就此节与第四章所论地代之性质充分考察之。

二、生产费减低之情形

于此吾人仍须回到本题，而就地代增减之第二原因——即生产费之减低一事——论之。关于此方面，亦可分为两种情形考察之。其一，生产费之减低，亦与土地改良及耕种技术改善之大多数情形同，同时与生产量之增加并生。就此种情形言，即不问生产费之是否减低而但就生产量增加一事观之，正可以成为地代减少之原因。然此系指生产量增加而人口未繁殖谷物需要未增加之情形而言，若食料品之需要与生产量以同一比率增加时，则谷价毫不腾贵亦不低落，而地代亦毫不增加或减低，原因两相减杀，不生其他结果。然如谷物之需要不增加而谷物生产量增加之时，则因此产出供过于求之结果，从来已耕种之劣等土地，今已无耕种之必要，耕种之界限于是缩小，而谷价乃因低落，于是优良地与界限地之间所有生产力之差异，因界限地上进之结果而减少，因而地代亦不得不减少也。其二，即不顾生产量之增加与否，而惟有生产费减低之情形，例如因耕种技术及农耕器具之改良，而从前须耕锄三次之处，今仅须耕锄二次即可济事，或因交通运输机关之发达而运费减低是也。就此种情形考察之，亦可以分为两方面说明。生产费减低之比率，对于优良土地与劣等土地皆为一律时之情形；生产费减低之比率，在优良土地则多在劣等土地则少，或优良土地少而劣等土地多之情形。

生产费之减低，在各地如为一律之时，则生产费与生产价格之差额，其在各地间之差异即成为地代，故于其地代当不至发生增减。即界限地上之生产费减少几许，谷价亦减低几许，而在优良土地一方面，则谷价减低几许，生产费亦减低几许，故生产费与价格之差额，依然如旧。因此种差额在任何土地皆依旧不生变化之结果，地代之额，无论由各地分别观之，或由各地之总计观之，亦依旧不发生增减也。

其次，生产费如在优良土地以大比率而减少，在劣等土地以小比率而减少，则就此种情形观之，其在农耕技术或土地改良之时，此必因生产量之增加一事而发生者。即因改良以后增加生产量之故，每石生产费之比例，在生产量增加比率较大之优良土地甚少故也。是则地代之在优良土地已见增加也明矣。盖优良土地因生产费大见减低之结果，其成为生产费与生产价格之差额之地代，亦不得不增加也。

要之，生产费之减少，在界限地上实现之时，谷价在原则上应当减低，因而一般地代亦当呈现减低之倾向，但生产费减少之比率，优良土地大于劣等土地之时，则谷价低落，接近于界限地之土地之地代，虽当减少，而最优土地及与其接近之优等土地之地代，当见增加也。

最后，生产费减低之比率，劣等土地大于优良土地之时，例如因某地方敷设铁路之故，而从前距离市场颇远且所处位置不便之土地，在交通上乃得与市场接近，因而其农产物所需之运费得以减低之时，则从来优良土地与劣等土地间所有生产费之差额，遂因而减少其结果所致，地代亦不得不减少，而其减少之程度，当以生产费未能减少之优良土地一方面为最大。

综合以上所述，谷物需要要随人口繁殖而增加，因而谷价趋于腾贵之时，尤其是扩张耕种范围之时，一般地代当趋于增加；又因土地及耕种方法改良，而生产量得以增加，或生产费得以减低，或生产量与生产费之增减同时发生之时，则一般地代当趋于减少，如此观察，大致不误，惟考察其一二例外之情形可耳。

至就农耕技术改良之情形而言，则有仅于比较受限制之一地实行者，有为各地所通行者，因有此两种情形，其地代之增减，自不得不发生差别。因此吾人欲于下文再就下述两种情形详细讨论之。其一，即地代因耕种范围扩张而增加之情形；其二，即地代因土地与农耕方法改良及谷物运费减低而减少（有时或可增加）之情形是也。

第二节　地代增减之原因

一、第一原因

土地及农耕方法之改良——地代之因土地及农耕技术改良而发生增减，已于前节中叙述之矣。然此事成为地代增减之原因时，实有区别为两种情形考察之必要，其一为此种改良在较为广阔之面积上实行时之情形，其二为此种改良惟限于一地方一区域以内实行时之情形。因有此两种区别，其地代之增减，当不免发生差异。

关于此点，吾人以为披尔逊氏之研究颇为精密，足以取法。请申述之于下（参看河上氏与本著者所注释之披尔逊原著《价值论》162页以下）：

（一）改良惟限于一地方实行时之情形

今如有某地主对于土地实行改良，得以增加其所得，此例不久为彼之邻人所蹈袭，其邻人之邻人又从而模仿之，如此逐渐实行，终则于不甚广大之面积上，得奏其改良之实效，则此时该地方之地代，于经过某时期之后，必当向上增加。盖对于农产物之市场极其广大，市场所表现农产物之量颇多，故如某地方于比较不甚广大之区域内，实行将土地或耕种法改良，其结果所得农产物之数量虽然增加，然当不因此而影响于市场之需给关系，致使农产物之价格趋于低落也。即令其改良普及于全国，而其国若为小国之时，则对于农产物在世界市场上之需给关系，亦可谓其无显著之影响也。要之，地代乃由农产物之收获量及其所得价格之多少而定，今如生产量因改良之结果而增加，而价格又不因此而减低，则地代自不得不增加。地主既可以获得最后之利得，而佃户除纳还于地主之地代额而外，亦可以分沾其利益也。

（二）改良经各地共同实行时之情形

然而改良一事如在颇为广大之面积上实行之时，则有两种原因发生作用，一为对于地代所发生之好影响，一为对于地代所发生之恶影响。前者即为生产量之增加，后者即因此诱致价格之低落是也。然两种势力之中，必有一势力较为强大。假如北美棉花之耕种方法改良，而生产费由五数减为三数，则棉花之价格，必当趋于低落。至其低落之程度如何，此则问题中之问题也。若其价格之低落，仅由五数改为四数，则地代可以增加，盖从前因欲获得五数之生产而需要五数之劳资，今则可用三数之劳资获得四数之收获也。然如价格之低落由五数降为三数，则此事在结局仍于地代有利。其理由即因已增加之生产中，其一部分或由从前“虽经耕种亦不能收支适合”之土地而生，且此种土地因耕种方法改良所生之利益，得因棉花价格之低落而趋于平均，故至于不得不中止耕种也。此种最劣恶而不便之土地，一经废止耕种，则棉花之供给必略见减少，而价格乃得由其一度低落之处而略见恢复也。

上述一切数字，皆为纯粹之假定，不过用以表示成为地代增减原因之事实而已。据吾人所知，当在广大之面积上改良耕种之时，地代之发生变动与否，完全视其农产物价格是否因此腾贵与低落而定，质言之，即视其农产物价格低落之程度如何而定也。而此种事实，又由实行改良之面积广狭如何与对于农产物之需要如何而定者。又如需要虽无论在何时何地，皆由价格之低落而增加，而需要之程度如何，则因时与地而有不同也。

是故耕种之改良而普及于广大之范围时，则此事常有成为消费者之利益之倾向，其理甚明，但对于地主方面究属如何有利，尚不一定。若李嘉图氏之说绝对可信，则可谓其于地主不利，但关于此点，李嘉图氏之说，稍有过甚之处，兹不再赘①。

要之，耕种方法之改良，先惟于狭隘范围内实行，继则渐见推广，终则普遍实行。但当在狭隘范围内实行之时，地代显然增加，故地主竞相从事改良。即令农产物之价格因此而略见低落，而对于改良之希望，决不因此而沮丧，转而受其刺激也。盖地主得以填偿因价格低落所受损失之方法，唯在增加多量之收获一事而已。

（三）地代因土地改良而增加之实状

又关于“土地改良成为增加地代之原因”之实状，以布伦达诺教授所著《农政原论》之说明，颇为明了，可以采用。彼以数字为基础而由实数划出以表示之处，最有可观，兹略为介绍于下②：

假定于此有十种土地，各地之肥沃程度及位置状态，皆一一有优劣。而甲地所生产 1 石之米，其生产费为 1，乙地为 1. 25，丙地为 1. 50，丁地为 1. 75，戊地为 2，顺次依土地低劣之次序，而每石以 0. 25 之比率增加其生产费，若癸地至于必须耕种之时，则假定其每石生产费为 3. 25，至癸地以外，虽仍有劣等土地存在，但假定其在是时尚无耕种之必要。

至上述各种土地之面积，则假定甲地为 10 亩，乙地为 20 亩，丙地为 30 亩，丁地为 40 亩，戊地为 50 亩，已地为 200 亩，至更劣土地则面积更狭，假定庚地为 190 亩，辛地为 180 亩；壬地为 140 亩，而癸地则仅有 76 亩。

然又假定给养现有人口需要之米谷，惟耕种由甲地至戊地之 150 亩即为

---

① 参见《价值论》，第 167 页。

② 参见 L. Brentano, Agrarpolitik, I, Teil. *Theoretische Einleitung in die Agrarpolitik*; Stuttgart, 1897.S 72.fg.

已足。于是米价因必须足以抵偿戊地生产费之结果，每石必须有二单位价然后可。此时由甲地至丁地之所有者，当可以获得各地生产费与戊地生产费之差额之地代，其状态当如下表：

	各地之面积	每石之生产费	每亩之生产量	每亩生产量之生产费	价格为二时每亩之总收入	价格为二时每亩之地代	各地总生产量	其生产费	价格为二时各地总收入额	价格为二时各地之总地代
甲	10	1	10	10	20	10	100	100	200	100
乙	20	1.25	7.5	9.375	15	5.625	150	187.5	300	112.5
丙	30	1.50	5	7.500	10	2.500	150	225	200	75
丁	40	1.75	2.5	4.375	5	0.625	100	175	175	25
戊	50	2.00	1.0	2.000	2	——	50	100	100	——
合计							550	787.5	1100	312.5

然如人口增加从前生产之550石尚不能满足米谷之需要，而必需1232石之时，则不足之682石，惟有两种方法可以办到。其一，乃吾人于此所欲论者，即对于已经耕种之甲戊两地间之土地，再投以资本与劳动，实行改良，藉以增加各地之生产量；其他乃吾人于以后所欲论者，即从新耕种己地至癸地间之土地，扩张耕种范围，藉以达到目的是也。

今如实行土地改良，而施行疏水灌溉或应用人工肥料。而假定因此土地改良或耕种改良之结果，由甲地至丁地之生产量增高二成五分。但因改良结果而增加生产量之故，每石之生产费转见减少，且其减少之比率又不得不随各地之性能而异，今如假定此种减少之比率，在甲地每石为六成，在乙地为五成，在丙地为四成，在丁地为三成，则是时所生之结果，当可由次表表示之：

	各地之面积	每石之生产费	每亩之生产量	每亩生产量之生产费	价格为二时每亩之总收入额	价格为二时每亩之地代	各地总生产量	其生产费	价格为二时各地总收入额	价格为二时各地之总地代
甲	10	0.400	31.60	12.500	63.00	50.500	315.0	126.0	630.0	504.00
乙	20	0.625	18.73	11.707	37.46	25.753	374.6	234.12	749.2	515.08
丙	30	0.900	10.46	9.414	20.92	11.506	313.8	282.42	627.6	345.18
丁	40	1.325	4.46	5.464	8.92	3.456	178.4	218.54	356.8	138.26
戊	50	2.000	1.00	2.000	2.00	——	50.0	100.00	100.0	——
合计							1231.8	961.08	2463.6	1502.52

如此，吾人对于由改良而增加生产量之情形，其谷价即不腾贵，而地代亦能见其增加也。即就未改良以前之情形比较之，在改良以后，各地地代之大见增加，可就上述两表比较对照而知之。

如上所述，农产物价格虽不腾贵而犹能增加地代之原因，实因地代由一地与界限地间所有生产价格与费用价格之差额不同而成立者，故此种差额之不同，不仅因生产价格之增加而增大，且又能因费用价格之减少而增大也。

此处举例所表示之情形，若对照吾人于前节所分析叙述之情形考察之，实与所谓“因土地及耕种改良之结果，而生产量增加与生产费减少同时发生”之情形相同，且其生产费减少之比率，以优良土地一方面为大，此不容忽忘者也。

二、第二原因

运费之减少——因某地之道路开辟或铁路筑成之故，而农产物运至市场之运费得以减少之时，其对于地代发生如何影响，吾人已概论之于前矣。但关于此点，吾人以为引用披尔逊氏之说明，最为便宜而有用。

农产物之搬运虽需要大宗运费，然可用与土地硗薄相同之理以论之，故关于此点，亦可见其有两种原因发生作用。如土地对于市场所处之位置不便，即令地味肥沃而生产量亦大，但无如其运送于市场之费用，须吸收其价格之大部分，故虽耕种此种土地，亦必无利益可得。然如关于搬运事宜而有所改良之时，则耕种之面积扩张，可以运售多量生产物于市场，因而生产物之价格，当呈低落之趋势。

但运费之减少，对于地代有如何影响，此在原则上言之，则地代当随谷价之低落而减少。然如运费虽见减少，而因人口增加等原因，谷价仍无低落之时，则地代转不能不增加；且所谓运费之减少对于优良土地与劣等土地两者，果为一律否？抑两地之中有一地受赐独多否？上述之关系，因有此两种情形，自不得不发生差别也。

然如上所言，运费减少之情形，亦有两种原因发生作用，故不能视地代之总额必因此而减少。即因其他原因发生作用之结果，位置低劣之土地，渐次增加地代，以前不生地代之土地，今亦得有地代发生。兹为说明起见，吾人可假定一切土地，其地味皆相匹敌，其一亩所得之生产量皆以 100 表示之。惟此等土地,因位置有便利与否之差,若就其生产所需费用再加入其致送于市场之运费而观之,如其耗费额有 60,70 等之差异,则其状态当如下:

	A	B	C	D	E	F	G	H	I	K
一亩之总收获	100	100	100	100	100	100	100	100	100	100
耗费	60	70	80	90	100	110	120	130	140	150
地代	40	30	20	10	0 —— 合计 100					

在此种状态之下,生产不能出于 E 地以上,至于 F 地以下,则显然放弃而不耕种也。

然今如因铁路及其他搬运机关之便利,而上表以 60、70、80 所表示之耗费,减至如下表之 60、63、66 之程度时,则结果颇生差异。至因生产量增加而价格低落,而 100 者减为 84 之时,则各地之地代中虽或有因此而减少,但从总计上观之,转可增加也。其状态如下:

	A	B	C	D	E	F	G	H	I	K
一亩之总收获	84	84	84	84	84	84	84	84	84	84
耗费	60	63	66	69	72	75	78	81	84	87
地代	24	21	18	15	12	9	6	3	0 合计 108	

即 ABC 三地之地代虽见减少,而 D 地则增加,EFGH 四地从新发生地代,其地代总计,已由 100 增至 108 矣。

上述之说明,系假定一切土地之地质皆相匹敌者,其于实际状况虽然相反,但今如假定各地之地质各有优势,其结论亦必相同,惟问题复杂,说明难期明了耳。

要之,运输机关上之大见进步发达,实为近代之特征,此不仅颠倒农产物价格腾贵之趋势,且能使其价格不至时常发生变动。因此之故,地代亦不得不呈现递减之趋势,上述障碍此趋势之原因,在理论上虽有充分发生作用之余地,在实际上虽亦能多少发生作用,但地代减少之趋势,仍不因此而完全停顿也。

三、第三原因

耕种范围之扩张——人口繁殖食料品需要增加之结果，为请求供给之故，而耕种范围乃渐次扩张，劣等土地亦逐渐引入耕种范围之内，于是耕种之界限降低，农作物之生产费渐次增大，谷价因而腾贵，地代亦因而增加。此理夙为李嘉图氏所道破，彼之地代论，实由此种状态建设而成者也。

在此种状态之中，地代增加之理及其形态，吾人已于第二章第二节论地代发生之形态时，用数字表示之矣。惟吾人自信如更由布伦达诺（Brentano）教授就土地改良状况所举之例，与表示此种状况中地代增加之形态者，并合观察，于研究上实多利便。

先就本节前面所举之例观之，从前之谷米需要额为550石，今如需要增加为1232石，而供给之法，并不于甲丁两地间之土地，施以改良，乃从新耕种比丁地更劣之土地，则此时之状态，当以下列之假定说明之。

今如戊地一亩之生产量为一石，则己地之生产量为0.95石，庚地为0.90石，辛地为0.85石。壬地为0.80石，癸地为0.75石，而己地之面积为200亩，庚地为190亩，辛地为180亩，壬地为140亩，癸地为76亩。以如此状况而欲得1232石之谷米，则甲地至癸地间之土地，非一律耕种不可，且因此事实行，则谷米必须由2单位价增至3.25单位价。兹表示其生产费，谷价及地代如下：

	各地之面积	每石之生产费	每亩之生产量	每亩生产量之生产费	价格为3.25时每亩总收入额	价格为3.25时每亩之地代	各地总生产量	其生产费	价格为3.25时各地总收入额	价格为3.25时各地之总地代
甲	10	1.00	10.00	10.00	32.500	22.500	100	100.00	325.00	225.00
乙	20	1.25	7.50	9.375	24.375	15.000	150	187.50	487.50	300.00
丙	30	1.50	5.00	7.500	16.250	8.750	150	225.00	487.50	262.50
丁	40	1.75	5.50	4.375	8.125	3.750	100	175.00	325.00	150.00
戊	50	2.00	1.00	2.000	3.250	1.250	50	100.00	162.50	62.50
己	200	2.25	0.95	2.140	3.090	0.950	190	427.50	617.50	190.00
庚	190	2.50	0.90	2.250	2.925.	0.675	171	427.50	555.75	128.25
辛	180	2.75	0.85	2.340	2.760	0.420	153	420.75	497.25	76.50

续表

	各地之面积	每石之生产费	每亩之生产量	每亩生产量之生产费	价格为3.25时每亩总收入额	价格为3.25时每亩之地代	各地总生产量	其生产费	价格为3.25时各地总收入额	价格为3.25时各地之总地代
壬	140	3.00	0.80	2.400	2.600	0.200	112	336.00	364.00	28.00
癸	76	4.25	0.75	2.440	2.440	——	57	185.25	185.25	——
合计							1233	2584.50	4007.25	1422.75

如上表所示，已属明了，劣等土地一经耕种，则从前已经耕种之肥沃而便利之土地，其地代愈益腾贵，且其腾贵之理由，并不由其所有者支出费用而发生，乃完全因农产物之需给关系及优良土地存在量之限制而发生者也。

然此时地代之增加，非如土地或耕种法改良时之于土地生产力有关，而不问其农产物之需给关系如何。换言之，即不问其人口与土地之关系（即农作物之需要随人口之繁殖而增加）如何，实因土地之存在量具有天然之限制，因“农作物之需要随人口繁殖而增加之速度”与“耕种范围为供给此需要而扩张之程度”两者之相互关系而发生者也。故当肥沃而便利之土地之存在量，比较狭少，而劣等土地渐至于耕种之时，则谷价随而腾贵，地代随而增加，地质肥沃位置便利之土地之地代自然增加而不止，此实由于土地所固有之一种独占性而来者也。

夫土地存在量之受天然限制，与地质肥沃位置便利之土地存在量更受限制，与人口之繁殖漫无限制三事，皆助长地代增加之势而不已者也。其由此原因而诱致地代之增加，实有由于土地所固有之自然的独占性而来者，故此种地代之中，除由人工原因发生之部分而外，其由自然原因而发生之部分，在收受地代之人，实为一种不劳利得（Unearned increment），不容否定也。

四、地代与社会之利益

至于地代在国民经济上有如效果，即地代在经济上之重要及其对于社会生活之影响如何，吾人兹欲更进而详细讨论之。

李嘉图氏之言曰：由地代增加而取得之地主利益，常与社会一般利益相背驰者也。其然岂其然乎？

李嘉图氏作此种判断时，忽于各地情形之区别，而概括立论，实属谬误。其实地代之增加，不必恒与社会利益相背驰者，此可由以前所论而知者也。地代之因土地及耕种法改良而增加者，固于地主有利，然亦不必以社会之利益供牺牲。此种情形，实与李嘉图氏所作之铁案无关也。

虽然，地代之因土地及耕种法改良而增加之情形，亦须善为分析，否则徒咎李嘉图之言，转难免蹈其覆辙也。何则？盖对于土地即令从新投下资本，而因投资所得之利益，虽有绝对可以增加者，但亦有相对可以减少者若果相对减少之时，如再从新投资，则其结果必与从新耕种劣等土地无所异。若果如此，则在以前投资与以后投资之间，其所收得之利益，必至发生差额，此差额即表现而为地代（此种状态，亦如吾人于前方所言，成为地代发生之一种原因，故如以土地改良之状态及谷价腾贵之状态为积极原因，则此种状态当为消极原因，盖前者系因投资所得利益之增加而发生，后者因其减少而发生也）。

然地主对于以后之资本与劳动，如谷价之腾贵非至于可以使其收支适合，必不滥耗资本，故惟有需要增加不已，终则谷价腾贵至于可以使地主投资，则地代当逐渐增加也。故此种状态下之地代增加，其原因依然由于谷价腾贵，乃牺牲消费者之利益而增加地代者也。吾人先以土地改良为地代增加之人为的原因，以谷价腾贵之结果为地代增加之社会的原因，但就上述之考察而言，则两者皆为社会的原因。盖其先所以谓土地改良为地代增加之人为原因者，乃完全不顾及收获递减之事实，而假定生产力因从新投资而愈益增进之状态而言者也。然在方今之世，无论任何国家，其已成为旧邦者，无论为欧洲各国，或为日本，土地大致皆达于耕种之限度，收获递减法则之显现，已成事实，故就现时之问题而言，地代增加之原因，要皆可谓为社会的（亦可谓为自然的）原因也。

是故就全体而论地代在国家经济上及社会上之影响。惟限于“土地生产能力对于生产绰有馀裕，若施以改良，即可收得其比所投劳资更大之利益，且此种改良无论为绝对的或相对的皆能使收获增加”之状态（即土地上未实行收获递减法则时之状态），其地代无损于社会全体，转因其增加之故，有使地主努力从事改良，藉以供给社会所需之多量谷物，是时也，谷价不上腾而下落，实于社会全体有利也。

然地代之增加,惟以此种状态为限,无损于社会,有时转于社会有利,但在其他状态,则地代之增加,必增加社会全体之负担。详言之,当土地上实行收获递减法则,即令从新投资,其所收得之利益,虽绝对的增加而相对地减少,至于必须耕种劣等土地之时,则谷价渐趋腾贵,地代亦随而增加,此增加部分之地代,实增加社会全体之负担者也。

故李嘉图就此种状态而言曰:地代因谷价之腾贵而增加,谷价非因地代之增加而腾贵。详言之,因人口繁殖,谷物需要增加而供给不足之故,谷价乃渐趋腾贵,因谷价腾贵之故,而生产费较少之土地亦发生地代或增加地代,固为当然之事实,然其地代之发生或增加,则又因土地之存在量及其生产力皆为有限,即由土地之自然的独占性而生者也。换言之,土地之存在量如为无限,一切土地之肥沃程度皆同,而具有无尽之生产力时,地代决不至发生也。故地代之发生或增加,实因土地具有此种独占性质之故,因人口繁殖社会发达农产物需要增加,成为自然发生之结果,此吾人所以谓地代增加之原因,今皆已成为自然的社会的原因也。地主不劳而取得地代,实为不劳所得也。

如上所述,地代之发生或增加,由社会全体担之,而其原因则又由于人口之增加与社会之发达,对于土地所有者实为一种“不劳所得”,故由地代所表现之经济价值,当归属于社会而不当归属于地主私人,已洞若观火矣。是为土地公有论所以发生之原因,公有论之理论的根据,实在于此,且此种根据,非任何之强辩与饰辞所能颠覆,亦非任何强烈之因袭观念与固陋情感所能眩惑者也。吾人虽非根据此理而即时主张土地公有,但公有论之理论的所在亦不容抹煞也。

第三节　农业企业者能力与经营集约程度对于地代额之影响

地代与土地生产能力间之有密切关系,自李嘉图氏以来,即为一般人所公认,而地代又可以解为由“以同一集约程度在同一面积土地上生产时所生”之生产价值差异而成立者。即,地代由供给一市场而同时耕种各种土地生产力之差异而发生,故地代之额,由此差异之程度决定之。尤以特种土地之地代,可视为由“其土地每年所收利益”与“供给一市场而已经耕种各种土地中最缺乏生产力之土地所收利益”两者之差额决定者也。

惟此种观念，系假定农业者经营土地之能力及其经营之集约程度皆为相同之状态而言。若此二要素并不相同而情形互异，则地代之额，决不如上述纯由土地生产力之差异而决定者。故此种状态中之地代，不惟由土地生产力之差异而定，又因经营者经营能力之优劣及经营之集约程度而有增减也。

关于此点之研究，以美国泰罗（Taylor，F.M.）氏之说明，最为精细，吾人以为介绍彼之研究于此，最为适当①。

其一，农业企业者经营能力之差异及于地代额之影响——农业经营者企业能力之差异，在农业生产上发生如何结果，如何可以缓和“地代与土地生产力之差异以同一程度而相差”之言，吾人欲了解此点，必须假定农业经营之集约程度在各地皆为一律而后可。

在多数农民之中，有逐年趋于繁荣者，有一家仅能糊口者，其故何也？此无他，由各人经营事业之能力有差异故也。而经营能力之差异云云，其意系谓各人分配劳动及利用资本能力之巧拙，即讲求一切利用土地方法上之巧拙也。因有此种差异之故，即令以同一生产条件从事生产，而或则能收得多额之生产价值，或则以较少之生产价值自足也。

农夫能力之差异，有性质的（Qualitative）差异及分量的（Quantitative）差异两种。吾人兹就性质的差异观之。农夫虽以同一资本同一劳动经营同一土地之面积，而因有此种性质的能力差异之故，或则能收得多大之生产价值，或则仅能收得少额之生产价值。学者虽夙已承认企业能力上有此等差异之事实而对其在支出地代一事上所生之影响，则完全忽视。吾人欲于此先作结论，然后再说明其理由焉。

在性质上具有优越能力之农夫，虽使用任何性质之土地，较之能力低劣之人，亦能收得多量之利益。然由此种优越能力所生之多余利益，其在生产力大之土地上者，较之在生产力少之土地上者，必为更大，故有优越能力之农夫，争欲获得生产力多之土地，较之能力低劣之人，尤愿出多大之代价以取得之。故

① 参见 *The Quarterly Journal of Economics*，Vol.XVII，Boston，1903。

吾人今如以能力最劣之农夫——即界限的农夫(The marginal farmer)——在各种生产程度不同土地上所得生产物价值之差异,测定土地生产力之差异,则地代当较土地生产力之差异为大。但能力较优之农夫,争欲取得生产力较优之土地,其结果所致,农夫间土地之分配,当适合于彼等之能力,能力最优之农夫,取得生产力最多之土地,能力最劣之农夫,取得生产力最少之土地,故各地实际所得利益之差异,较之特定农夫生产所得利益之差异,不得不大。又因能力优越之农夫,较之能力低劣之农夫在界限地所能生产者,必更能取得多余之生产,此多余之生产,即取以为一己之个人赢益;又因使彼等不致驱逐界限的农夫于耕种范围以外,则优良土地上之同等赢余,亦必经容许。故地代较之优良地与界限地间生产价值之实际差异必尤少。是故土地上之差别地代,不能以生产力之差异测定之。

吾人今如假定为应付某种农产物之需要而必需之土地,其生产力有由 A 至 B 之差异,并假定 A 程度土地之生产力为 B 程度土地之二倍,而其他一切土地之生产力皆较 B 为优,较 A 为劣。至于在一定期间争用此等土地之农夫,则假定彼等之能力有由 C 至 D 之差异,而具有 C 程度能力之农夫,在其性质的能力上,较之具有 D 程度能力之农夫,有二倍之能力,而其他一切农夫之能力,皆在 C 与 D 之间,亦有其程度之差。如此,具有 C 程度能力之农夫,即在具有任何程度生产力之土地上,从事生产,其较之具有 D 程度能力之农夫,必能收得二倍之生产。今如以 D 农夫为界限农夫,则彼在界限地上之生产,必足以填偿其所出之生产费。于是彼在 A 程度之土地上用同一耗费从事生产时,当可取得二倍之生产,即愿意支出其一半以作地代也。

今先以图形表示此种状态,然后再就此种图形讨论之。

如图,假定界限农夫(D)在限界农地(B)上生产所得之价值作为 n(以 BD′线表示者),A 程度土地上生产所得之价值作为 2n(即 AD),彼对于使用 A 地愿支出 n 之地代(ED)。此时有 C 程度能力之农夫所生产之价值,因较之界限农夫在其性质上具有二倍之能力,故在 B 程度土地上必为 2n(BC′),在 A 程度土地上恰为 4n(AC)。如此,则有 C 程度能力之农夫,在具有 B 程度生产力之土地上,占有 C′D′价值之多余赢益,同时在 A 程度土地之上,彼所占较之 D 农夫生产所得更大之多余赢益,必有 2n(DC)之价值。

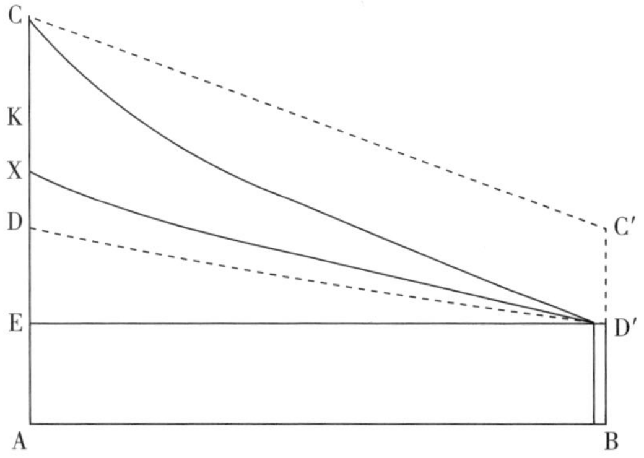

此时有 C 能力之农夫，如因 A 程度土地上之地代腾贵，而至于完全吸蚀其所占多余赢益之一半时，则对于 B 程度之土地必当开始竞争。即地代在 A 地增至 2n（即 K 点，由 EK 线表示之）之时以前，C 农夫在其地所占之赢益，较之在 B 地所占者必多。故今如 A 地之地代增至 2n（K 点），则 C 农夫在 A 地所占之赢益，当与彼在 B 地所占者（B′C′）同额，即 n 是也。然在 C 农夫，与其耕种界限地，不如支出 2n 地代以耕种 A 地之为便，同样，在 D 农夫，与其支出 n 地代以耕种 A 地，不如耕种界限地为佳。在此种假定之下，A 地之地代，必不较 n（ED）减少。盖 D 农夫对于其土地之使用，愿支出此数之地代也。然此地代之额又不能较 2n（EK）加多。盖 C 农夫与其支出 2n 以上之地代，宁选择不出地代之 B 地耕种也。

就争用土地而能力程度各不相同之农夫一方面观之，A 地之地代当较 n 大，盖地代如为 n，则除界限农夫以外之人，因其企业能力优良之结果，为占得某种多余利益之故，与其耕种较 A 地恶劣之土地，宁希望取得 A 地也。各人皆争欲获得优等地之结果，则地代当趋于增加，直至能力低劣之农夫皆知支出少额地代以耕种劣等土地为有利之时为止。惟能力最优之农夫，对于优良土地，敢于支出比其他竞争者所能支出者更多之地代，且较之劣等农夫支出其所能支出之地代以耕种劣等土地，不如支出最高地代以耕种最优土地，转能占得多大之多余赢益也。因有此种种理由，故地代较之土地生产力之差异（即由土地经界限农夫耕种时所生生产价值之差异而测定者），应当加大也。

若农夫各从其能力以取得土地，则界限农夫当取得界限土地，能力最优之农夫,当取得最优之土地。农夫能力之配合如此其最合于经济,则由此所得之生产,可由 ACD′B 之平面测定之。惟有须注意者,CD′线非直线是也。盖此线与 AB 线之距离,由农夫之能力及渐次增加之生产力而定,此两者均随最优土地至界限地之顺序而渐次递减者也。惟土地生产力与农夫能力两者程度之差异,如循一定规则而互相密切之时,则此线亦得循一定规则成为曲线耳。然事实上不能如此整齐,故常成为不规则之曲线也。

图中之 XD′线为表示地代之曲线,以示与表示生产之 CD′曲线有别,且 XD′线系因表示地代在 DD′以上之意而任意引出者。X 点在 D 点与 K 点之间,不近于 D 则当近于 K。即因 A 地之地代较 n 为多,较 2n 为少故也。而 XD′线,亦因与 CD′线相同之理由而成为曲线,故 CD′线如备有一定条件而得成为合乎规则之曲线时,则 XD′线亦可成为合乎规则之曲线。如此,则面积 EDD′系表示各农夫皆具同一能力时所生之地代,而 DXD′则表示各农夫能力不同时所生之地代也。

然由 XCD′所表示之多余部分,则成为多余赢益,当按照能力而归属于各农夫也。

一切上述说明,皆假定惟于农业一分段上所行之竞争而言者,实则长于一分段之农业之农夫。若移而从事于他分段之农业,亦有劣败之事实也。但若就各农夫之所长而考察之,则其一般之原则,由上段所论,已属完全明了。此实系说明经济上之优者凌驾于劣者之理由者也。

其二,农业经营上之集约程度及于地代之影响——一切土地,不必皆用同一集约程度从事经营,实则土地愈肥沃者,常愈使用集约的经营方法,而投以无数单位之资本与劳动,且所投之资本与劳动中,除其最后一部分之外,皆可以产出成为地代之赢余焉。是故各农夫即令具有同等之经营能力,而对于各地所支出之地代额,亦不与其投下一定资本与劳动于同一面积时所得生产价值之差异,以同一比率而相差者也。

欲说明此种理由,实有就耕种集约程度与收获递减问题稍为缓和之形式,藉以表示之必要。普通处理此问题者,大都忽忘下列两重要点。所谓两重要点:其一,欲产出最有利之结果,必需何种集约程度,其二,农夫支出地代,对于其取得最大纯收益之集约程度究有如何影响是也。

农夫欲取得最大纯收益,应使用何种集约程度乎?例如农夫所耕种者如为一亩,则对于一亩之土地,当投以若干之资本与劳动乎?此乃重要问题也。盖所投之资本与劳动如失于过多,则所得之纯收益减少,如失于过少,则不能获得最大之收益也。

今为简约此问题起见,假定农夫因有必要,而不出代价以取得若干之土地。则此时对于一亩之土地,究以投下几许之资本与劳动为最有利乎?例如就米作而言,对于一亩土地如仅投以与一元相当之资本与劳动,则所得之收获,当无足观,其理甚明。但如投以与二元相当之资,则所得之收益当稍胜。如更投以三元之资,则较之投以二元者必更胜,投以四元之资,则较之投以三元者必更胜,如此递次增加,终则达于一定限度,不能收得较前更大之利益,此后如再加增资本与劳动,则收得之利益虽亦可加增几许,但所投之资如愈加重,则收益必减少其比率,终则达于一定限度,即令再加投资本,则可以收得之收益,必至丝毫无所增加。如此,在农业经营之上,当其对于所投劳资之收益,达于静止点之时以前,则受收益递增法则(The law of increasing returns)之支配,迨达于静止点之时以后,则受收益递减法则所支配矣。

兹就下图论之,假定 AB 表示在一定土地面积上所投资本与劳动之单位,由 A 始渐趋增加。AI′B 之曲线系表示投资所得之递增的及递减的收益。吾人如于心中描写有一定程度生产力之土地,则 AB 线与 AIB 之距离,必由使用资本与劳动之农夫之能力而定。是故欲研究此问题之时,心中必有一定农夫与一定土地之观念。因此考察上图,如一定农夫在具有一定生产力之土地上投下资本与劳动时,则 AC′C 之面积,表示投下第一单位资本与劳动时所得之生产,CC′D′D 系表示第二单位所得之生产,下仿此。如图所示,从第一单位起,至第六单位止,以后所投之资本与劳动,较之以前所投资本与劳动,其所得之生产,常依次增加,但在第六单位以后,则结果相反,实依次减少也。

置此图于眼中而观察之,今如农夫有 1000 单位之资本与劳动,可以任意获得土地,则彼果应取得几许土地,且对于 10 亩之土地应投几许之资乎?彼果应取得 2000 亩之土地而对于 10 亩投下五单位之资乎?否则彼之全部利益,不如每 10 亩投资 6 单位以取得 1667 亩之土地,反可加多也。但此种方法,果为可以取得最大收益之方法乎?从表面上漫加观察,必以为诚是也。盖

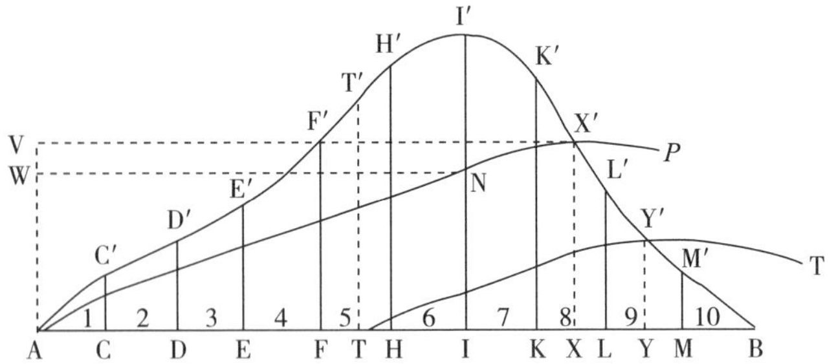

举行第七单位投资时所得之收益,较之第六单位时减少故也。然若详细观察,则不能因收益递减事实之开始发生,而遂认为可以中止投资之理由也。第七次投资较之第六次投资,其利益诚然减少,然较之以前四者,则皆加大也。

故各单位之资本与劳动所得之平均收益,使用七单位之时,较之使用六单位之时当尤大。于是 1000 单位资本与劳动所得之全部收益,必以对于 10 亩。投下 7 单位而耕种 1700 亩之土地为更大也。然农夫对于 10 亩究应投资几许单位,方能满足乎?对于一定面积举行有利之投资,必不能无限制。若举 1000 单位悉投之于 10 亩之土地,则所得之收益必少。此种限制究何所在乎?如上所述,以第六单位所得之收益为最大。然各单位不能皆为六单位者,彼第一第二第三单位等所得之收益虽少,但在到达第六次之程序上,则为必由之途径。是故吾人所欲了解者,即各单位所得之最大平均收益(The highest average return)是也。然各单位之平均生产,至第六单位使用之时为止,皆急速增加,以后则减其速度,终则达于一定限度,最后增加之资本与劳动,绝不增加平均收益。因收益递减法则实行之故,以后即举行任何小额之投资,亦必减少各单位之平均收益也。

一千单位资本与劳动所得之收益,以所投劳资足以使各单位土地面积发生最大平均收益因而定其耕种面积之时为最大。而此最大平均收益,其对于各单位面积,惟在最后投资所得收益恰与平均收益相等之程度,实行集约之时,方能实现。例如前图,以实行 X 单位投资时之平均收益为最大。欲知 X 点之应在何方,则可造一 AVX′X 之矩形(如表示 X 单位资本与劳动所得总收益之 AI′X′X 面积),藉以达成其目的。若投资至于 I 点(第六单位)终止时,则其全部收益,当为 AI′I 之面积,与 AWNI 之矩形相等,而小于 AVX′X。于是吾人乃得以各投资单位所得之递增的及递减的收益为基础，引出递增的及递减的平均收益之曲线，即前图 AX′P 所表示者也。此曲线，其与 AB 之距离，正如下所示，即通过 AX′P 上之一点，引一与 AB 线平行之线（如 WN），由此造成之矩形，必表示在 AB 线上相当之点举行投资时所得之总收益（亦犹 AI′I 必与 AINW 有同一面积也）。

据前图所示，表示平均收益之曲线，以 X′点为最高，因而各单位资本与劳动之最高平均收益，即对于 10 亩举行七加三分二单位之投资时所发生者也。一旦达于 X′点以上，则平均收益线 X′P 即当下倾，盖举行 X 单位投资以后，愈行投资而平均收益愈减少也。如此，苟不支出丝毫地代，则所投之劳资，在未达于平均收益点以前，则逐渐增加，迨已达于平均收益点以后，则因而停止。此实在任何状态下皆为有利之最粗放的农业，且同在不支出丝毫地代之状态，对于农夫亦成为最有利之集约程度也。

在依据收益多少以支付租地费（The share rent）之时，其支付租地费一事，虽不能促进耕种集约之程度，然在支付契约所规定之租地费（The fixed rent）及农业者自有其土地而对其市价计算利息之时，则优良土地当随劣等土地之耕种而愈用集约方法以经营之。假如每十亩须支付三元之租地费，为支付此项租地费起见，而必须收得如前图所示由第一至五单位半（P）之劳资所得之总生产，则此时农夫如不举行至 P 点之投资，彼仅能支付租地费而止，而对于自身所投之劳资，当不能取得丝毫报酬。若其投资超过 P 点以上，则所得之收益，必当悉归彼有，故当无支付租地费之必要时，农夫固力求取得对于劳资之最大平均总收益（The highest average gross return），但如须支付定额租地费之时，彼当力求取得最大平均纯收益（The highest average net return），不欲取得最大平均总收益也。

然各单位之平均纯收益，亦与平均总收益同受收益递增及递减法则之支配。但当支付定额租地费之时，表示递增的平均收益之线，系由 P 点出发者，而第五单位投资以后，其各单位之平均收益，可由面积 P′PK′K 之五分一表示之，故第六单位投下以后，当为 P′PK′K 之七分一也。于是平均纯收益之线 PY′T，在未经 II′线以前，急速向上，其后通过 I′B 为止，仍以少速度向上，至通过 I′B 以后则当向下也。惟吾人于此有不可忽忘者，即支付定额租地费之时，平均纯收益之线，不得与平均总收益之线同高，又平均纯收益之最高点 Y′必常远在 X′点之右方。因此，在对于土地必须支付定额租地费之时，较之可以自由取得土地之时，可由集约的利用方法，以获得其所投各单位劳资之最高平均纯收益也。

在土地之一定部分上所实行之最有利的耕种集约程度，因使用该地所必须支付之定额租地费之高低而生变化。租地费愈增高，集约之程度亦随而增高。

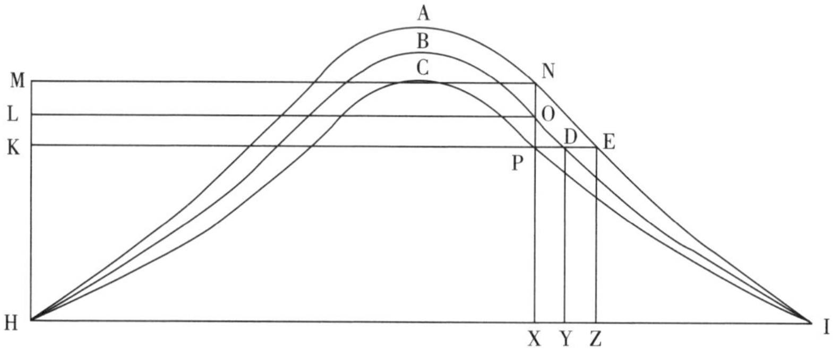

于此假定农夫得就生产力不同之三地实行选择，此三地皆由上图 ABC 表示之，而 HAI、HBI、HCI 三曲线，则表示三地所投劳资各单位之递增的及递减的收益。此等三地上每种劳资单位所能取得之最大总收益，假定在举行 X 单位投资时可以取得之。此项投资经一定农夫在 A 地上实行时所得之生产价值，以面积 HMNX 表示之；在 B 地上之生产价值，以面积 HLOX 表示之；在 C 地上之生产价值，以面积 HKPX 表示之。但对于此三地当无投下同一量之劳资之事，而地代惟对优良土地要求之，因而以实行集约经营为有利。故当优良土地上增加之地代，使农民觉察对于 C 地投下 X 单位量之劳资而有利之时，或系觉察对 B 地投下 y 单位量对 C 地投下 z 单位量之为有利也。夫对于优良土地如此增加投资，其所得之收益，当然不能与此等土地上各单位所得之最高平均总收益相等。但平均纯收益，则可由此类多余之投资而增加，除最后之投资而外，其余各投资单位所得之收益，必皆超出界限地 C 之最高平均收益以上也。

耕种集约程度之差异及于地代上之影响如何，吾人于斯得有充分明了观察之机会。依上图所示，一定农夫在A地上所能生产者，较之彼在C地上所能生产者尤多，其在A地上所得之生产，由KMNE之面积表示之，其大于KMNP之部分为PNE。然KMEP之平面，系表示彼所用同一量之劳资在两地上所得生产价值之差额，故决定农夫就一地以比较他地而高估其价值者，不仅在用同一耗费所显出之生产力之差异，实为产生赢余（Surplus）之土地能力之差异也。

土地生产力之差异，固为地代发生之原因，但此项地代则非可以由生产力差异之程度测知也。在投下同一量之劳资之时，除由生产力之差异所生之差额以外，仍须加入由耕种集约程度之差异所生之差额而计算之。此两者之合，即构成差额的赢余（The differential surplus）者也。因此，如假定各农夫皆具有同等事业能力时，则此差额的赢余，即表现地代。惟各农夫之事业能力，并不相同，故一定土地上所生之差额的赢余，其额决不一定。实则农夫所能产出之赢余中，决定其某一部分应作为地代支出者，乃“竞争”也。要之，优良土地之地代，虽较大于界限农夫在该地所能产出之差额的赢余，但较之能力最优农夫所能产出之赢余则少。

在完全实行竞争之时，具有一定生产力之土地之差额地代，由“界限农夫在该地所能产出之赢余”及“因农夫能力之差异所发生之其他差额”两者之和计算之。是故吾人不观察由一种变化所生之单一地代，而观察由三种变化之比率所生之复杂地代者也。三种变化云者，即土地生产力之差异，耕种集约程度之差异，及农夫企业能力之优劣是也。

第四章　地代之本性

第一节　土地之经济的意义

欲知地代之本性，须先知土地在经济上之性质。故吾人先由此层讨论之。

土地对于人类生存之为必要而不可缺，实与水及空气无择。土地所以特别成为经济上之重要要素者，因其本来之性能具有“载受力”(Tragbarheit)故也。然土地由此种性能发生之效用，实普及于经济全体，不惟农业为然也。就农业言，土地所以特别必要，其因土地上具有“可耕性”(Baufähigkeit)及培养力(Nährfähigkeit)无疑，毋庸多论。惟此等性能，原为技术的性能，但此外仍有附着于土地之经济的性能在，吾人不能忽视。举其理由而言：第一，土地系一种自然的独占物，其供给量有限，非人工所能增减；第二，土地虽具有天然的可耕性及培养性，但因欲利用以经营生产，又必须加以人工也。

一、土地之独占性

土地为自然的独占物一事，若细加考察，即知其独占有两种意义：其一，由面积上土地存在量之限制而生，地球上陆地之部分已有一定，人于其上所能利用之面积有限，所能利用以为耕地或宅地之面积更有限。其二，土地在其位置之关系上，亦有一定限制，因有地理的关系，而土地必不免有气候上之差异，气候既有差异，则各地温度光线空气湿度之关系不同，因而生产关系上亦不免发生差异。土地之地理的关系，不仅决定农业生产之可能与否及其种类之如何，即在商工业上亦发生莫大之利害关系，此不待论而自明。此等事实，不仅含有技术的意义，同时又具有经济的意义，故技术的意义与经济的意义相结合，乃发生种种之生产关系焉。盖从经济上观察之，因土地之地理的关系不同，而生产要素上、销路上、贩卖费用上亦生不少之差异；因此之故，在决定农业经营方针及农产物价格之上，不仅发生不少之差别，即欲从事企业者之企业心，亦大受其影响。

如上所述，土地之独占性，虽具有技术的意义及经济的意义，但后者则随经济之进步，多少可以缓和，尤以交通机关发达之时，其因位置关系产生之独占性，势必归于消灭。故当最初所处位置不便之土地对于位置较便之土地开始竞争之时，后者所有之独占的利益，行将渐受排除也。例如亚美利加大陆之铁路大见普及，印度及俄罗斯之铁路亦形发达，同时横断大西洋之轮船航路亦经开发，交通运输日趋便利以后，欧洲之耕地亦因而损伤其从前之独占的利益是也。

二、土地之天然性

土地在其物理的及化学的性质上，虽为天然物，但自经人类开辟耕种施以肥料之后，则有人工力量羼杂其中，故其结果固可以增加土地之肥沃程度而使植物便于繁茂，然土地之天然地力，实已较前减少，此不可不知也。

吾人于此须加注意者，当人类对于土地投下资本与劳动而变化其天然之物理的化学的性质时，此土地已不能称为纯粹之自然物，土地之固有性能与人工力量，已合为一体而不可离，何者为天然性能，何者为人工结果，殊难辨别也。是故学者之中，有谓土地虽为天然物，但经人力加工之后，即可视为资本者。此种关系，不仅在土地之物理的化学的性质上为然，即在用为宅地时所仅有之面积及位置关系上亦然也。

三、视土地为资本之说之当否

历来学者，有谓土地为资本者，有谓为不然者，其说如何，兹申论之。美国学者揆立氏，在前述对于李嘉图学说之驳论中，谓土地之为物，如非经人类施以劳动使具备有用之性能，则即其自然状态，决不能发生地代。彼由此种观点出发，以为将土地与普通资本区别考察，殊为不当；并谓土地若亦由人类劳动之结果而具有其生产力者，则当与其他由劳动造成之普通资本同视也。

又如德国以赫尔曼（Herrmann，F.B.W）氏为中心之一派学者，亦不慊于李嘉图之说，曾施以根本的攻击，彼等对于资本之观念，则曰："凡可以继续利用而有交换价值者，皆资本也。"因此谓私人所有之土地，仅为自由财，同时又因其有交换价值，故仍为资本。而土地之自然力，经人所占有之时，他人惟有支出代价方得使用，即其所有者亦惟藉其管理始能利用之，是即完全由人支配，可依人工而加多或减少也。至人在土地上所投之资本与劳动，则与土地所有之自然性能合为一体而不可离，故由人工造出之生产力，归土地所保存，此土地即成为一种财产价值，且其价值随土地自身所有性能之减少而愈见增加也。一切耕地，若以其现时所有之性能，而与其他生产而出之一切生产手段，同为资本，则土地之价值，亦与一切固定资本之价值同，不受其生产费所决定，实应从其所生之收益而决定也。至固定资本之收益，乃由其生产物价值之高低或利息比率之高低而定其价值，即收益无变化而利率降低时，固定资本之价值增大，利益增高时，价值不得不减低也。

视土地为资本之见解，在赫尔曼以前，已经提尔（Thaer）氏所道破，彼最初虽将土地与资本区别，但以后则将土地作为一种资本。盖据彼所见，人视土地为资本，或出售于人，或作为抵押，皆可藉以筹集资本也。又如胡斐兰（Hufeland）氏，则以为购买得来之土地，其地代即化为购买资本之利息，完全由资本利息之规则支配之。又如许兹（Schuz）氏，亦具有同一之见解，彼亦以为地代系由买卖交易及抵押权之设定而化为一种资本之使用费（Kapitalrente）者。据上述各家见解而言，地代之中，亦如利息及赢益，至少有一定之最少额（der Minimalbetrag），实构成生产价格之要素者也。此地代额如作为租税收纳于国库之时，则其结果必至减少土地及耕种改良之刺激，减少其他一般土地所有者之利益，甚至影响于社会全体之利害。又如惟对于将来增加之地代施以课税，亦属不当，盖将来可以增加之地代，其原因系由于土地所有者改良之努力。同时，地主因觉察将来可以增加地代而支付卖价，因从事改良而投其资本于土地之上，实负有种种危险，彼将来增加之地代，在地主原具有报酬之性质也。又何夫曼（Hoffmann）氏亦将土地与资本同视，否认地代与利息之区别。孟革（Menger）氏亦指摘不能以土地对于其他生产货物具有特别地位。至布伦达诺（Brentano）亦为近时赫尔曼派之土地论者。

反是，不以土地为资本，以与一般货物区别，使其与资本相对立，而列入生产之要素中，此种见解，通行于旧式学说，现时之旧式经济学，大致属于此派。其见解无一一详论之必要。

惟关于此点，洛柏图斯(Rodbertus)氏之说，大放异彩，吾人兹特简括叙述于下，当可见其甚饶兴趣且为重要也。

四、洛柏图斯氏之见解

洛柏图斯氏想象将来之共产主义的社会，描写其社会组织，在此种社会组织中，土地及资本皆归公有，惟劳动成为私有财产之目的。此种思想，夙为多数社会主义者所唱道，并无新颖之处。惟彼于此种想象的理论以外，尚有由土地现实状态拈出之理论——尤以关于地代之理论，亦系别翻新样者也。

彼踏袭亚丹斯密之见解，谓一切经济的货物，皆由其生产所耗费之劳动，方能取得价值。非由劳动生产之货物，皆不外为自然的货物。而由劳动生产之货物获得其价值之时，其生产所需之器具及其他生产手段等所耗费之劳动，亦须一律算入于其生产货物之价值中；又所谓劳动，非专指肉体劳动而言，精神劳动亦劳动也，故精神劳动亦须计入于生产货物之价值中。

由此种见解推之，在彼之信念，以为土地原为自然财(naturliches Gut)，决非由劳动产生者，而土地上所投施之资本与劳动，由其所投与所施即获得成为土地之性质，故能使地代增加，但决非因此而化为土地使成为资本也。故土地之价格，系由变化之利率，使变化之地代还原于资本额者，即土地之资本价值也。是则优良土地之地代，并非如李嘉图所言，因应付谷物需要之增加而渐次耕种劣等土地之故发生而出者；实则任何土地，凡能获得比所费劳动更多之收益者，皆可发生地代，因而此种土地在以后始经耕种者亦不少。而所投资本之中，以后所投之部分，较之以前所投之部分，其所得之收益亦不一定减少也。

至于都市之宅地，洛柏图斯氏则视为资本，盖彼以为构成宅地之要素者，实为建筑资本也。故此种宅地之土地价值，又成为资本价值而表现之。若夫未经建筑之宅地，其于地代之关系，与农地无所异。

成为经济上一种分类之资本，彼则以为系一种生产手段，且其筹措之方法与土地不同，而需要劳动者也。资本用于生产时，多少必经消费，故其所消费之部分，移入于生产物之价值中，生产物一经售出，则资本额仍复归于生产者之手中,又得再用以生产。

资本之成立,与地代之成立同,原有待于分业之结果,故劳动因分业而颇富于生产力,不仅能生产现时必要之享乐财,且能生产生产手段(Produktions-mittel)。在企业之上,土地与资本两相分离,同时于地代之外,更特别发生资本之租费(Kapitalrente)也。

在孤立的经济之上,土地资本劳动三者,皆归一人所有,此时之收益与地代,尚未至于分离。处此经济状态,若使用他人之自由劳动,则他人之自由劳动,在生产物之国民经济的价值中,分受其一部分以为工银,其他一切则悉归经营者所有,一概作为一种租费(Rente),其间并无他种区别。是故地代之发生,实与分业之发生,同时而起,即生产上之收益分为两种相异之部分(劳动及土地+资本)时,始得发生者也。但其次此后者更相分离,而土地及资本分别属于各人所有时,则 Rente 之中,亦起分割作用。而资本则以所支付之工银及生产所用原料之价值两者,测定其由生产所生之租费,即收益之中,除去工银及原料价值外,余者作为资本之租费也。至于土地则不然,无顾及原料品之必要,惟于其收益之中,除去一部分工银之外,余者皆作为地代也。换言之,在资本的生产上,生产物之价值,与其生产所需之工银及所使用之资本价值相交换,除此两者以外,所余之部分即构成资本租费。至于在土地之生产上,生产物之价值,惟包含工银及生产所用资本之普通利息,不侵入土地自身之价值中,故除此两者之外,其余悉构成地代。

是故依据洛柏图斯氏之见解,资本之所得与土地之所得两者之间,虽有上述之差异,而在其本性上仍无所异,即两者皆发生 Rente 也。而此租费(Rente)之理论的发生,即在实际上亦可显现,彼为表示此点起见,谓生产由土地劳动资本三者之合力经营之,其生产之结果,必超出劳动者维持其生存保全其劳力所必需之费用以上。然而现今之法制,则因承认土地及资本之所有权,而以此经济的事实为基础。因有此法则之故,生产之结果,遂不能完全归劳动者所有,劳动者除取得足以维持其生存之部分以外,其余盖归他人所垄断。故地代之发生,系由法制确定者也。

以上为洛柏图斯见解之大概,至于批评其说之当否,则非吾人所有事也。

关于土地之性质及地代之本性之见解,如在所述,议论分歧,莫衷一是。

然关于土地性质之研究，当由李比西氏作最后之判断，吾人如以李比西之研究为基础而考察之，则对于上述各说，可以判断其是非，且自信可以因此而阐明地代之本性也。因此吾人特于下节概述李比西关于论地力枯竭之纯科学的见解焉。

第二节　李比西氏之地力枯竭说

李比西(Liebig)氏根据其自然科学的见地立论，对于土地及地代之理论，大有贡献。彼所列之五十命题中，在吾侪经济学者认为重要者，大约如下列各项：

一、五十命题中重要之命题

(2)在各种气候不同之各种不同土地上，不问其栽培于平地或栽培于山岳地，植物必摄取一定之矿物性，至其成分如何，则可将植物烧灰，验其成分而知之。而此等成分原为土地之成分，肥沃之土地必含有此等成分之一定量，凡属植物所能生育之土地。必系多少含有此等成分之土地也。

(3)土地上之生产物每经收获一次，土地之成分即减少一次，其减少之部分，即植物中所具成分之由土地摄取者也。故播种以前之土地，较之收获以后之土地，必富于此等成分。即土地之构成分，每经收获一次，多少必不免发生变化也。

(4)一定年数之后，即经收获若干次数之后，耕地之肥沃程度即不得不减少，纵其他一切条件皆为同一不变，而土地则难保不变其以前之状态，其成分之变化，即渐趋硗薄之原因也。

(5)然此项损失之肥沃程度，得施肥料以恢复之。

(21)一种植物所必需之养分，皆有同一价值，换言之，一切养分之中如缺其一，植物必不能充分繁茂。

(22)适于栽培一切种类之植物之土地，必有其该种类植物所必需之土地成分。所谓一地之有肥硗者，系指此等成分质量上之比较关系而言。

所谓品质的差异之意,即藉水为媒介以吸入于植物组织中之矿物性养分吸收作用之差异也。含有同样矿物成分之两地,若一地中所有之此等成分并非各自独立存在而在化合之状态存在时,则其地为硗薄土地,而他地为肥沃土地也。

(23)适于耕种之一切土地,即于此两种状态,含有植物营养分之矿物的成分者也。概括此一切要素,即造成资本,其中可以自由吸取之部分,即资本之流动的部分也。

(24)所谓使用适当方法,且不注入矿物的养分,而将一地改良并使其肥沃者,即将化学的不动资本之部分,使其自由,使其流动,俾植物便于生育之意也。

(27)一地所有矿物性养分之存在,如对于某种植物有充分之分量,且处于便利状态而又便于植物摄取之时,则此种土地,对于某种植物,实可谓为肥沃之土地也。

(28)若上述之土地经继续收获该种之植物,且因未能补充该植物所已摄取之养分而化为硗薄之土地时,则于一定年数之间,任其荒弃,不事耕种,亦可恢复其养分。即因收获而摄取之融通的养分,如仍能于不融通之状态而含蓄于地中之时,得因废弃不种之故,其不融通的养分,可依物理的或化学的作用化为融通的养分也。

(30)如荒弃一地,不事耕种,欲藉以增加其肥沃程度,或不事讲求补充被植物摄取之养分时,则该种土地,不久即逐渐化为硗薄之土地。

(31)若欲继续保存土地之肥沃程度,不论久暂,必须于一定时期补充其已被摄取之养分,即必须恢复土地之组成状态于原状是也。

(47)在富于矿物性养分之土地,如仍注入与其相同之养分,则不能增加土地之收益。

(48)在富于大气的养分之土地,如仍注入与其相同之养分,亦不能增加土地之收益。

(49)在富于矿物性养分之土地,如于一年或数年之间,施以 Humus 及安莫尼亚,虽不能恢复经收获物所摄取之养分,但能增加收益。惟此项收获物能继续至于何时,则因其土地所含有矿物养分之分量及性质而定。

此种养分，如经继续摄取，其地力亦终枯竭而已矣。

（50）此时以后，如仍欲使土地恢复其原始的肥沃程度，则必须补充其若干年月内所已被摄取之一切养分，譬如土地在十年之间并未补充养分，而经过十次之收获，今若欲使该地在以后亦能获得同一之收获，则于其第十一年份，对于该地必须补充每次收获所摄取之养分之十倍。

上述李比西氏所发见之新学理，在关于地代及地价之经济论上，实属重要。盖从前学者，或谓土地为生产之自然要素，或论土地之天然的肥沃程度，或言土地之原始而不可破坏之性能，或漠然视土地为资本，诸凡此类见解，皆经李比西氏之新学理所打破，而由自然科学的理论以代之，此自然科学的理论，系根据正确之观察与分析得来，在其根本上绝无破绽者也。

一切肥沃土地，原为天赋之物，乃不须劳力与费用而产出之财源也。土地虽因其中包含植物之矿物性养分而天然具有此种性能，但此等养分之中，有一部分系处于植物所易摄取之融通的状态，有一部分处于不易摄取之不融通的状态。此外土地中所有之其他养分，则由大气及水中所含养分之或经植物摄取或经直接浸润于大气及水中之土地而得来者也。凡此矿物性养分及大气与水中之养分，皆于地中经历化学的、物理的及场所的变化而成，且因此而变成便于植物摄取之形态者也。

栽培植物于土地，则植物由土中吸收其养分，故植物一经收获，则土地即被摄取其一部分之养分，此时之补充，若任其自然由大气及水分之浸润于土中，必不能完全显现，必须依人工力量以助其补充而后可，即先就简单者而言，如藉人力翻锄粘土及底土，并充分疏通水路，能使此天然的补充作用充分实现是也。是故地力之恢复及改良，实为人工之结果，为劳动之结果，决非完全出于天赋，所谓器具形式上或疏水灌溉设备上之资本，对于上述结果实大与有力也。又如施以动物性或植物性之肥料以直接补充地力之时，上述之事实更为明了，尤以施用人造肥料时为然。在此等状态，欲保持土地之收益能力，须投以资本，施以劳动，而此人工的施设对于土地收益之作用如何，则可由已经施设及未经施设之两种土地之收益差额而知之。所谓纯粹之地代，必须于天然土地上所表显之收益中，扣除种子、播种、收获之劳动与所需器具建筑物等之耗费，及其他一切生产上各种耗费以外而尚有赢余之时，始能要求者也。是故以李比西之说为基础而作历史的考察，则地代之为物，不得不因土地生产能力之渐趋枯竭而减少；有时虽因举行补充的经营而增加收益，而是时因其耗费增加之故，地代甚难增加；又如因经营方法之渐成为集约的方法，其总收益虽可以增加，而地代则转不免陷于永久不能增加之结果也。

以上所论，即证明人口虽见增加，所需之土地虽比较愈见稀少，而地代则转趋于减少之事实者也。要之，土地愈经用人工的耕种方法从事耕种，愈能获得成为资本之性质，故从大体上观察之，愈受资本租费(Kapitalrente)降低之原则所支配也。且因此又可以证明资本租费降低之原则之为真实矣。

迩来农业化学上所研究之结果，对于土地价值及土地收益之理论，颇有贡献。据研究之结果，土地上收益之大部分，实应归功于耕种时由土地取去之养分，因而养分资本中此种部分，实与生产同入于交易关系，若欲使土地常能产生同样之收益，必须支出与此种部分相当之物，作为肥料，归还于土地然后可。因此，肥料之价值，当然表现由土地所取去之资本之价值，而代表土地价值自身之一部分。是故土地收益之中，除扣去生产所需之一切劳动耗费而外，其所余之部分，仍含有此种养分资本在内，惟在完全偿还此资本额以后而尚有赢余之时，始有李嘉图等所谓之地代发生也。

二、李比西学说之确定

近时农业化学与农学，曾经反复检察李比西所论地力枯竭之法则，在大体上尚无谬误，已为一般人所公认。又其关于地代之说明，亦已为近时欧洲地代降低之事实所确证矣。

对于土地如不施肥料，则其收益必渐见减少，土地生产力亦必降低。此等事实，已为人类各种经验所证明，然其生产力之减少亦自有一定之最低限度，即令完全不施肥料而继续耕种，而土地之生产力减少则有之，但不能谓其完全无有，且多少亦必发生收益，即其一证。推厥原因，实因地力受天然之补充而然，如大气中所含之窒素与水中之盐分发生化学作用以维持其生产力者是也。是故植物中所摄取之养分，如其大部分取之于大气之中，即令多年不施以肥料而从事栽培，地力比较当不易于枯竭也。虽然，此种状态下之地力即使不至于完全枯竭,而有待于人类劳动之结果者则极多,人类之耕锄土地以助长生产力之天然的补充作用者盖已不知几许矣。倘不施以人工,则此种土地亦终化为不毛之地也明甚。以后如再欲使其适于生产,则非耗费多大之劳力与费用不为功。

要而言之,因收获而取去之养分,如不施以肥料,实行补充,即继续耕种,则收益渐见减少,终则仅能填偿生产之耗费而止,纯地代必至于完全不能发生。事已至此,则其土地之价格,亦必甚少,惟其收益中成为劳动报酬之部分,化为资本,构成土地之价格而已。是故荒废已久而不生收益之土地,其地代固无论矣,即地价亦殆无可观,此种土地亦失其成为耕地之意义,仅能作为牧场猎地或建筑地而已。利用之方法变更时,固亦能发生地代,但与吾人此处所论之范围不同,故不具论。

第三节　土地成为资本乎

关于土地之经济的意义之议论,如本章第一节所述,学者间之见解各不相同,但自经李比西氏之研究发表以后,对于此等争论,已给以最后之断案,今则对于土地之经济的意义之议论,已无左右袒之余地矣。

据李比西氏之研究,彼李嘉图等所谓土地为纯粹之天然物,土地有原始而不可破坏之性能等说,显属谬误;又如视土地完全与其他生产所得之一般货物相同,而漫然列之于资本观念中之见解,亦属误会。由此可知谓土地为天然物,或谓为由人工造成之资本等争论,实无理之至也。

一、土地之本性

综合李比西氏研究之结果而考察之,土地原为天然物,其肥沃之程度,亦为天然所赋与,但此种天然性,因土地利用之次数而多少发生变化,其天然之肥沃程度,亦因生产之重叠而趋于低劣,终则其天赋之生产力必至于枯竭也。如不欲使地力枯竭,而期土地永久保持其生产力,则必须继续加以人工,以补充其天然之成分而后可。如果施以人工,则土地已非天赋之土地,而由人工变化其性质。是则土地今已非纯粹之天然物矣。然则土地果如论者所谓:成为生产结果之资本乎？

土地今已非纯粹之天然物，其天然之性能，因数十百年来人工的施设之结果，已化形而为资本。然虽化形而为资本，但方今土地上之性能，仍不得完全视为由人工结果而成之资本也。人工无论如何加多，而土地性能之由来，则为天然的，素来肥沃之土地（即在适于植物生育之分量与状态上具有其养分者），今则依旧肥沃，而今时依旧肥沃者，仍系天然的具有此等性质者也。当今土地之肥沃力量，固有待于人工之结果，而定其大体上之程度及形态者，仍为天然也。人力虽颇能变化土地之天然性，然若完全排除天然性，则人工亦不能单独造成土地之性能。天然肥沃之土地，今仍肥沃，天然硗薄之土地，今仍硗薄也。惟人工之结果，对于双方之程度，多少可以缓和而已。

是故土地不能视为纯粹之天然物，亦不能视为纯粹之人造物（即由人工之结果而成者），实系由天然与人工互相结合互相融通而造出当今之中性土地者也。谓之为天然物，固属非是，谓之为人造物，亦属非是。质言之，既非天然物，亦非人造物，实乃天然与人工互相融合以形成之中性物也。

以上实系吾人根据李比西氏精确之研究而知者，其研究合于精确之自然科学的基础，吾人由此而得之知识，亦属正确无疑也。

二、资本之意义如何

然若更深入而考察之，吾人尚不能根据上述所得之知识，以确定指土地为资本之说之当否。吾人不能借口土地既非纯粹之天然物，亦非纯粹之人造物，即可指摘“指土地非资本或主张土地为资本”等议论之谬误也。盖资本一名辞，在其名辞自身尚无确定之意义，学者间之解释，颇不相同。故欲论定土地为资本与否之问题，实有阐明资本一名辞之意义及确定资本之概念之必要，因而此问题所归着之处，即资本一名辞之意义如何，资本之概念如何是也。资本之语义及概念如不明白，则土地为资本与否之问题，不能决定，虽有千百种议论，亦终成为无意义之争论已耳。

吾人因有了解土地为资本与否一问题之必要，特先就资本之语义及资本之概念讨论之。

关于资本之定义，学者之见解不一。亚丹斯密氏以为凡可以产生收入者，皆为资本，故如所有者自住之家宅，非资本也。至赫尔曼氏则以为住宅为耐久之财物，应归属于资本。若夫可以出售之果实，亚丹斯密虽视为资本，而赫尔曼则以为果实可以败坏，故不视为资本。克尼斯(Knies)氏则不问其有无耐久性，凡属在将来堪以使用之财货，皆视为资本。瓦拉(Walras,L.)氏欲计算货物使用之次数以解决上述关于耐久性及在将来堪以使用之问题，凡可以使用一次以上之财货，皆视为资本。故如罐头果物之类，据克尼斯之见解，系属准备将来使用而保存之物，当视为资本，但据瓦拉之见解，则因其一经使用即完全消尽之故，不能成为资本。其次，据克来恩勃希特(Kleinwächter)之见解，资本如铁路，惟由生产工具而成立，若夫食物，则作为受动的，而由资本概念中排除之。泽丰兹(Jevons)氏则反是，谓食料品乃一切资本中最著之典范，至如铁路，除视为表现铁路建筑劳动者之食物及生活维持费以外，非资本也。

大多数学者，虽皆依据客观上所见财货之种类，以区别资本与非资本，但弥尔(John Stuart Mill)氏则以为系乎资本主如何使用其财货之意思；马克思(Marx.K.)氏则以为系乎财货对于劳动者之效果；达特尔(Tuttle)氏则以为依据于所有财货之量。又，多数学者虽皆以资本之概念限于物质的财货(物财)，但马克劳德(McLeod)则扩张资本之概念于一切产生利益之非物质的财货，将劳动者之劳动、信用、法律、教会、文学、美术、教育及著作家之精神，悉包括于资本之概念中。其次葛拉克(Clark,J.B.)以彼所称之纯粹资本，系由物财中而成立，且不因财物而因其效用成立者也。又，多数学者中，虽不留区别财货自身以考察财货价值之余地，而勃达(Fetter)氏则于其资本之定义中，留有此种余地焉。此外着眼于资本与劳动之关系而说明资本之意义者，则有玛卡洛(Mac Calloch)氏谓资本系由工银基金以支持劳动者之手段；马克思氏以资本为掠夺劳动者之手段；李嘉图氏视资本系节约劳动之物；玛克列阿特则相信劳动自身亦为资本之特殊形式。

多数之定义，虽于生产有关系，但其间亦颇有相异之点。栖聂(Senior)及弥米等多数学者以为资本自身亦为一种生产物；瓦拉及马克劳德等学者则以土地及其他自然财，亦包括于资本之中。边姆巴勃克(Böhm-Bawerk)虽赞成资本必须为生产物，但以为资本决非完全之制造品。马克思否认资本有生产力，而边恩巴勃克虽赞成资本不能单独有生产力，但反对马克思所谓资本不能取得利息之说。至于其他学者大致皆以资本土地及劳动同为生产要素者也。

关于论资本所产出之物,各学者之意见亦不相同。亚丹斯密谓资本产出收入;栖聂谓资本产出财富;其他学者则漫然谓资本产出价值,或谓其产出功劳(Services),或谓其产出效用。

其次,大多数之定义,对于"时间"问题亦有多少关系,但各不相同。赫尔曼以财货继续之时间为主要点;葛拉克谓资本为永久的,资本财为一时的;克尼斯则考察"因消费以满足欲望而在将来可以发生"之事实;泽丰兹及兰得里(Landry)则特别注重资本之放出与收回之时间关系。

(一)斐雪氏之见解

以上所述各种定义及其种种不同之点,皆由斐雪之资本论①借用而来,至于彼自身之见解,则特别不同。彼以其"资本为基本而所得为流"(Capital is a fund and income is a flow)之见解,谓资本为财富而利息为资本之功用(Service)。据此定义而言,在一定时期存在之财富之蓄积虽称为资本,而经过一定期间所生功用之流动,则可称为所得也。

是故依照斐雪之见解,资本不问其为人工所造或系天然存在,凡属于一定时期存在之财富之蓄积,皆可视为资本也。

(二)葛拉克之见解

关于此点,葛拉克之见解亦同,彼亦谓因其为资本,故无论其为人工所造与否之必要。彼关于资本之见解,亦带有一种特异之色彩,彼自信资本与资本财必须区别明了,前者为生产财货之抽象分量,后者为各种物质的具体财,而有生产力之意义。故资本因有资本财始能存在,但不能即谓资本财为资本。资本虽产出利息 interest,而各种具体的资本财所产出者,则非利息,乃 rent 也。Rent 虽系由资本财产出之总额,而利息要不过由资本之永久的基本所产出者之一部分而已。即就某种意义言,利息有依据 rent 之处,利息究属化成对于资本之比率之全部 rent 也。换言之,rent 为各项资本财所产出之物之总额;反之,利息则为对资本之永久的基本之比率,盖利息不外为资本所产出者之一部分也。

---

① I.Fisher, *The nature of Capital and Income*, N.Y.1906, P.54.

葛拉克之见解中，有可以注意之点而与斐雪之见解不同者，即谓成为资本或资本财之物必为具有生产力之物（Productive wealth）。换言之，即资本或资本财因有生产力故得产生利息或 rent 也①。

斐雪与葛拉克两氏所论资本之概念虽颇不相同，但就土地果为资本与否一问题观之，两者实有一致之见解，两氏皆以为因其成为资本，故不问其为人工所造或为天然物，由此可知土地应包括于资本之概念中，不待论而自明。土地为资本，非资本以外之物也。是为颇堪注意之点，最近一般之倾向，对于论资本之概念，已不知如曩昔之惟限于人工所造之货物，其见地颇广，土地亦包括其中也。

三、土地即某种意义之资本

要而言之，学者对于资本之见解，虽千差万别，然就吾人研究所必要之观点言之，则可以分为两种见解：其一即视资本为生产之要素，其他即谓资本为 rent 之源或所得之源（Rentenquelle od. Einkommensquelle）者也。如容许以后者之意义解释资本，则资本之概念当可包括土地在内，而土地在其所有者实为一种所得之源也。往昔曾有视土地为唯一所得之源者，又谓资本可与土地交换故能产生利息之见解，亦已流行于一时。此种见解之谬误，无容多赘，但两者发生收益之能力，则有比较研究之必要。在地味肥沃而位置便利之土地上从事劳动，能产出多余之利益。同样，在生产上投下资本，亦大可以发生物质的利益。此两种利益，皆系对于贷出土地及资本之人支付者也。土地及资本之所有者，决不肯贷出其土地及资本于不付利益之人。此种简单明了之事实，对于阐明地代及利息之本性上，实大有贡献也。

是则视资本为 rent 或所得之源，当无妨害土地成为资本之事实，且如此以观察之时，在所谓地代与利息之间，当无其他显著之区别，要皆为所谓 rent 之广义观念中之一分枝，唯谓前者为土地之 rent，后者为资本之 rent，以示区别可耳。然虽视土地为此种意义之资本，亦不得执此以与其他一切完全由人工造成之动的货物同视，其间实自有其区别在，当认定此种区别之时，则所谓地代

---

① 上述葛拉克之见解，详见 Clark，*The Distribution of Wealth*，N.Y.1908，P.116.

与利息之间，亦非无差别存在也。

资本之意义既如此确定，则当研究地代之本性时，彼土地是否为资本一问题，于此已无赘论之必要。如必谓土地为纯粹之天然物，谓资本为人工之结果，固可以说明地代与利息之性质之根本的差异，而视地代为一种特别之物，但今也对于资本已作广义之解释，则如斐雪氏或葛拉克氏之见解，利息之概念，亦从广义解释，rent 之意义亦较为广泛而且加重，地代已不能作为特别不同之物而视为土地所固有者矣。如李嘉图氏等作为地代而论之差别利益，系在生产之各方面、各要素表现而来，且惟于土地上所行之生产中表现而出者，故除命以特别之名称而外，实无多大之意义也。但如前所言，其间亦非不可自生区别者，惟在根本理论上，则知其实由同一原理显现而出也。

如上所述，吾人对于阐明地代之本性，自信已相去不远，兹请于下节再论之。

第四节　地代非特别之物

李嘉图氏以为地代系在投下同一劳资于土地之时由各地肥硗之差异而发生者；杜能氏以为地代之所以发生，系因各地对于市场之位置有便利与否之差，故农产物即以同一价格出售，而生产者之收益亦有多少之分，是即地代也。两氏皆视地代为一种差别利益，彼等对于所创设之地代而命以差额地代(The differential rent)之名称者，职此故也。

一、地代为一种差益

两氏之视地代为投下同一劳资时所得之生产的差益，又视为由同一生产价格所需耗费之差异而生之收益的差额，此种见解，固属正当，在其根本上亦无谬误之点。所可惜者，李嘉图氏以为此种差别利益为土地所特有，至于此种差别利益所以发生之原因，则归功于土地所有原始而不可破坏之性能，因此引起学者间激烈之驳论，因此引起学者致疑于其地代之根本理论焉。

土地之为物，如前数节所述，今已非纯粹之天然物，其生产力并非不可破坏(indestructible),实系可以破坏(destructible),可以趋于枯竭者(erschöpfbar),故以地代为使用此不可破坏的天然的土地性能之报偿者,实属完全谬误也。关于此点,李嘉图之学说,已失其立足之根据地矣。

土地之为天然与人工之结合物,如李比西所论果为发挥尽致,则地代亦必以此天然与人工所造成之生产能力为基础,由各地间此种能力之差异产生而出。是则地代实系对于天然与人工所造之物而支付者也。

是故李嘉图之学说,在其根本上虽无谬误,而关于其所从出之渊源一点,则谬误已属显明,故关于地代之本性一层,李嘉图之视地代为差别利益,固属正当,但其所谓地代为对于天然的不可破坏之性能之报偿者则非也。吾人因发现此种谬误及证明其谬误之原因,已于前数节评论土地之经济的意义中说明之矣。兹更进而论究其正当之点,并指摘其谬误之枝节焉。

李嘉图之视地代为差别利益,诚属正当,但其谓差别利益为土地所特有者则非。盖此种差别利益,不仅土地上之生产可以发生,即以其他生产要素而经营之生产,亦同样可以发生也。再申言之,地代为一种差别利益,但此种差别利益非土地所独有者也。请详论之。

二、租费主义(Rentenprincip)

由来讲究分配论者之间,有两大主义存在:其一为交换主义——或交易主义(Tauschprincip);其他为租费主义(Rentenprincip)。前者谓成为生产结果之价值分配,不外为土地资本劳动各种生产要素在生产上交换生产效用之结果,但其说明则采用需给关系,故其理论与说明颇不彻底。盖主张交换主义之人,谓资本与劳动之所得,系由需给关系而定,其分配论究系以价格论为基础而成立者,故旧日价格论上之缺点不得不显现于分配论之上也。而采用限界效用说之人则反是,彼等谓分配论完全建筑于此限界效用之价值法则之上,其立论根据,即以工银地代及利息为对于劳动土地及利息估价之结果,而为市场所构成之价格。而此项价值之估定,又实由买卖者可以一定生产手段造成之享乐财之价值而来者也。

租费主义(Rentenprincip)者,即以超出于"因取得经济效果而出之耗费"以上之赢余为出发点,而说明生产结果之分配者也。故此种见解,谓"所得"

之各种分段皆有此项赢余焉。

以上两种主义，互相反射，即在分配论颇有进步之今日，学者之间仍有就此二者选用其一之概：故分配论可依其所采用之主义而区别为二类，但亦有人努力以期此两主义之折衷调和者，如美国哥伦比亚大学教授葛拉克（J.B. Clark）是也。

租费主义（Rentenprincip）亦分二派，有仅以土地之地代为限而说明者，有推论于地代以外以构成分配论说明分配法则者。葛拉克氏为后一派之有力代表，其所论颇有倾听之价值。

惟用地代以说明租费主义（Rentenprincip）之见解，会引起下述之驳论。即谓：如以上述之赢余为地代，则所谓无地代土地之存在一事，已无必要，地代之发生，固无须以无地代土地之存在为条件，李嘉图学说中之以此为条件者，实无必要也。又此种地代发生之原因，已无须说明土地性能之差异，凡属生产价格之因其他理由而超出于生产费以上时，即可发生一定之赢余，而此项赢余，应依据李嘉图所说明之理由归于地主之所得也。但此项赢余，在比较上可以继续发生，且因土地不能任意增加之结果，可以发生此项赢余之机会，较之在其他生产要素上为多。要之，此项赢余，即离乎土地生产力之差异及收益递减之事实而完全独立，亦可发生，其最显著之状态，即独占或竞争被限制时之状态是也。是则李嘉图所谓地代不列入于价格中（Rent does not enter in prices）之说，亦可加以纠正，而列入于限界的价格（marginal prices-marshall）之中矣。

此种驳论虽颇为犀利，然其根本观念，仍含有所谓差额之观念在内。惟可以注意者，使用费主义（Rentenprincip）之范围颇见扩大，且其最初所树立之严格条件，亦渐失其必要矣。

要而言之，李嘉图氏所论造成地代之赢余，无论在产业上之任何方面，皆可发生。即各种经济主体，在互异之条件下向同一之经济效果而努力时，其中必有可以产生此种赢余者。至其所以能产生赢余之原因，则因其在良好状态下善于利用生产手段，此类生产者并无须特别之勤劳，且亦不须较普通生产者多费劳力，即可以获得多大之生产效果，其差额即作为赢余，归彼所得。是决非利用土地时所独有之现象也。

且是项赢余，在消费者之间亦可以发生，富者与贫者用同一价格购入同类同质之货物时，则前者较后者所得之利益必大。盖两者享乐之程度虽同，而因购入此项货物所需之牺牲，则前者较后者为小也。学者称此为"消费者之租费（Consumer's rent）或消费者之赢余（Consumer's surplus）"。

三、收益递减法则之扩充[①]

更就劳动者一方面观之，即在取得同等工银之劳动者中，强壮者与虚弱者虽均操同一之工作，而其所感之苦痛，则与前者小而后者大。因而前者对于后者能享有差别之利益，是亦为上述之 rent 也。

此项差别利益的赢余（即 rent）之所以发生，要因收益递减法则实行之故。譬如欲获得同一之生产效果，每次必需增加其生产费，又如同一生产手段，因使用之次数之增多，其生产效果亦渐趋减少，是即收益递减之法则，因此种法则之实行，其生产效果间所存之差额，即表显而为差别利益也。此法则乃实行于一切生产部门之普遍法则，如以为惟有土地上实行此法则者，误也。故称为地代之差别利益，在任何产业部门上皆可发生，此理所当然者也。

如此扩充收益递减法则，用以推论于一切生产部门，世人当不免发生异议，至少亦与现时之普通见解相反。又如谓此法则惟限于土地上可以实行，因而称为收获递减法则者，此种见解，在以前亦曾引起反对之议论。但在今日，土地上之有收益递减法则显现，则已为一般人所公认。惟工业方面果否实行此法则，尚难确定，一般人大都以为农业上实行收获递减法则，而工业上实行收益递增法则（Law of increasing return）者。盖以工业方面，资本愈增加，其生产效果愈大，即就各生产物一一加以考察，则在使用大资本从事大规模生产之一方面，其生产之耗费亦较少，故谓工业上实行收益递增法则也。

然而此种见解，实由误解事理之实际而来者也。若欲就收益递减之事实而考察之，吾人务须观察国民经济及企业状态之静态（Statischer Zustand），而不可观察其动态（Dynamischer Zustand）。即在其企业关系上，对于劳动资本及企业组织之状态，务须作为未生变化之状态从事考察也。吾人如假定"发

---

① 原书此处遗漏了这一小标题，现补上。——编者注

明”未曾出现，机械未经改良，企业组织未经改善，原料之品质及购入方法皆为相同之状态而考察之，则欲获得多大之生产，必须愈益加重其生产耗费然后可。然如论者所确信之收益递增论，则系假定上述状态为变动不居之状态而从事考察者，在此种状态中，器械因大资本之使用而改良，生产上之经营组织已经改善，分业之程序井然不紊，原料品亦经用大量购入，价廉而质美，若果如此，则收益自可以递增，故所谓收益递增论，实由此种前提出发者也。然此实不外因生产条件改善，随资本增加而发生收益递增之结果者，但假定生产条件如为同一，则收益递减法则，亦在工业方面显现。此种假定，实获得正确理论所必要而不可缺者也。学者忽忘此中之区别，不就静态以作观察，迨理论不能确立之时，则乃就动态观察，遂致理论趋于纷纠错综，且拈出无益之谬论，其徒劳无益而妨碍研究之途径，盖不知几许矣。

收益递减之法则，要根据效用递减之事实而来，与限界效用说（Grenznutzenstheorie）观念之基础相同者也。

要之，构成地代之差别利益，决非土地所特有，即在任何生产要素，亦可发生。关于此点，当以葛拉克之说明最为明晰，其态度亦属正确，兹概述于次。

据葛拉克氏之见解，地代之为物实因视土地为一种资本财之结果，原由多数资本财中之一发生而出，质言之，不过为利息之一部分而已。而利息及工银，原由限界生产力之法则而决定，亦犹地代之由李嘉图所用测定之方法以测定者也。换言之，李嘉图派用以测定地代之方式，可用以测定社会一切资本所产出之物，即一切利息，皆可使其适合于差别利益或赢余之方式以表现之也。又此种方式，更可用以测定一切社会的劳动所产出之物，盖工银亦不外为一种差别利益（differential gain）也。是则一方则有一切劳动之效果，他方则有一切资本之收益，皆完全与地代相类似，此诚可以注意之事实也。此两者即为社会之两大 rent，地代不过为两者中之一种之一部分而已。

至关于此点之详细说明，望读者就葛拉克氏分配论第八章研究之。吾人对于葛拉克氏之说明，虽非完全同意，然其所谓“构成地代之赢余或差别利益在任何产业部门皆可发生，又在生产要素之资本与劳动上亦可发生”之理——即地代非限于土地可以发生之理——，则彼之见解，决无谬误也。

兹更于以下三节详论之。

第五节　地代与赢益

如前节所论，由租费主义(Rentenprincip)而言，构成地代之差别利益，决非土地所独有，不仅农业方面可以发生，即工业方面亦可发生。总而言之，在任何产业部门皆能发生，又在资本与劳动上亦可发生者也。租费主义即以此差别利益之观念构成分配论者也。吾人兹欲细论其所以然之理，先端详企业之赢益，以说明其亦由差别利益而成立之原因焉。

一、造成地代之差益非土地所特有者

地代之为物，如以上所论，已属明了，即当投下同一劳资于土地上之时，因土地上所附着之天然的及人工的生产能力之不同，其生产之结果上亦发生差异，地代即由此差异而成立者，其性质原属一种之差别利益也。然若细加考察，当投下同一劳资之时，其生产结果之有差异，亦非土地所独有之现象，即在工业生产方面，当企业者配合劳动及资本并加以组织使其发生作用之企业能力显有差异之时，亦可以发生差异之结果也。盖生产时所使用之资本与劳动虽属相同，然其使用资本与劳动也，或因配合之方法不同，或因使用之时期不同，而经营生产之组织方法自不得不发生差异，因而由同一劳资所得之生产利益，亦不得不发生差异也。

如此由企业者能力之差异所产出生产结果上之差异，亦由土地之因先天的或后天的生产力不同，即于其上以同一耗费从事生产，其结果上亦发生差异者，正有相同之性质，如此发生之差额。在生产能力优异之人，当成为一种赢余，此赢余即由差额而成立，故称为差别利益也。惟两者亦有不同之点，就前者言，此种差别利益，由企业者所有企业能力之优劣而生，由其人所固有之原因而起；但就后者言，由土地所具先天的或后天的生产能力之优劣而生，与企业者并无关系，与劳动者亦无关系，即完全不由人意或人工发生者也。是则两者在其施用同一劳资所生生产效果之差额——即对于同一耗费之差别利益——一点，其性质固然相同，然因促其发生之原因相异，故此项差别利益所应归属之生产要素亦不得不异。经济学欲就此项差别利益，思考其发生原因

之不同,因而究知其所应归属之生产要素之差异,故将此项差别利益分为两部分;其一,系由土地所固有之先天的或后天的生产能力之差异而生,应当归属于土地,因此称为地代;其他因企业者所有企业能力之差异而生,应当归属于企业者,因此称为企业赢益。

二、企业赢益之本性

是故企业赢益,在其性质上,完全为此种差别利益,正如地代一方面,当生产所使用之资本与劳动在其生产与耗费恰相抵偿而无余之时,换言之,即生产结果仅仅能抵偿生产所用之资本与劳动而无余之时,地代不能发生,同样,赢益亦不能发生也。详言之,当生产之结果仅能收回生产所用之资本,供给相当之利息,支付劳动者以适当之工银,而此外并无赢余之时,则地代与赢益皆不能发生,故必须有若干之赢余存在,而后方能发生也。是则就生产之结果而言,两者皆为多余之利益,其本性固无所异也。

为满足谷物之需要而耕种之诸土地中,其最劣土地——即界限地——上之生产仅能抵偿耗费,并无丝毫地代;同样,在多数企业者中,其企业能力最低之人——即界限企业者——所得之生产结果,亦仅能抵偿其生产所用之资本与劳动,亦不能获得丝毫赢益。又优良土地之地代,由其地生产之结果与界限地上用同一耗费生产之结果之差额而测定之;同样,企业能力优良之企业者所占之赢益,亦由彼与界限企业者间对于同一耗费而得之生产效果之差额而测定之。然在界限地及界限企业者,其生产与耗费恰相抵偿,故优良土地之地代及企业能力优良者所占之赢益,由其地与人所得超过于耗费以上之生产效果(即赢余)而成者。是即两者皆为生产上之赢余而成为多余利益之原因也。

故曰:地代与赢益,乃优良土地与优良企业者所占得之多余利益,此项多余利益,成为对于界限地及界限企业者所得生产效果之差额,即称之为差别利益。两者之性质要皆相同也。

马克思氏亦采用此点以说明赢益与地代之性质,由其有名之剩余价值论出发,以构成其学说焉。以下特述马克思所论之概要,俾更易了解地代与赢益之性质。吾人固非完全赞成马克思之剩余价值论者,但此处不欲论其学说之当否,不过暂时借用,以资吾人研究地代之用而已。

三、马克思之地代论

马克思氏之地代论，系由李嘉图氏借用而来，而依据其一己所独创之经济学说及历史观加以修正而完成之者也。彼研究地代论之时，将其研究之范围限定于下列两方面。其一即为生产主要农产物之投资，其他即为土地之资本的所有。然马克思以为人物及事件皆不外为历史的现象，故土地之资本的所有及个人的投资经营，若从历史的大势加以观察，要皆为一时的现象，亦如波澜往复，属于随时变化之一种现象而已。是故李嘉图之地代论，惟在现时个人主义的资本的经济组织之下，方为合理，学者之视为永久不变之真理者非也①。

马克思论货物之经济价值，亦与亚丹斯密及李嘉图之见解相同，谓其由生产所需之社会的劳动时间所决定，但其劳动力亦为一种使用价值，其价值亦当依同样之法则决定之。然劳动力原非生产物，乃为人体所固有，故决定劳动力之价值者，必须为足以维持其人之生存及助其发展与繁殖之生产手段。换言之，劳动力之价值，乃具有其劳动力之人之生活资料价值也。

今假如造出一日之生活资料必需 6 小时之劳动，则一日劳动量之价值，必须为 6 小时之劳动。又如假定企业者雇用劳动者以后，照理本可以命令劳动者作 24 小时之工作，但彼确知劳动者欲维持其劳动力，每日必须有多少之休息时间，故实际上仅命令劳动者作 12 小时之工作。然是时企业者在上项 12 小时之劳动中，虽对于其一半之劳动支出报酬，而其余一半之劳动，则完全不给报酬而领有之。如以货币价格表示，而每小时劳动相当于 2 角 5 分之时，则企业者由每名劳动者取得之货币价格当为 3 元，其中惟支出 1 元 5 角作为劳动者之报酬，其余 1 元 5 角，则作为企业者之多余利得。至于生产原料及所用机械之价值，则以其与投入生产历程之相同价值，再由生产历程显出之而已。即原料与机械，系每日劳动时所使用者，故其生产所需之劳动时间，又必须为 12 小时之劳动，其价格亦为 3 元。由此考察，企业者之雇用劳动者及使用原料与机械，每日当可获得 6 元之生产，但彼从事此项生产时，仅支出 4 元 5 角，

① 参见 *Das Elend der Philosophie*，II. Aufl. Stuttgart，1892，S.149。

其余之1元5角，则作为一己之多余利得。马克思称此多余利得为赢余价值。至所谓企业赢益，虽亦由此赢余价值而成立，但其多寡则两者恒不一致。

马克思称企业者所占赢益对于所用资本之比率为赢益率(Profitrate)；称所投资本中之原料及机械用具之类为不变资本(Konstantes Kapital)；称劳动为可变资本(Variables Kapital)。至于企业者因使用此两种资本而必须支出之价格，则称为生产之耗费价格(Kostpreis)。由前所述，上述两种资本中，能产出赢余价值，因而产出赢益者，明明为可变资本，而不变资本无与焉。是故即在以同一资本经营同一生产之企业者中，其多用可变资本而少用不变资本者，常能占得多大之赢益也。

在同一生产范围之中，投资之关系相同，因而在长期间以内，各企业者所占之赢益率，皆为同等，此固可以成为原则者，但如在相异之生产范围中，则企业关系不能相同，赢益率亦不得不因企业者而异。惟生产界中，因有竞争之故，此相异之赢益率，亦必至互相平均，而产出平均赢益率焉。

由前所述而观之，一切货物，皆由其原料生产要具及劳动之价值与赢余价值两者之和而定，至其货物之生产价格(Produktionspreis)，则由耗费价格与平均赢益两者之和而定。惟此生产价格，尚非货物在实际上买卖时之价格。在生产价格之要素中，平均赢益率虽常为同一不变，但耗费价格，则变动无常，即在同一生产范围内之企业者间，亦决不能相同，且因此耗费价格不同之故，而生产价格亦不得不因企业者而异也。然在实际上之买卖市场中，因需给之变换无常，在其一致之点，实际上之交易价格必为平均一定，遂以发生所谓市场价格(Marktpreis)焉。

由需给关系而定之市场价格与各企业者所有之生产价格之关系，恒因种种情形而变化，或则前者超出后者，或则后者超出前者。盖需要多量生产价格之企业者，时或有于其生产价格之下售出其生产品之事实，而需要少量生产价格之企业者，转可以高出生产价格之市场价格售出其货物，占得多大之多余赢益(Surplusprofit)也。要之，各货物之市场价格，以生产价格为标准，而多少有上下之分，市场价格在生产价格之上者，其所得之赢益必多，在生产价格以下，其所得之赢益必少。

今欲说明此种关系，特用数字表示，以作具体之说明。假定于此有一事业，其动力一则使用水力，一则使用蒸汽力，两者皆属于同一生产范围，皆用同一资本在一切相同之条件下从事生产。又假定对于两者之平均赢益率，为资本50%，而蒸汽力较之水力之耗费为大。然则以蒸汽力从事生产者之耗费价格及各项生产价格，较之以水力经营生产者必大也明矣。至其生产货物之市场价格，吾人则知其必在此两者生产价格之中间，但其位置果倾向于何方，则由需给之实际关系决定之。然其位置之所在，如使用蒸汽力者之数较使用水力者之数为多，则以此为比例，当与前者之生产价格相接近也。

因此若假定使用蒸汽力者之耗费价格为110，则其赢益率因为15%之故，当为10∶15=110∶16.5。即其生产价格为（110+16.5）=126.5也。然若使用水力者之耗费价格为90之时，则其平均赢益为100∶15=90∶13.5，其生产者所生产之货物之生产价格，当为（90+13.5=103.5）。而占有此低廉生产价格之企业者人数如愈少，则使用蒸汽力之企业者在市场竞争上所表现之势力亦愈大。今如假定此后者之数占总企业者五分之四，则上述两者平均赢益之差为23（即126.5−103.5），其结果所致，市场价格较之使用蒸汽力生产者之生产价格，其差当为4.6，较之使用水力者之生产价格，其差当为18.4。即市场价格必为121.9也。而此时使用蒸汽力者，对于其所投之资不能获得15之赢益，仅有10.8%（绝对数为11.9）之赢益率而已；反之，使用水力者一方面，则超出15%，可得31.9之赢益，就其投资之比率而言，实有35.4%之高赢益率也。

惟上述之状态，又必由种种原因而变化。例如蒸汽机关制造之技术如有进步，则蒸汽机关之价格必较前低廉；反之，水力利用之范围，则受天然所限制，水力工事经费增加之事实，其影响于企业赢益者亦颇多。如斯状态如大见进展，则货物势必皆为使用蒸汽力者所生产，是时企业者对于其所投之资，必不甘于取得15%以下之赢益而自足，对于其110之投资，非取得15%（即16.5）之赢益而不止，因而市场价格必增至126.5焉。然是时少数使用水力之生产者，较从前尤能取得多大之赢益，因其生产价格为103.5之故，乃占得二三之多余赢益，其赢益恰为36.5，就其资本之比率而言，实为40.5%也。

就以上所论而观之，其于地代论有密切关系之部分，实在于多余赢益（Surplusprofit）。然即在由种种原因发生之多余赢益中，如非因利用天然力而得增加其生产力者，亦不能成为地代。且其天然力之为物，亦非在任何人利用之时及在任何状态利用之时皆可表现者。质言之,天然力并不如蒸汽之膨胀力随时可以起作用也。例如利用水力,必使用某种特别之场所,且此特别场所必受天然所限制而其存在又带有独占性者也。

因使用水力而发生之多余赢益,决非因资本而生,实因凭藉资本以利用独占的天然力而生。由此种理由而言,其多余赢益化而为地代,归水路使用者所得。而此项土地,或为企业者所自有,抑或向他人借用,并无关系,其地代自可以发生,盖多余利益,不问其取得者为何人,决非企业者之特别能力所能产生,实由土地所有之自然的独占性而产生者也。

凡上所述,皆成为所谓差额地代(Die Differentialrente)且不包含于一般货物之价格中,转成为价格之前提而存在者也。换言之,地代决非由决定货物一般价格之在最劣条件下之生产,所能发生,实由最劣生产力与优良生产力间之差额而成立者也。而关于此地代之发生,与土地之私有一事,并无关系。不问土地属于何人或不属于何人,皆可发生。此事夙经李嘉图所承认,彼曾经说破国家即以土地作为公有,地代额不能单独使谷价低廉。要之,土地如归国有,则地代亦仅不归地主私人所得,而归国库所有而已,至地代则仍俨然存在,且其存在亦与今日无所异也。

以上为马克思地代论之概要(马克思之《地代论》,虽收入于1894年所发行之《资本论》第三卷,但据恩格斯所言,实已成于1863至1876年之间。《资本论》第三卷所发表为 Verwandlung von Surplusprofit in Grundrente, 6. Abschnitt, II.S.153)。彼之所论有偏于其所好之处,且关于分配论之大体上之见解,有未能脱离交易主义之范围者,尤以其立言完全根据彼所独创之剩余价值说,使人踌躇而无所适从。然吾人于其谓地代为多余利益,视为与企业赢益之性质相同,以阐明多余利益变为地代之理路一段,实难弃置;此一段对于说明同为多余利益同为差别利益之赢益与地代之关系,实堪采用,故不厌繁复,特为叙述于上。就其溢于言表之纯理而熟加考察,必有余师也。

第六节　地代与工银

形成地代之差别利益,在企业上亦可表现,赢益仍由此差别赢益而成立,此理已于前节详论之。然此种差别利益，在劳动上亦可表现。工银之为物，虽不如地代与赢益之完全由此种差别利益而成立，惟以此差别利益为其本体，然此种差别利益之观念，实亦包括于工银之中，尤以说明理论上可以成立之工银与由劳动市场中契约关系而定之工银两者之关系时，应当注意研究，且为了解此点起见，非援用差别利益之观念不可。

劳动在最熟练者与最不熟练者之间，不仅其生产能力有多大之差异，即属具有同一程度生产能力之劳动者，在仅使用其一人之时（即不受人所使用而独立劳动之时，在理论上亦无差异）与增加其二三人而使用之时，其生产之效能程度，亦不能无所差异。当由一人增至二三人之时，则有时因而减少其效能程度，又在增加至于一定人数以前，其效能程度则逐渐增加，至已达一定人数之时，则其效能程度达于最高点。以后每增一人，则其效能程度渐次减少，最后则至于完全无增加人数之必要，否则生产上必受损失。是则各劳动者之劳动效能之间，亦不得不有差额也①。

要之，即令从事同种类之劳动，而其被使用之劳动者如为熟练者或为强壮者或，人数适宜者，则在一小时以内所能成就之工作，较之不熟练者，或虚弱者，或人数不适当者在一小时内所能成就者，必为加倍。又即令在同一时间内熟练劳动者与不熟练劳动者所能成就之工作之数量，亦为同一，则其工作之成就方式，亦必大有迳庭。熟练劳动者所作之工作颇为优良，而不熟练劳动者所作之工作，必不免于劣恶，就实际之状态言，即令以同一之时间操同种之工作，而即其结果观之，熟练劳动者所能成就之量必多，且能显出优良之效果。而不熟练劳动者所能成就之量必少，且仅能显出恶劣之效果。

劳动者因其先天或后天所具劳动能力之优势，即从事同一时间或同一分量之劳动，其所产出之价值，亦必有差额。此种差额，正如企业者之因先天或后天所具企业能力之优势，即从事同一企业，而其产出之价值必有差额；又如土地之因自然或人为结果所具生产力之差异，即投以同一劳资，而各地之间必显出相异之生产结果者。其理由正相同也。

是故劳动者之能力若超出普通人以上，则由其劳动可以产出超过其维持

① 参见葛拉克氏《分配论》。

生活所需者以上之新价值，是时彼所能产出之新价值，实应归该劳动者所有。而此项超出生活费以上之新价值之额，则依据劳动者先天或后天所具劳动能力之不同而有等差。此项等差所以发生之原因，实因彼之劳动能力较之最劣劳动者之劳动能力为优。最劣劳动者之劳动能力所能造出之价值，仅足以维持其生存而已（吾人欲称此种劳动者为界限劳动者“The marginal labour”）。

此种情形，正如某种土地之地代，由其地对于界限地所具之优良生产力而生，因而地代额亦由此优良程度而定也。又如企业能力优良之企业者，按照其对于界限企业者所具能力优良之程度而收得其赢益也。

一、多余工银与标准工银①

地代与赢益，皆为生产上之多余利益或差别利益，而其性质又属相同，此已具述于前，但此处所论因劳动者劳动能力之优越而产生之价值，其成为工银之性质，亦为一种多余利益。界限地与界限企业者，不能产出丝毫之地代与赢益；同样，界限劳动者亦不能获得多余利益也。因此吾人特仿照多余利益之赢益之名称，乃称此多余利益之工银为多余工银（Surplus wage）焉。

然普通所称之工银究指何者而言？普通所称者，原混合界限劳动者所占之工银与此项多余工银两者而言，其间本无区别。惟吾人自信以为此两者之性质既稍有不同，则不如分别考察，转可以获得正确之学理也。

界限劳动者所得之工银，吾人欲称之为标准工银，此适与维持劳动者生活（Menschen-würdiges Dasein）所必需之价值相当，其高低由劳动者之一般生活程度定之。此项生活程度，虽因时与地而有不同，然大致则有一定之标准，故标准工银额，亦经由一时一地而略有一定之标准也。

是故于此假定有劳动能力颇优之劳动者，彼所能产出之价值，超出界限劳动者所能产出之价值以上，则彼除取得标准工银以外，又能取得多余工银，是彼之工银由此两者之和而成，其多余工银，即彼因先天或后天所具优秀之劳动能力之赐也。

吾人上述标准工银与多余工银之见解，颇与马克思所谓赢余价值之见解

① 原书此处遗漏了这一小标题，现补上。——编者注

相似，吾人固非布衍赢余价值说以拈出此论者，但隐约之中，赢余价值之理论，实有孕育吾人之见解之力，亦无容疑也。马克思以维持劳动者之生活资料之价值，为劳动之价值，劳动者所产生超出此价值以上之价值，则称之为赢余价值。而吾人自信劳动者所产出之价值应当全归劳动者所有，故此项价值必当完全作为工银。因此马克思所谓之劳动价值，构成吾人所谓之标准工银，彼所谓之赢余价值，当构成吾人所谓之多余工银也。

二、契约工银

然返观现今契约上之工银果如何，即返观劳动者在劳动市场中与企业者对立而售出其劳动作为代价领受之工银果如何，此则与吾人在理论上所论之工银，并不一致，盖此唯因企业者雇入劳动者时所有之需要与被雇而售其劳动之劳动者之供给而定，且劳动者对于企业者处于劣恶地位，事实上乃社会中之弱者，故其结果对于任何劳动者之契约工银，取足以维持劳动者之生活而止，即有相当于吾人所谓标准工银之倾向，动辄以生活上之绝对必需限度（Existenzminimum）为固定点者也。

夫以今日熟练劳动者之契约工银，在事实上固比不熟练劳动者为多，即工银之额固亦曾按此标准分为数种，然其区别，决不能按照熟练之程度，而与其所产多余利益之能力优劣，完全一致。且依此种区别而比较多受工银之人，亦以技能特别优异而经一般人所公认之少数者为限，其余大多数劳动者，则一律作为不熟练劳动者，给以同样之工银。殊不知此项被视为不熟练劳动者之中，仍有熟练与不熟练之区别在，有才智敏慧者与不然者，有强健者与虚弱者，有忍耐力强者与忍耐力弱者，有正直而勤勉者与不然者，此种区别，实难否认，故各人所产出价值之能力，亦不免大有迳庭。各人劳动能力既不免大有迳庭，若一律给以同样之工银，则支给工银之标准，决非按照能力与功劳（Jedem nach seiner Leistung）而定也明矣。而此项一律支给之工银，即与吾人前述之标准工银相近者也。

然此惟就一般之倾向言之耳。实际上契约工银之多寡，依各地情形之劳动市场需给关系而定，非可一概而论也。在经济发展而劳动之需要超过供给时，则一般之契约工银增高，常在标准工银以上。反是，在经济衰落或因其他情事，而劳动者之供给超过需要时，则契约工银惟与标准工银相接近而已。此种情形，在劳动各部门中，亦得因其种类与方向之不同而发生者也。

以上系就契约工银之一般状态而言者，若更就各劳动者比较观察之，假如契约工银超出标准工银之上，则劳动能力并不优良之界限劳动者，其所得之契约工银较之彼所应得之正当工银（即标准工银）稍高，其多得之部分，在彼当为不当利得。如劳动能力较界限劳动者稍优，而其所生产之价值恰与契约工银所表现之价值相等，则彼所取得之工银，当为彼所应得之正当工银。如劳动能力更优，而彼所生产之价值超出契约工银所表现之价值以上，则彼实应取得不少之多余工银，然因契约工银一律支给之故，彼所应取得超过契约工银之部分，反不能取得矣。是则彼之所失，乃归现今之企业者所得，企业者并无正当之理由，而作不法之垄断矣。马克思派所以大声疾呼"企业者垄断劳动者所生产之赢余价值"者，即此之谓也。

若夫契约工银不及标准工银时，则除极少数之低能劳动者以外，大多数劳动者皆不能取得其应受之正当工银，企业者所垄断之工银乃愈多。

劳动者在契约上所得之工银，与在理论上由劳动产出之价值而必须归劳动者所得之工银，如此其不相一致，前者之规定乃与后者无关，实大有不合理之事实存乎其间。此种不合理之事实，在现时经济组织（即马克思派所谓之资本主义组织）盛行，而所谓劳动市场亦存在之时，实属必然之现象，在经济上各方面之关系受需给之盲目的关系所支配之时，实属难免之缺点也。

劳动者欲求适应理论以决定实际工银，实行理论的分配方法，各依其能力以取得工银，界限劳动者取得标准工银，能产出超过生活必需品以上之多余价值者，又各依其能力以取得相当之多余工银，则劳动者亦必须与方今之企业者同居生产上独立之地位，脱离企业者之支配，而同当生产指导之任然后可。盖世有企业者，即有生产上之指挥命令权，劳动者惟出售其劳动以受劳动市场价格之支配，彼关于工银之理论与实际必全无关系也。其为社会的与经济的不合理，更不待论矣。

上述纯粹工银（理论上之真实工银）与契约工银不一致之事实，其间恒有多少之悬殊，即就地代而言，亦属相同，理论上纯粹之地代，与土地贷借关系上所定之契约地代(租费或佃租),其间亦常不一致。吾人所当注意者,即契约关系之上,其所订之契约,恒便于强者垄断弱者之利益,就地代言,契约地代恒高于纯粹地代,地主恒占得不当之利益,就劳动言,契约工银低于纯粹工银,企业者恒垄断劳动者之利益是也。

三、地代与工银之关系

由以上所论观之,地代与工银,在其发生之原因及形式上,两相类似,其理由想读者已能了解。兹更进而由“交易主义”(Tauschprincip)之立足点以论分配上之地代与工银之关系。

一切农产物之价格,在满足现时需要所必需之生产范围中,由其在最不利条件下生产之费用价格而定,而构成此生产费者,即生产上种种形式之资本与生产时所使用之劳动是也。而农产物之价格中,并不包含丝毫地代,已充分证明之于前矣。是故土地所有者虽不收取丝毫地代,且地代至于不存在之时,而农产物之价格亦不因此而减低,同样,对于劳动之工银,亦不得因此而略见腾贵也。就此点而言,地代与工银之间,并无关系。

然论者或将所得分为两大部分:其一为从事劳动而取以为报酬之所得;其二为不劳之所得。前者通称为工银(Lohn),后者通称为 Rente。前者包含所谓工银与企业赢益,后者包含所谓地代与利息。而此种论者之主张,则谓国民经济上可以分配之价值自有定额,上述两项之中,一方可以多得,他方则仅能少得,故今如假定赢益与利息为一定不变,除去多量之地代一部分以外,则工银之部分即不得不减少也。

但此种议论,吾人不能承认。夫在土地所有者极其专横,而利用其不法之权力,甚至夺取并无地代性质之物之时,论者若就事实立论,未尝不是。然地主如取得确有地代性质之物之时,则无论其所得者如何加多,而具有工银性质之部分,亦不因此而丝毫减少。吾人如由其理论上之性质观察,以检查地代与工银之关系,则两者之关系,决非如分一梨与二儿之关系也。故所谓甲多取而乙仅少取,乙贪多而甲仅能少得者,误也。对于工银而果具有此种关系者,其惟利息乎?

假如货物价值之中并不包含地代,惟包含利息与工银生产费于其中,则对于工银而有上述之关系者，除利息以外无他。换言之，即利息与工银，由社会所得中之同一部分支出者也。

是故“如何可以增多工银”之问题，非“如何可以减少地代之问题”所能解决，即必须以“如何减低利息之问题”以解决之者也。利息之部分减少，工银之部分方能增多也。

然是亦仅为理想中所描写之纯理论问题而已耳。若更进一步离开理论而稍就实际考察之，如假定与界限地相接近而多少可以收得地代之土地，今因工银增高之故遂至于不生地代之时——详言之，即假定谷物之需要不生变化，谷价亦与从前相同，惟工银因有其他理由而增高，遂致生产费增加，而从来曾产生多少地代之土地亦因而不能产生地代之时——则就此种情形而言，彼耕种更劣土地之人，即耕种未生地代而处于耕种界限上之土地之人，亦因生产费增加之故，致使生产物之费用价格与市场价格颠倒其位置，不仅不能收得地代，且其事业上亦必受其损失，非至于辍业不止也。

耕种此项土地之人，如果一旦辍业，则彼以前所用之劳动，今已无可用之地，其必欲取得地质优良，位置便利，而又产生地代之土地耕种也明矣。然在产生地代之土地，企业者必不欲支出高价之工银以雇用劳动，势必使用工银较低之劳动焉。于是失业之劳动者，为取得工银之必要所驱迫，乃不得不甘于此项低廉之工银。是则故意增高之工银，亦不得不复行减低矣。

循如此之次序进行，一旦增高之工银复形减低，则界限耕地亦惟有再行耕种，而复返于以前之状态而已。

是故谷价不腾贵而工银独增，则工银自不得不再行减低也。

以上所述，系假定资本之利息不生变化而利率依然相同之状态而言者，若此时利率发生变化，工银增高而利率同时降低，且两者皆以同一之比例发生之时。则谷价即不腾贵，工银亦能增加。盖工银虽见增加，而利率则减低，且因两者之程度恰为相同之故，彼以工银与利息构成之生产费，仍与前同，就企业者而言，此事之发生与否，与彼并无关系，不过将从前作为利息支出之物，作为工银支出之而已。两者之多寡无论如何差异，而其和则相同，于企业经营上，并不感痛痒。故曰地代即令降低，而工银亦不能因此而增高，惟因利率之降低而工银始能增高而已。

惟有一事不可忽者,即上文所谓利息,系区别地代而言,乃依现时普通之见解立论者也。若以地代列入广义之资本中,则地代不外为利息之一部分,故以地代包含于利息之观念中而观之,则上文所言,即发生根本之差异。如此解释利息,即地代亦成为利息之一部分,故欲期工银之增多而以此利息之减低为条件,则论者之议论转失其正鹄也。

然若就葛拉克氏所述资本与利息之意义而观之,则此时土地亦为一种资本财,其所产生之地代,与其他一切资本财所产生者相同,皆包含于 Rente 之广义观念中。但所谓 Rente 非即为利息,利息对于资本之抽象观念,具有特殊之意义。无论为葛拉克或为斐雪,皆以为利息惟对于资本发生而出,且成为其一种 fraction,有对于"原本"之比率(即利率)。故欲使资本与利息皆化为具体之物,则资本必须由货币表现之,离货币则无资本,因而利息亦由对于原本之一定货币价格之若干比率而生,是利息亦必成为货币价格也。

依此种见解而言,与工银共同造成生产费者,仍为利息,欲使工银增高,则必须使利率减低,使利息减少,是即关于此点不得将地代提出以与工银并论也。因此吾人不能谓地代与工银间有互相增减之关系(即一方增加而他方减少之关系),而欲论其关系,则必须作为利息考察之。

要之,无论依据何种方法说明,而对于工银互有增减之关系者,仍为利息也。如前所述,资本与利息之概念,吾人以为葛拉克及斐雪两氏之广义解释为合于事理,至利息对于工银之关系,则以上文最后所论者为正当。惟为便于了解起见,认为有实行古典的说明之必要耳。

第七节　地代与利息

一、资本及利息之概念

吾人于前节之末所论,对于资本与利息之概念,系依照葛拉克及斐雪等所代表之最近倾向,作广义之解释,不因其是否为劳动之结果及是否为资本而定区别,即如土地,亦以属于资本之广义概念中为宜,故于此如使地代与利息对立以论其关系,不仅不能成为说明之形式,且有不能贯彻理论之嫌。地代之为物,应包含于广义之 Rente 或利息之中,与利息不能成为对峙之关系,即不能与赢益及工银相对立者也。

惟吾人于前文曾经论及者,工银与利息,均可由李嘉图氏用以说明地代论之形式(The Ricardian formula)以说明之,又赢益及工银之说明,上文亦有依据此种形式之实例,故于此暂将利息之意义作狭义之解释,并将资本之意义,亦仿照从前通行者以作狭义之解释,藉以讨论利息与地代之异同焉。

二、生产资本及生产利息

吾人此处所欲论者,对于生产资本(Produktionskapital),惟以其用于生产时所生之生产利息(Produktionszins)为限,系欲表示此项生产利息又得由差益之观念以说明之也。

生产资本云者,即凡可以资助生产上之劳动而增大劳动效果之资本(狭义的)之谓也。广义之机械即系此项生产资本,原料不包括在内,盖原料可作为商用资本(Handelskapital),另行处理也。

凡在生产上使用生产资本之目的,与其谓为在于多得生产物,不如谓其在藉此以节省生产费。盖使用生产资本之生产,较之不使用生产资本之生产,得以少量耗费获得同一之生产效果也。

生产资本之中,原有助长生产之力,故用此以事生产者,较之不用此以事生产者,可以取得多余之利益。盖生产物之价格,不因其为手制或为机制而有区别,在原则上两者相同,固如能使用生产资本以节省其生产费,则其所节省之部分,当成为此项企业者之多余利益也。此项多余利益,称之为“生产利息”。但此亦仅为其原始之形态耳。

生产利息,由资本生产力之差异而成立,乃比较他人能节省资本减少耗费之生产者所得之利得也。而此项利益之多少,由生产费之差额而定,盖生产货物之价格,在满足现有需要之生产中,由其耗费最多之生产费而定者也。故在此项价格标准以下,而以少额耗费从事生产时,耗费愈少,企业者之利得愈多,生产力之程度——资本耗费节省力之大小——,实决定利得(Verzinsung)之大小者也。至于价格,虽有与耗费相接近之倾向,但资本之生产力(即节省耗费之力)既有差异,则价格与各企业者之生产耗费两者间,必不能无所悬殊。在此种悬殊事实存在之时,生产利息虽不发生亦不可得也。

三、原始利息

上文所言，已属明了，资本之利息，先成立于企业者之手中，边姆巴勃克（Böhm-Bawerk）称此为原始利息（Ursprunglicher）。是故企业者若自有其资本时，其利息自当归彼所得。如彼向他人借用资本之时，彼即不能不付其利得于资本之所有者。

四、贷借利息

由企业者移归资本所有者之利息，称为借贷利息（Leizins），以示与原始利息有别。但就两者之本质而言，其间并无差异，盖两者皆为资本参与生产而节省生产费之时所生之利益也。惟在企业者与资本所有者判为两人之时，利息原由资本而生，故当归诸其所有者耳。而表示利息对其所从出之资本之比例，即为利率，但资本之为物，不问其为何种企业所使用，一般恒有发生同率利息之倾向。因利率恒有同一之倾向，故有一种势力对于各种不同企业上所用之资本，恒能使其利率趋于相同也。

五、利率之平均性

然则此平均势力果何由而来乎？

今如假定一方有用手工技能从事生产之手工业者，而他方则有使用资本借助机械以经营同种生产之企业者，则后者较之前者必能节省生产费，可得多余之利益，此多余之利益即利息也。是故此种状态如永久可以继续存在，则在由节省生产费而生之利益不发生变更时，资本之利率，必永久相同也明矣。但实际上如了解如此使用资本而可以获利之时，则其他资本所有者或企业者，亦欲使用资本以期获得同样之利益，而经营该项生产事业，此时使用资本之企业者间，互相竞争，其结果所致，则最初使用资本之企业者，当不能继续其对于手工业者所占得之利益，且在同样使用资本之企业者间，其节省耗费之比率，亦当相同，故利益于是渐次减少，因而对于资本之利率，对于任何企业者，乃不得不形成为同一之倾向。是故利率成为同一之倾向，实因使用此资本之企业者互相竞争而起，且竞争之结果，利率渐次降低，生产物之价格亦因而趋于低落也。但于此有不可忽者,此种竞争,惟行于资本所有者或资本使用者(即资本主与企业者)之间,而与资本之使用无关系之人(即劳动者),则并无关系是也。然此项竞争,所以惟限于与资本之使用有关系之人者,即因利息之成立不在于生产多量之生产物,而在于节省生产费一事故也。详言之,资本节省生产费,故生产物之价格得以低廉;因生产物之价格低廉,故需要专倾向于此方,于是手工业者因其生产品之需要缺乏之故,其业务乃渐就衰颓,终则完全被逐于生产界以外。

然资本所有者及使用资本之企业者,务期善于利用其资本,以增加其所得之利息,以提高其所得之利率,故彼等恒用其如鹈如鹰之眼光,以寻求利益最大之事业。假如有一种事业可以节省其生产费而取得更多之利益时,则彼等趋之若鹜,而竞争以炽,竞争之结果,以前之利得渐次减少,利率渐次降低,终则止于普通之标准。若利率恰近于普通标准时,则竞争犹能继续存在,但利率如降至普通标准以下,则有停业之人发生,于是生产减缩,货物之供给因而减少,价格亦渐趋腾贵,利息所得,又可升至普通标准以上,是故资本的竞争之炽烈,惟限于其企业所得在普通标准以上之时,且竞争之结果,利得渐次降低,至普通之标准而止。此普通标准,称之为利息之平准点,Der landesübliche Zinsfuss 云者,即此之谓也。

惟为免除误解起见而应加说明者,此处所言之利息,仅为纯粹之利息。除由资本发生之利得以外,并不包含他物在内,其与企业者因其企业能力所得之赢益,显有区别者也。上文所言,如不注意此点,将此处所言之利息与赢益混淆,而概括两者以考察之,必难免陷于误谬,此不可不知也。

所谓地方普通之利率(Der landesübliche Zinsfuss),系指利息之比例而言,各种企业所用资本之利息恒具有与其接近之倾向者也。此种普通利率,并不因资本主自为企业者及借用他人资本以为企业者之故,而发生区别。惟当资本与资本互相竞争之时,此项普通利率,常有降低之倾向已耳。然则竞争之结果,利息终归于消灭乎?何以竞争虽烈而利息犹可以继续存在耶?

对于此项问题之解答,极其简单。竞争虽烈,利息所以不消灭者实因竞争之剧烈尚未至于可以使利息完全消灭之程度也。其所以然之故,则又因资本之存在量并不丰润,故尚未能使竞争达于极剧烈之程度也。盖竞争惟实行于使用资本之人之间，竞争之剧烈与迟缓，实因资本存在量之多少而定。是故资本如颇为丰润，苟欲取得资本者，皆可任意取得之，则耗费与价格之间，必至毫无悬隔，其由资本以节省生产费所生之利得，必等于零，此种时期，即为利息完全消灭之时期，但未达此时期以前，利息仍继续存在也。

以上所论，与从前之利息说颇异其趣。就其相异之重要点而言，从前之利息说，谓使用资本较之不使用资本能得多量之生产，实为利息成立之原因；吾人所论，则谓使用资本较之不使用资本得以节省生产费，实为利息成立之原因。据吾人所见，若如从前学说之说明，则利息说完全立于生产费与价格之关系以外，说明固难免有所不便，且在理论上说明利息成立之原因，亦不能无遗憾。然如吾人之说明，则利息显然由生产费与价格之差额而成立，其由资本以节省生产费一事，即为利息成立之原因，故生产费与价格之间，在使用资本之关系上苟有差额存在，利息即能继续存在，此理已于上文阐明之。

六、利息与地代之关系

兹更以此比较地代考察之，地代仍为一种差益，由价格与生产费之差额而成立，与上文就利息所言者无异，且地代之发生或增加，系因土地所占位置之便宜与土地及耕种法之改良等事而起，此理吾人已详论之于前矣，故就此点而言，地代与此处所谓之利息无异。由此观之，两者在其本性上，并无不同。如前所论，若将土地包括于资本之广义概念中，则地代与此处所论之利息，皆系由资本之使用而发生之差益。即令将土地与资本分别考察，则地代系由土地之使用而发生之差益，利息系由资本之使用而发生之差益，在其差益之本性上，两者毫无所异，且在其发生之原因及形式上，两者之径路亦同。此种说明，足以证明吾人所论"地代非特别之物"一说，即赢益、工银、与此处所谓之利息三者，在其本性上，皆为差益，其发生之形式及其测定之标准，皆可由李嘉图派之公式以说明之。分配论上之租费主义（Rentenprincip），正可以确立也。

其次更须考察者，凡生产上所以使用资本者，实在于节省生产费，并欲因此以取得多额之利得也。是故资本之利息，至少亦须与普通利率相当。然利息之为物，系由资本之价值与利率相合而生，故其所生之利息如为同一不变，则利率愈高，资本之价格即不得不因而降低。反是，如资本之价格愈高，利率即不得不因而降低。是故欲谋节省同一之生产费而使用资本时，利率愈低，则资本之量愈大，此可以概论者也。

例如于此欲利用资本以节省 500 元之生产费时，若普通利率为 5%，则必需 1 万元，方可以产生 500 元；若利率增高为 6%，则资本额仅需 8333 元已足；若利率降至 4%，则资本必需 12500 元。

是故利率低，则资本使用之途径大见开展，使用之资本额当愈多；如利率愈低而降为零或与零接近之时，则使用之资本额当为无限。更从反面言之，如资本无限而任何人皆可自由使用之时，则利率为零，利息因而消灭，即生产费与价格之悬隔化为乌有，货物之价格恰与其生产费相同。但此亦仅为想象之言，实际上不能实现，盖人之欲望无限，人之所能为者则有限，故资本之供给，对于资本无限之需要，斯不能不成为有限也。此种事实，尤以土地为然。

概括言之，资本之利息，由于"资本有生产力"及"资本之供给量有限"二事而发生者也。盖使用资本以事生产，可以节省生产费，因而价格与生产费之间乃发生差额，故利息得以成立于其间，且因资本之供给量有限之故，此项差额（即悬隔）终不能消灭，因而利息亦不至于消灭也。资本如仅有生产力之时，利息固不得成立，同样，资本之供给量如仅有限制之时，利息亦不得成立。必也资本具有生产力而同时其供给量又有限，或其供给量有限而同时又具有生产力，而后利息方能成立也。故两者实有辅车相依之关系焉。

兹更变换其说明之方法而言之，地代发生之原因，在于土地上实行收获递减之法则。同样，利息发生之原因，亦在于资本上具有收益递减之事实。盖最初所用之资本与其后所用之资本之间，其收益发生差额，资本加重，则其收益亦递减也。由土地收获递减之事实而生之差益，是为地代，由资本收益递减之事实而生之差益，是为利息。此点吾人已具叙于前，收益递减之法则，不仅发生于土地生产之上，即其他生产要素上亦可发生。质言之，此法则实生产上普遍流行之法则也。要而言之，由此种事实而论，可知地代与此处所谓之利息，均由此差益之本性而成，地代与利息之间，在其本性上并无区别也明矣。且此种说明方法，又可以阐明"视土地为资本，及因同理说明地代与利息之概念"之理由也。

惟有一事不可忽者，即地代之本性及其发生之理由，虽如上文所论，但现今经济界贷借关系上之利息，则不必常与理论一致是也。此种事实，在地代及工银方面亦有之，理论上所称之地代与实际上所称之地代常不一致，理论上所称之工银与实际上所称之工银，亦常不一致。实际上之地代与工银，由土地及劳动在贷借与雇佣关系上之需给关系如何适合之状态而定。同样，实际上之利息，亦由使用资本以事生产之企业者与贷出资本收回所得之资本主间之需给关系如何而定。关于劳动，今有劳动市场存在。同样，关于资本，亦有资本市场（广义之金融市场）存在，故工银与利息，各因其市场之景况如何而有高有低也。

然市场上所定之工银及地代，求得理论上之工银及地代以为标准，恒有与其接近之倾向，同样，市场上之利息（即市场利率），亦当以理论上之利息及表示其比例之利率，而有与其接近之倾向。惟事实上亦仅有此种倾向而止，两者恒不必一致也。

综括以上所述，无论为赢益为工银为地代为利息，在其本性上，皆可用此差益之观念以说明之，此最堪注意者也。赢益地代与利息，完全为生产上之赢余利益，即工银亦可包容于此赢余利益之观念中。所谓分配上之一切分枝，皆可用此赢余之观念以论之，且其间可以包容差益之观念一事，即分配论上之租费主义（Rentenprincip）所据以成立者，数者皆为 Rente，而 Rente 所以非为土地所特有者，此即其主张之根据也。吾人之见解，虽依据此使用费主义，但又能参入价格之观念，并斟酌所谓交易主义（Tauschprincip），以建立折衷之理论，期说明真理之所在。惟此中颇有不易说明之处，且各方面之说明，亦有多少未能贯彻而难免错综之事，但期于理论之根本及其大体上无谬误已耳。

第八节　地代与租地费之关系

一、纯理地代与实际地代之隔离

由以上所论，纯理论上之地代，与土地贷借关系上所称之地代而由租地人支付于地主者，恒不一致。契约上之工银或利息，以理论上之工银或利息为标准，而恒有与其接近之倾向，契约上之地代亦然，亦以理论上所称之地代为标准，其终局（the long run）亦有与其接近之倾向也。但地主固未尝依据纯粹之商业交易原则以缔结土地之贷借契约者，在彼继承其土地于祖父而非由自己买卖得来之时，尤为显著。彼与租地人之关系，多属于纯粹商业交易关系以外之关系，习惯上风俗上及其他一般经济事情之与有势力者亦不少。土地贷借之契约，比较上在期其长久实行，纯地代与契约地代（即租地费或佃租）两相隔离之程度，亦因而加大，在如此年月久远之贷借关系继续之中，其依据契约而定之租费，即令在其定期内为同一不变，而纯地代（rack rent）则难免大有变动也。

土地之贷借，或因农业耕种而行，或因作为宅地从事建筑而行，又可因其他种种之目的而行，其契约之目的既各不同，贷借之租费自不得不异。惟吾人系研究农业地代者，故于此惟就农业耕种上之租费，即就佃租与纯理地代之关系以讨论之。

土地所有者自行耕种其土地时，则可以造成其纯收益之各种要素（即理论上之地代、农耕经营上所用资本之利息，以及企业者担任经营指导或参与其劳动所得之赢益等）合为一体，其间固难于区别；但土地贷借实行而将农地佃种于他人之时，则此等要素分离，土地所有者惟要求地代之部分以为佃租，其他部分则归佃户所得（以佃户用自己之资本经营时为限）。然就各种具体的情形而言，对于农业经营之结果，地主所要求之部分，与利息（即佃户用以经营耕种之资本之利息、赢益（即对于企业者之智能之赢益）及工银即对于劳动者之劳动之工银）之部分，大抵皆由任意决定，固不必其以理论上之地代，利息工银为标准，而与其适合，以定其分配上之比率也。纯地代与佃租之常不一致，已具述于前矣。

二、佃租果何所据以决定乎

佃租果何所据以决定者乎？论者有谓利息当在赔偿由土地所代表之资本价值（Kapitalwert）之利息范围内决定之。然土地之价值，其自身颇不一定，难以确知，据上文所云，土地之价值，以其土地所生之收益为标准而定，其惟以当时偶然之需给关系而定者实多，土地之收益价格与市场价格，恒不一致，至于收益以外，其对于土地价格之决定而与有势力者，原因亦多，故此说亦不能充分说明事理之真相。

是故佃租之决定,以地主及佃户所应取得之部分(即按照各人所供给生产手段之量而可以分配之部分)为标准,不能视为该部分系由具体表明者,实则于决定之时,以脱离理论之经验为基础,尚有若干偶然之事实发生作用也。即令对于与决定佃租有关之多种事实,详密考虑,而佃租仍与正当之标准有出入也。此在理论上实为非理之事,但为实际上之事实所要求,亦无可如何,殊无判断之余地焉。

当决定佃租之多寡时,佃户欲折冲于樽俎之上以取得优胜之地位,在国民经济正当进步发达之状态中,原属无望。盖此种经济状态,必有人口增加之事实,此项事实,在土地之需给关系上,实与地主以颇有利益之地位也。处此状态之下,对于土地之需要愈益加重,而佃租亦愈益增加,致使地主所得之佃租,往往超过其正当之要求以上,此盖成为常例矣。是故佃租之腾贵,并非由于土地收益价格之增高,实则佃户于其所应得之收益中,更须划出若干以给地主,因此惟于表面上显出地代之增加而已,此实数见不鲜之事实也。

然而此种情事,惟以农地之需要加重之时为然,故国民经济无论如何发展,人口无论如何增加,若其发展之方向如专趋向于工商业,人口亦因而流入于商工业方面以求得职业时,则农业转因商工业之发展而趋于衰萎。当农村之人口多流入于都市,而农地之需要转见减少之时,上述佃租腾贵之趋势,不致发生,佃租转有降至正当之标准以下者。是故佃租是否在正当之标准以上,或在其下,完全由一般经济状态而定,非观察实际之情事,不能一概而论也。

三、佃租腾贵之原因

至于近时多数国家之中,往往有因佃租腾贵而佃户遂多破产者,实因一般经济状态容易促进佃租腾贵之故,语其原因,则颇为简单,且容易了解焉。盖土地之本来性质,原非人工所能增加,所能转移,故其结果,遂使地主取得一种独占地位,更因人口之增加,而取得经济上之权力地位,于是在土地买卖之时,乃得增高其卖价,在土地贷借之时,乃得昂腾其佃租也。然佃租腾贵之原因,果由于地主依据一定计划以改良土地,而使地质化为优良,使其生产力自然增加者乎?否则农产物之价格如因增进全部人口之福利而趋于腾贵,遂至成为佃租腾贵之原因时,则纯地代亦可以腾贵,且其腾贵之事实,在经济上应视为正当也。但事实如与此相反,而地价及佃租之腾贵,惟成为一种强制状态之结果而发生之时。详言之,即凡不能参加他种产业而除在土地上从事劳动以外不能生存之人,其对于土地之独占者,已处于隶属之地位。彼等已不能收得其因经济活动所生之全部利益,必须划出一部分付给地主,方能取得土地以使用之。是时腾贵之地价与佃租,在经济上、在社会上、在道德上,皆不能认为正当也。

在大中小三种农地适宜配合,而土地取舍皆不感困难之法制又经实行,且经济状态上随时可以满足土地之需要时,则上述不正当状态之发展,颇能阻止。但如事实与此相反,土地所有之状态,并无大中小三种农地之混合存在,而土地集中于少数人之时,则上述不正当状态之发展,实属容易。但如因法制上之组织或经济上之习惯,而土地多由佃户耕种之时,则对于上述事实之发展,亦不能阻止。盖将土地作为佃耕之形式,分给佃户耕种,可以造出由人工增加土地需要之诱导原因,由此人工之增加,得发生佃租过重之事实,即地主所要求之佃租,得以超出其正当要求以上也。且此类事实,在佃耕土地之面积愈狭,佃耕期间愈短,土地之需要愈因人工力量而增加之时,其势力亦愈大。

夫土地之私有,原具有一种独占性质,故在佃耕法盛行之处,往往发现下述之事实。因佃耕地之需要增加不止之故,致使佃租腾贵,一也;因支付高价佃租之故,使佃户用合理方法以管理其土地,用集约方法以使用其土地,二也;由此项总收益之增加所显出土地管理上之技术进步,每因佃耕契约之更换而完全变为地主之利益,三也。是故欲集约土地上所行之劳动并使其有效,且谋土地耕种法之技术的进步时,则其利益必须归诸佃户。此种要求,惟有于佃耕契约之继续期内,方能满足,但佃耕土地之需要而超过供给时,则每因契约之更新,而其利益移归于地主。征之经验上之教训,在土地作为佃耕地管理,土地分为无数小佃耕地,因而使佃耕地增加其需要之处,其土地即令用最集约之方法管理,而佃户亦仅能取得贫穷之生活而止。然地主不劳而得之佃租,乃更得以增加其收入焉。是故学者之中有指摘此种之事实者曰:一定时期内佃租之多寡,恒由"最优劳动之收益中除去佃户必需生活费"之余额决定之,至因经营上之技术进步而增加之佃耕价值,则完全由地主所得之佃租吸收之,此言非无故也。

四、佃租与纯地代之关系

如上所论，佃租之决定，与纯地代并不一致，其超出于纯地代之标准以上，显而易见，甚至纯地代已不能成为决定佃租之标准，佃租之决定，并不顾及纯地代，两者已无关系矣。

是故以通俗所谓之佃租及其他一般由契约决定之土地使用费而称为地代者，颇与事理相反，实不当之至也。

五、地代之定义

然如上所述，系因农村人口伙多，佃耕地之需要超过供给之事实而生，此不可忽者也。若事实与此相反，而农村寂寥，人口稀少，佃耕地之需要亦极少之时，则契约地代即不得不低，地主不仅不能获得正当之收入，且纯理地代，亦有一部分归佃户所得矣。但此种事实，亦惟在商工业大见发达而农业不振之状态下，方能发生。今也大多数之地方，佃租较之地代则有高而无低也。虽然，此种事实，又多有待于土地所有分配之状态如何而定，即在农业不甚衰颓，且成为一国之大宗生产事业之处，如土地分配之状态颇佳，大多数农民皆有一定土地可以自给之时，大地主虽欲将其土地租给佃户耕种，亦因需要缺乏之故，而不得不减低其佃租焉。

要而言之，由契约决定佃租之原因，皆在于佃耕地之需给关系。故由此而决定之佃租，常因需给关系之无常，有超出纯地代以上者，有降至纯地代以下者，终难期其一致。即令偶然一致，其间亦殆无理论上之关系也。

第五章　特殊地代

第一节　独占地代

前数章所论，惟限于农业地代，且同时限于差额地代而已。盖在广义上虽亦称土地，而以上所论之土地，则以农地为主，专就地代以阐明其地代之发生与增减之理及其本性，此乃吾人之所愿也。然土地之中，亦有农地（即耕种地及其他一般农业上所使用之土地）与宅地（即一般作为建筑地基之土地）之别，其性质颇不相同，因而其地代发生之理及其性质，亦不得不异。吾人于此特称后者为宅地地代，试详论之。

一、差额地代与独占地代

其次所谓地代之中，如吾人于上文所论，系因土地收益之差额，由生产费与收益之差额而成者，苟不认定此种差额之观念，即无成为差益之性质。李嘉图以来所论之地代，惟以由此两者中之差额而成立者为限。然地代除由此种差额而成立者以外，尚有因土地之被独占而发生者。两者之性质不同，理论上之说明颇异，故学者通称前者为差额地代（Die Differentialrente），后者为独占地代（Die Monopolrente）。然所谓 Rente，并非土地所独有，吾人已于前章说明之，故欲特别表示土地所显出之地代，常赐以 Die Differentialgrundrente 及 Die Monopolgrundrente 之名称。兹特就 Die Monopolgrundrente 研究之。

李嘉图以来所论之地代，系由生产力优良与劣恶之两种土地上收益之差额而成立者，故当说明其地代之发生，须以性能各异之种种土地之存在为必要条件。然性能优良之土地，若其存在量为无限，则地代当无发生之余地，此层已经李嘉图所道破。至就地代之独占的性质而言，则问题并不简单，学者间之见解，亦因而各不相同。

惟地代之为物，系因从前已经耕种之土地，不能供给现有之需要，而至于耕种生产力更劣之土地时，始得发生，故是项优良土地之存在量因受限制之故，对于地主，遂与以一种独占的地位。虽云优良土地之中，亦有程度之差，但无论其等级如何，而在各等级之中，其存在量亦必有限制。故由此种意义而言，差额地代系以差益为其本性，同时又具有一种独占的性质，由辞句之使用法言之，固亦可谓为一种独占地代也。李嘉图所云："地代系因土地之存在量有限，且因各地所有之性能不同而发生"一语，实已说明此两者之性质，即前半说明地代之独占性，后半说明地代之差额性者也。

夫由"各种等级之优良土地，其存在量受有天然之限制"一事观之，则地代之由独占的性质而发生，乃属显然之事实。故由此种意义而言，李嘉图派所论之地代，实系差额地代，同时又为独占地代也。

然普通所谓独占之意义，系指货物之供给者得以随意增减其供给量，上下其货物之价格一事而言。换言之，即货物之价格惟由人意缩少其供给量以抬高其价格，而其价格抬高之理由，除由此人为的供给量之不足一事而外，并无其他理由者是也。故上文所谓独占地代之"独占"一语，若由此种意义解释之，则所谓差额地代，即不得谓为独占地代矣。

盖差额地代之为物，系因一地之地质（生产力）及位置均属优良之事实而生，且仅因地质及位置优良之性质，受自然所限制，其存在量并非无限之故而生者，故其地代所以发生之理由中，除供给量有限一事而外，仍有地质及位置之优良事实存在，至其存在量有限之一事决不能成为唯一之理由也。

且也土地就一般的状态言之，与其他独占货物不同，其所有者并不限于一人或少数人，故不能以人意缩小其供给量，不能由供给者任意抬高地代或价格。地代与土地所有者之欲念无关，完全离人意而独立存在，故可以成为地代之经济价值，在发生为地代之所得以前，即已存在者也。

是故欲认定差额地代具有独占性，固未尝不可，但其独占之意义，则稍受限制，此不可忽忘者也。地代之独占，与经济学上所用独占之意义及其含蓄，并不完全切合，其语义多少必有限制，然后差额地代，方能具有独占性。此事在农业地代为然，在宅地地代亦然。

二、纯粹的独占地代

然在广义上之地代中,亦有与上述差额地代不同,而具有纯粹的独占性质,且符合于独占之一名辞者。其地代发生之理由,系与收益之差额分离,而仅由于供给量之经人意减少一事而生者。今如假定于此有一孤立状态之都市,其住民所必需之清水,皆由都市中央所有天然之泉水供给之。但后因他项事由,对于此项泉水,设置特权,或其使用权由某个人所专有,他人欲得泉水,必须对于此特权者付以每斗几何之代价,则此特权者之所得,即为 Rent,并非差额之收益,实成为纯粹之独占利益,其符合于独占地代之真意也明矣。

三、康拉德式之见解

关于此点,吾人以为康拉德(Conrad,Otto)所论 Rente 与工银之关系,颇饶兴趣。彼之所论,有一段最堪注意,即彼之忽视独占地代与差额地代两者性质之差异,完全将两者混为一谈,以考察 Rente 及于工银之影响,并就独占地代所及于工银之影响与差额地代所及于工银之影响,作同一之说明是也。兹特介绍于此,并申述吾人之所见,以指摘其谬误,阐明独占地代之性质,实大有裨益也。

彼将所得分为两大类,其一系由劳动而取得者,其二系完全不劳而得者;前者统称为工银,后者统称为租费(Rente)。其意若曰:

国民经济上有一定额之生产价值,系分为工银与租费两方面,一方如取得多部分,他方即不能不甘于取得少部分。且取得租费者,并不从事劳动,其在国民经济上,并未产出何种新价值,今乃对于实行分配之全价值,从未有丝毫贡献,竟得参与分配,其所受分配部分之多少,即可以使工银之部分增多或减少。租费之部分如多取得分文,则工银之部分即当减少分文也。

租费之部分,有称为直接租费(Die direkte Rente)及间接租费(Die indirekte Rente)之两种,其对于工银所有之关系虽同,而其所以称为直接租费与间接租费者,则以前者系因直接减少工银而成立,后者系因间接减少工银而成立故也。

就前方所举泉水之例观之,今如以清水作为饮料食料及洗衣等用途之时,则于家庭消费方面大有必要，如作为蒸汽机关或制冰等用途之时，则于制造工业大有必要，是其使用之途径，已分为消费及生产两方面矣，因其所使用之方面不同，乃发生直接租费与间接租费之区别焉。

当用水于消费方面之时，在以前原可以自由使用不出代价者，而今则因泉水为人所独占，即有独占之特权，用水者因必须支付代价之故，乃不能不于全部所得中划出一部分以充购水之用，向之藉此以充购买消费货物之用者，今已不能与从前作同一之消费矣。而其所得之为物，原由其人从劳苦中得来，今因用水而须付代价之故，其工银之货币额虽与以前相同，而由此可以求得之消费货物之量，则不得不随而减少。是即名义上之工银（Nominallohn）虽与从前无异，实际上之工银（Reallohn）则已较前减少也，然则租费之发生，果非因实际上之工银之减少而显现者乎？此租费与工银之平衡所发生之历程，系为直接的，故经由此历程而发生之租费，称之为直接租费。

至于生产方面所用之水，则与上述稍异其趣，其对于工银，并无直接之作用。就生产方面言，从前不出代价可以取得之水，今因须出代价之故，而用水以事生产之人，即不得不增加其生产费，因而其所生产之货物，不能以从前之价格贩卖，必须加入用水之代价，以提高其生产货物之价格。生产货物之价格提高，则对于该货物之需要即不得不减少。需要减少，则生产者势不能照旧从事生产，而生产范围乃不得不缩小，于是从前所使用之劳动者，因事业缩小之故，遂有一部分归于无用，势不得不被解雇。

然被解雇之劳动者，势必请求糊口之方法，而另觅工作，但假定从前一切方面之劳动需给关系恰相平等，则被解雇之劳动者即不能取得职业。此时如欲取得职业，惟有用水生产之货物价格，复低落至于从前之程度，而其需要亦恢复从前之状态，其生产亦如从前扩大其范围，因而所使用劳动者之人数亦与从前相同，然后被解雇之劳动者，方可取得职业。然用水以事生产之货物价格，如欲使其低廉，惟有减少生产费，而减少生产费之方法，惟有减少工银，于是被解雇之劳动者，如再欲取得职业，即有将一般工银减至适当程度以下之必要。惟有如此，然后被解雇之劳动者方能再取得职业，生产消费两方面，方能恢复原状。

然此时因使用之水发生租费之故，其成为间接之结果而产生者，即与一般工银减低之部分相当，是租费即系间接因工银之减少而取偿者也。故此种租费所以称为间接租费也。

若上述后一种情形，无其必要，而被解雇之劳动者，虽欲由压迫工银之方法以取得职业，但因受未失职之劳动者所反抗，不能达到目的，于是因租费发生之故，致使生产费增加，使货价腾贵，而一部分劳动者终被解雇，而事件停止发展之时，则生产缩小一事，即足以使国民经济可以发生之利益不能发生，国民经济全体之价值亦随而减少矣。若果如此，则其结果即与该泉水因天灾之故趋于枯渴，而另用人工方法以取得清水之情形相同，从前不索代价之天惠，今则须付代价，此须付代价之部分，即国民经济上之损失也。

要之，无论为直接租费或间接租费，皆由工银之减少而成立，此最堪注意者也。盖直接租费，因实际上之工银之减少而取偿，间接租费，因名义上之工银之减少而取偿。两者皆由劳动者在从前取以为工银之中，划出其一部分作为租费移归于取得租费之人（Rentner）。是则取得租费之人，对于国民经济上并无丝毫贡献，而参与此分配者也。租费之发生，即工银之减少。此实不可忽忘者也。

以上所述，乃康拉德说明租费与工银两者之关系之概要。彼更依此种见解，以区别地代与利息，就两者以推广其理论，谓此两者亦由工银取偿之。

康拉德对于李嘉图等所论之地代，亦与上文作同样之说明，谓优良土地所有者虽获得地代，亦非因彼对于国民经济上有何贡献，无论彼取得地代与否，而对于国民经济上所行者则同，故彼取以为地代之部分，实为不劳所得，其所得之部分，即减少其他之劳动所得者也。要之，康拉德所论地代与工银之关系，亦与前方论，租费与工银之关系时所引都市泉水之例无所异。唯对于泉水之使用所付之一切代价，皆为租费，而差额地代则为农产物价格中所包含之差异而已。差额地代，亦使农产物之价格增高，因而减少其消费，缩小其生产，诱致劳动者之解雇及工银之减低。故取以为差额地代之部分，系由工银取偿之，此彼之主张也。

然而，康拉德上述之主张，实属谬误，兹申论之。

四、康拉德之误解

康拉德推论其用泉水之例所说明之租费之理，以规律差额地代，实属误解。盖如泉水之例，乃为一种纯粹的独占租费，其与差额地代之性质，实有不少不同之点也。

如前所述，差额地代之为物，因其独占之语义之不同，亦具有一种独占性，且其具有独占性质之一点，吾人亦欲进而有所主张。然此时独占之意义，实因土地之存在量有限，尤以地质及位置均属优良之土地之存在量，更为有限，今也因人口之增加漫无止境，谷物需要之增加亦漫无止境之故，为应付其必要起见，乃不得已而扩张其耕种之范围，又因优良土地受有自然之限制之故，复不得已而耕种彼地质及位置均为劣恶之土地焉。于是乎对于优良土地，遂至发生地代，故其地代之为物，实可谓为由于土地所有之自然的独占性而发生者也。但如对于独占之解释而谓为货物之供给由于人工所左右，某种货物之供给，得因供给者之意思而自由增减，且其货物之供给，由极少数人所操纵，甚至由一人所操纵（如泉水之例），则就此种普通之意义言之，差额地代之中，并无此种独占性质存在，此已具述于前矣。何则？差额地代之原因中，除农产物之供给有限制一事以外，更有地质及位置优劣之关系存在，决非农产物之供给量有限制（且由人工所限制）一事，为其唯一之原因也。

是故康拉德以具有后一种意义独占性之泉水一例，与仅有前一种意义独占性而无后一种意义独占性之差额地代，作同一之考察，实属疏忽之至。两者性质颇异，泉水一例，系纯粹之独占租费，其与差额地代，在理论上应当分别考察，不能执前者以律后者也。

独占租费对于工银之关系，正如康拉德所云。至于差额地代，如前章第六节所论，对于工银并无何种直接关系。差额地代发生之原因，与独占地代颇不相同，故不能因其存在，而如康拉德所言之由于农产物价格腾贵而生者，彼所谓对于使用泉水所付之代价，一切皆为租费，若夫差额地代，则为农产物价格中所包含之差额，苟谓差额地代亦能使农产物价格腾贵，实误解也。

以上所述，自李嘉图以来，凡论地代者，莫不明目张胆，如此主张，实则如李嘉图所言，谷价非因有地代而增高，地代实因谷价增高而发生者也。至其所以然之理，实因谷价由一切耕种界限地之生产费而定，耕种界限地，在地代之性质上，并不发生地代也。

若从根本上推翻差额地代发生之理论，而谓为一种纯粹独占地代，其理如何，固不可知，然如赐以差额地代之名称，而以其名称之由来，由于其发生之理有不同，则差额地代，包含于农产物之价格中，因而谓地代之增加能促使农产物价格之腾贵者，其观念之根本中实大有谬误。差额地代，在其发生之理论上，非构成农产物价格之要素，故地代即令完全消灭，而农产物之价格，亦不因此而低落。是诚如李嘉图所言，地主即令完全放弃地代而不取，而谷价亦绝不减低也。

康拉德在差额地代发生之理论上，虽完全依据李嘉图及杜能两氏之学说，然就其对于谷价所有之关系及其对于工银之影响，则忘却差额地代所以为差额地代之性质，而视为纯粹之独占地代，并以其关于独占租费对于货物价格及工银之关系之理解而规律之，诚误解也。

以上所言，可参看第四章第六节所论地代与工银关系之处，两处苟能并合考察，自能充分了解工银与租费之关系。惟本节之主要点，在阐明独占地代与差额地代之差异性质，不在说明地代对于工银之关系。上文所以特别引出康拉德之说，加以驳斥者，聊藉以说明独占地代之性质，并便于究知其与差额地代不同之理耳。

第二节　所谓绝对地代

吾人于第三章第一节论地代增减之理由时，曾经说明，在人口繁殖之势颇强，谷物需要之增加不已，且国内一切农地皆经耕种，其国民经济在谷物之供给上又处于一种孤立状态，而不易仰赖国外之谷物以补充之时（例如大陆封锁令实行之时代以及征收谷物税时代之英国与现时之日本），谷价日趋腾贵，即界限农地之生产费与谷价之间，亦至于发生差额，因而土地管理者，遂得占有一种之赢余利益焉。

论者有谓如此发生之赢余利益，亦为地代者，如马克思所称之绝对地代（Die absolute Grundrente）是也。然如吾人在前章所论，此种赢余利益，固不能以其论差额地代之眼光，而视为一种地代者。据吾人所见，此种赢余利益，在分类之上，应归属于企业者之赢益，不能视为地代，如谓此项多余利益之表现，与企业者之企业能力无关，不应列入赢益之中，信斯言也，则此项赢余利益，亦不能列入地代之中,盖其发生亦与土地之性能完全无关也。但无论为赢益,或为地代,在其本性上,并无根本之差异,已如第四章所论,故吾人对于其所属之问题,殊无拘泥之必要,既系成为土地之生产物表现而出,即谓之为地代亦无不可。唯知其与差额地代之性质不同可也。兹先就马克思所谓绝对地代论,说明其概要,然后加以讨论焉。

一、马克思之绝对地代论

马克思以为土地之存在量受有自然限制之结果,人口增加无止境,谷价之腾贵亦无止境,于是李嘉图氏以来,学者间所视为不发生地代之最劣耕地,亦能发生地代,但如此发生之地代,与差额地代不同,并非由各地间收益额之差异而成立,乃由生产费与市场价格之悬殊而成立,即抛弃差益之观念,亦绝对可以发生,故宜冠以绝对地代之名称也。

例如于此有甲乙丙丁四地。假定甲为最劣等地,用资本 200 元,得产米 10 石;乙地用同一资本,得产米 20 石,因而发生 200 元之地代;丙地得产出 30 石,丁地能产出 40 石。今如因人口增加,对于此等土地,更发生 10 石之多余需要时,则为生产此 10 石之故,假定对于甲地更投下资本,恰需要 350 元,但对于乙地则仅需投下 200 元即为已足,至于丙丁两地,则需要之资本较多。于是人必对于乙地投下其资本焉。

然而乙地在以前得以 200 元产米 20 石,且米价由甲地之生产费决定,故其生产价格为 400 元,因而有 200 元作为地代。今后如欲加增 10 石之出产,则须加添资本 300 元,于是乙地得以资本 500 元产米 30 石,故 1 石之生产费当为 500÷30=16.66。但因甲地之生产费支配米价之结果,乙地所产 30 石之米价可得 600 元。此 600 元之中,除去所投资本 500 元之外,其余百元,当为地代。惟在土地贷借契约之上,乙地之所有者对于其佃户,从前(即在未发生 10 石之需要以前)曾因该地发生地代 200 元之故,约定以 200 元作为地代缴纳于本人,是乙地之佃户,实际上需要资金 700 元,其 1 石之生产费,即必为 700÷30=23.333。于是因乙地生产费高于甲地生产费之结果,米价乃由每石 20 元增至 23 元 3 角 3 分 3 厘。如此,则最劣等之甲地,在以前不生地代者,今则每石可以获 3 元 3 角 3 厘之地代。是最劣等地亦可以发生地代矣(参看本节后段）。

二、差额地代与绝对地代之差异

一切地代，皆因各地生产物之生产价格与支配实际市场之市场价格两者间发生差异，各地在其生产价格以上，占有多余之利益，此多余利益，即成为地代，但依上文所举观之，此种地代，对于任何土地（即如最劣等土地）亦可发生。最劣等土地亦能发生地代，固为例外，然在需给之关系上，谷价愈趋腾贵，较之任何土地上之生产价格，亦有高度之市价时，任何土地皆可发生地代，此地代当随谷价之腾贵而愈见增加也。是故最劣等土地之所有者，即令将其土地停止耕种，以待谷价之腾贵，愈能收得多量之地代。如此发生之地代，究由农产物之生产价格与市场价格之差额而成立者，固亦可以视为一种差额地代，但此非由各地间生产价格之差异而定，不如特别赐以绝对地代之名称为宜，普通差额地代之发生，与土地之私有制度无关，至如绝对地代，则完全因土地私有而生，随土地私有制之废除而消灭者也。

差额地代，由土地所固有之原因而发生，所谓地质，所谓位置，其存在与土地上实行私有制度与否，并无关系，故即令国有制度能见诸实行，而差额地代，依然可以存在，惟不如现时之归地主所有，以饱其私囊，而归入国库，用以增进一般人民之福利已耳。

至于绝对地代，虽由于土地成为自然的独占物，但因私有制度实行之故，始得发生，土地私有制度如经废止，即当归于消灭，在土地国有实行之时，即可一举而扑灭之，并得藉以减低谷价也。

然而差额地代，固非可以增减谷价者，前者并不包含于后者之中，李嘉图所谓“谷价非因有地代而腾贵，地代乃因谷价腾贵而发生”之言，就差额地代言之，实为不可变更之铁案。若夫绝对地代，实为提高谷价之原因，绝对地代有若干存在，谷价即提高若干也。是即差额地代因各地谷物生产价格之差异而生；反之，绝对地代，惟由市场价格超过生产价格之事实而生者也。

惟于此有应加注意者，对于一国所需之谷物，因有外国农业竞争之故，谷价决非可以任凭地主之意思所能使其腾贵者，故关于绝对地代之增加，亦自有限制存在，除完全排除外国竞争之外，绝对地代固无增加不已之事实也。

三、绝对地代果成为地代乎

以上为马克思绝对地代理论之大要。然就吾人所已论述者而言,关于此绝对地代之本性,不无疑义,其能否与差额地代同视而赐以地代之名称,颇有疑问。差额地代,因土地所有之性能而生,完全与人工无关。换言之,即因土地所固有之某种性能而生者也。至于绝对地代,非由土地所固有之性能而生,惟因谷物在需给关系上之市场价格超过其生产价格之事实而生,其原因实为社会的。其对于土地之关系,惟在于土地之存在量有限及农产物并非无尽藏一点而已。其因谷物需给之关系而生且略与人工无缘者,即此一事,故其本性要与差额地代不同。由此言之,其发生之原因,既为社会的,而又非土地所固有,然则赐以地代之名称,果何如乎?

由生产价格与市场价格之差异而发生多余利益之事,在农业生产上有然,在工业生产上尤然,此已具述于前矣。然虽同为多余利益,而一则谓为地代,一则谓为赢余,两者在理论上之处理所以不同者,实因前者由土地所固有之性质而生,后者由工业生产品之需给关系所诱致之社会的理由而生也。是则在农业生产方面,若其多余利益并非由土地所固有之原因而生,而仅由支配农产物需给关系之社会的事情而生之时,则亦如工业生产上之情形,视为一种多余赢益,乃理所当然者也。

据吾人之见解,所谓绝对地代,在其性质上并非地代,实为一种多余赢益,与其谓为地代,不如谓为赢益,颇为合理。至少,在性质上所谓绝对地代与差额地代之差异,亦较绝对地代与赢益之差异为大也。

若视赢益为对于企业者技能之报酬时,则所谓绝对地代,并非由于农业企业者之技能而生,实则与企业者之意思无关,惟因农产物之求过于供一事而生者,故欲视为赢益,殊为不伦。然细加思索如此以观察赢益,即在工业生产之赢益中,亦有包含因需给关系而发生之部分在,且完全与企业者之意思无关者。此等多余利益,均应排斥于赢益以外也。是故工业上此项多余利益如皆作为赢益处理之时,则所谓绝对地代,当亦可以作为农业上之多余赢益处理之,此种处理方法,不仅可行,且亦为理所当然者也。

且也在当今之资本主义的经济组织之中,企业者从事生产之指导,除对于资本劳动及土地分别支付利息工银及地代以外，其手中所余者，皆作赢益，归彼自身所得。在如此制度之下，则所谓绝对地代之多余利益，与其视为地代，不如视为赢益，或当符合于事理与实际也。

吾人依据上述理由，以为绝对地代之为物，与其视为地代，不如视为赢益，尤为适当。夫绝对地代之论，在研究上固颇饶兴趣，但地代与赢益之间，实有共通之性质，非细加考察，常不免有混淆或谬误之危险，实则唱导绝对地代之人，亦不免有陷于此种谬误者。彼等不觉察此种谬误，为证明最劣土地上所生之多余利益亦为地代起见，以为前段所举数字之例，可资凭信，亦适足以加重其谬误而已。若如前例所示，甲乙丙丁四地之中，因米之需要增加十石之故，乙地之生产费转超过甲地之生产费以上，因而甲地亦至于发生地代，是则乙地今已成为最劣土地，甲地已非最劣土地矣。盖此时所谓之优劣，非仅由土地之肥硗而定，自抽象上言之，耗费最少而生产最多者即为最优土地，其次则渐趋于低劣，终则耗费最多而生产最少者，即成为最劣土地，向时甲地最切合于最劣条件者，今则乙地最切合于此条件矣。故此项例证，实无意义。尤以所谓对于乙地须支付租地费200元一层，颇觉暧昧，读者尤当警戒。

假如前例所示而果无如吾人所指摘之缺点者，则吾人之责难，转不免陷于谬误，然则将如之何？是盖不足以窘吾人也。若如前例果为正确，乙地之生产费，因谷物需要增加之结果，转超出甲地之生产费以上，甲地亦因而发生地代，信如此则其所生之地代，实由甲乙两地间生产费之差额而成立，仍为纯粹之差额地代，亦无特别命名为绝对地代之理由存在也。

要而言之，所谓绝对地代，其性质与差额地代颇异，视为赢益，固属正当，但如以视为地代为便，则宜与差额地代区别立论，藉以阐明两者不同之性质。此吾人所以藉此绝对地代之名称，在研究特殊地代之一章中，就其性质而略加讨论也。

第三节　宅地地代（都市地代）

一、农业地代与宅地地代

李嘉图氏以来所论究之地代，惟以农业地代为限，即随农业上所用土地

(即耕地牧场等)上之生产而发生者也。虽然,李嘉图氏亦未尝忽视农业地代以外之地代,如矿业用地之地代,彼亦有所论述焉。惟在彼所处之时代,成为实际生活上之问题者,厥为农地地代。彼之地代论实由实际上之问题而促其研究者。当19世纪之初期(即李嘉图所处之时代),所谓地代问题,即为农业地代问题,至如宅地及其他一般建筑用地之地代,实际上殆不成问题,当时都市生活,尚未达于足以使学者研究宅地地代问题之程度也。

在李嘉图氏之时代,宅地之地价尚无如现时日增腾贵之事实,即有特别收取高额地代以构成其多大之不劳所得者,亦仅为例外之情形,不能作为普遍之大问题研究。故当时英国之裁判所,对于此种不劳所得,曾作有明确之判决焉。例如1811年爱伦巴拉(Ellenborough)之判决中有言曰:“若有人私有处于特别有利地位之土地,因而具有收得独占地代之力量时,则普通之法理当于其获得正当地代之程度加以限制,俾不得从他人之财富以垄断不当之利益,盖英国之政策,以抑制独占促进自由为宗旨者也”。观于此即足以推测当时之实况矣。

就都市宅地地代作理论的研究者,肇端于老威廉汤卜逊(Thompson,W.),其次于1827年,西思蒙第(Sismondie)氏更作广泛之研究,又其次约翰司徒滑特弥尔(Mill,J.S.)氏对于建筑地地代亦有所论及。要之,如瓦格涅教授所言,经济学上以土地作为住宅地或都市之私有物件而研究之事,在以前并未顾及,即偶有染指者,亦不过附入他项研究中论及之而已。是诚学问上之一大缺点也。

迩来都市中之地代,已引起一般人注意,其状决非农业地代之比,故学理的研究上之重视此种地代,非无故也。由目前政策上之急务言之,农业地代,较之都市地代,颇失其重要之意义,住居问题,日形困难,愈为社会政策所重视,故关于都市地代之研究,较之关于农业地代之研究,尤为重要而迫切。然暂时离去政策上之见地而由理论上之见地观之,关于都市地代之理论,在其本体上仍不能脱离农业地代理论之轨范,故关于农业地代之理论,即为一般理论,足以范围都市地代之理论也。

然则农业地代与都市建筑地之地代,其本性有无根本之差异,其发生之原因是否相同,学者对此,议论不一。如不先就此问题充分研究,即不足以窥地代论之真意义，故惟有阐明此问题，方能了解都市宅地地代之性质也。请申论之。

二、宅地地代与农业地代之异同

都市中之宅地（若由家屋地基之广义言，无论为商工业上所用之地或为住宅所用之地，皆为宅地）地代与农地地代两者，其原理果相同乎？抑两者之理论果有差异乎？

学者之中，认定两者有不同性质之人（如班达列阿尼 Pantaleoni，富克斯 Fuchs），则有下列之意见。

第一，农业地代，系因使用土地以事生产，栽培农业植物之故而发生。约言之，即因经济财之生产而发生者也。至于都市宅地之地代，非因使用土地以事生产之故而发生，乃因消费之故而发生者也。故前者系因生产而发生，后者系因消费而发生。此其不同之点一。

第二，农业地代，系因生产费不同之土地生产物用同一价格卖出之故而发生，至于宅地地代，系因对于生产费相同之租借目的物（即家屋）之使用，支付租金之故而发生者也。故前者因对于同一价格之生产费不同而发生，后者因对于同一生产费所付不同之代价而发生。此其不同之点二。

第三，农业上土地贷借之期间较久，其间地代之归属于租地人者不少，至于都市宅地之贷借期间较短，故地代之归属租地人者甚稀。又农业地代，在现时鲜有从新发生者，故已成为历史的，同时又成为国民的，至于宅地地代，则无分昼夜，现时仍在继续发生之中。此其不同之点三。

因有上述各种差异存在之故，关于农业地代之理论与关于都市宅地之地代论，在理论上即不得不分别处理之。从前学者不认定此种区别，常将两者同视，欲因以建立共通之理论，故地代论未能彻底，不免有暧昧之点。是诚吾人应当大加考虑之事也。

此派之见解，果能视为正当乎？据吾人所见，殊觉未妥，兹申言之。

先就论者所举之第一点观之，所谓农业地代系因土地之生产的使用而发生，都市宅地地代系因土地之消费的使用而发生云云，未免限制都市宅地之宅地的意义，惟采取住居用地之解释，而其所谓“住居”，又作为衣食住之住考察，故有上文所言之谬误。据吾人所见，都市之地代，并非因都市中之土地作为住宅用地（如论者所云）与作为商店工场（尤其手工业者之工作场）而有不同之性质者。不问其用途如何，苟作为建筑家屋之地基使用之时，即宜与农耕土地分别处理之。对于农耕土地而区别考察之时，广义上皆作为宅地，其宅地即不应有住居用地及商工业用地之区别。区别土地为耕地与宅地，乃 Division 区分耕地为田地栽培地园艺地牧场，或区分宅地为住宅用地、店铺用地、工作场用地及住宅兼营业用地者，乃 Subdivision 也。吾人所论，在就此 Division 以讨论其间所生地代之异同，倍宜注意。尤以都市之宅地中，其作为住居兼营业之家屋地基而使用者最多，此点尤不可忽者也。

是故如论者所言都市宅地即作为住居用地解释，而称为消费的使用云云，实不妥当。要而言之，由生产的使用与消费的使用之区别，以定农业地代与宅地地代之区别，而谓其性质两不相同者，误也。都市地代，不论其由生产的使用而发生或由消费的使用而发生，皆须统称之为宅地地代，使与农业地代相对立，以讨论此两者之异同。至于论者所言，实因其研究上处理方法之误谬而来者也。

兹再就富克斯等论者区别上述消费的使用意义上之住宅地，就商工业用地所论者窥之，其由营业用地（与都市住宅地不同者）所生之地代，虽颇与农业地代相似，但以为两者之间实有区别。

上述见解，与吾人之见解颇不相容，吾人以为土地无论作为住居用地或营业用地，在地代发生之原因上，并无相异之性质。如论者之区别住居用地与营业用地，使各与农业用地相对立，以论其由各种用地所生地代之性质之异同，在吾人观之，实属谬误。是故吾人此种驳论，不仅反驳前述农业地代由土地之生产的使用而生，宅地地代由土地之消费的使用而生之说，且反驳论者说明都市地代时区别住居用地与营业用地之非。盖吾人之见解，以为都市地代无论由营业用地而生或由住居用地而生，在性质上并无差异，在理论上皆可概括立论也。

日本普通用例所称宅地之意义，无分工场工作场用地、商店用地、住居用地之别，一切皆概括于其中，即财政学上所称宅地（如宅地税）之意义亦然。吾人固非拘泥于用例者，惟用例与理论一致时，则以依据用例为宜。而在地代论上讨论地代时,吾人亦觉按照用途以定区别之不当。盖理论上无如此区别之必要,若立定区别,转陷于推理之谬误也。

兹再论此派所论之第二要点——即谓农业地代系因生产费不同之生产物用同一价格卖出之故而发生,宅地地代系因生产费相同之家屋获得相异之使用费而发生者也。

此派所以开陈此种谬误见解者,实因拘泥于李嘉图氏之地代论而未能充分把握其理论之所在故也。李嘉图氏之说明地代论也,惟谓农产物虽因生产地之肥硗与位置不同,而其生产费亦随而发生差异,但其在市场上所有之价格,皆为同等,由其处于最劣生产条件下之土地上之生产费而定,故生产费较市场价格低廉之土地,得以发生地代而已。

然而此种说明,亦惟指示理论之所在,至于其他方面则未及一一具述,留待研究者推求之。故欲充分理解地代论,当由上述说明更深入而求之,必须了解地代发生之根本原因,实因收益递减法则之实行。对于初次投出资本所得之收益,与对于以后投出资本所得之收益,两者间恒有差额。尤以以后所投资本之收益为少,此差额即为优良土地之地代也,以言乎地代发生之理,则较之李嘉图之说明,不易遭逢上述之批评。且对于李嘉图氏学说之反驳,可因此种说明而避去之。

要而言之,地代论之说明,有待于上述收益递减之事实而成立,故如富克斯教授等所言:“农业地代,其生产费虽异,但因生产物有同一价格一事而生;反之,都市宅地地代,其生产费虽同,但因租借价格之不同而生,是以两者之性质完全相异”。此种立论,殊为不当。盖农业地代,亦可谓为因其对于同一价格之生产费不同而生者,同时亦可谓为对于同一生产费所得收益之差异而生者也。而农业地代,因对于同一生产费而有不同收益之事实而发生时,正如宅地地代与都市家屋之有同一生产费无关,而实因收益不同之事实发生者,同出一理,两者间固无如论者所谓性质上之差异存在也。

以富克斯教授之学问渊博,而对于农业地代竟抱有如斯谬见,更由其谬见以定宅地地代与农业地代之别,甚可惜也。

由以上所言,论者作为农业地代与宅地地代之差异列举之第二点,在理论上已知其完全不能维持;宅地地代之亦因不同生产而成者,系由用同一价格租借之事实而生,农业地代亦然,亦因其以同一生产费而成之生产物,有不同价格之事实而生。要不得由生产费之关系以定两者之区别也。

其次再就论者作为农业地代与宅地地代而列举之第三点考察之。论者所谓“农业上土地贷借之期间较久,其间地代之归属于租地人者不少,至于都市宅地之贷借期间较短,故地代之归属于租地人者甚稀”云云,实混合国民经济上之议论与私经济上之议论者也。由国民经济上观察之,地代无论其归何人所得,亦与地代之性质无关,归地主所得之地代固为地代,归租地人所得之地代,亦为地代。国民经济学上所谓分配论之议论,不承认地主与租地人之区别,对于与生产有关之土地。惟有一种地代而已。至于立定其所应归属之区别者,实完全由私经济的观点而出者也。

凡属此等谬误,皆为研究经济学者所应细心避免之事,吾人读弥尔氏之原论,此感尤深,不能不佩服彼之用意周到。尤以关于企业收益之议论,例如论农业经营上之集约农法与粗放农法两者收益上之利害得失时,因国民经济的观点与私经济的观点颇相混淆之故,颇有理论上未能彻底之憾。吾人观于洛瑟(Roscher)教授在农业经济上所指摘由此点诱致之谬,不禁佩服其卓识也。所可惜者,富克斯教授等讨论宅地地代与农业地代之区别时,竟亦陷于同一之谬误焉。

由以上所论,可知论者所谓农业地代与都市宅地地代有不同性质之说,一无足取,且除上述诸点以外,更无特别有力之议论焉。是则吾人即不能不断定农业地代与宅地地代间并无根本之差异存在也。

就吾人所见言之,宅地地代与农业地代之间,在本质上并无根本之差异。然吾人亦不能谓两者之性质完全相同,至少如就其发生之原因加以观察,以推测两者之性质,亦知其一有一无者也。

兹请就宅地地代之性质详细探求之。

三、宅地地代发生之原因

农业地代之起源,若采用李嘉图式以说明之,则土地因有肥沃之差异及位置之便否,即发生地代。而肥沃及位置两事,虽可藉人为力量以略见缓和,然其自然之性质亦颇难否定,故地代之发生亦为自然的,非人意所能使其发生者也。因有肥沃及位置二事为前提,故随人口之增加与经济之发展,农业地代即可自然发生。而所谓土地有肥沃程度之差者,即含有土地之生产力并非无限之意,否则土地之生产力如为无限,斯无所谓肥沃程度之差,地代即无发生之余地矣。惟因土地之生产力并非无限,且随土地之不同而有肥沃程度之差,同时在同一土地上亦实行收益递减法则,然后地代始得发生也。

然则都市宅地之地代果何由而生乎?就建筑用地言,固无考虑地质肥硗之必要,盖建筑用地之优劣,原与土地之肥硗无关也。故欲考察宅地地代发生之原因,必于位置之关系中求之,位置之关系,乃宅地地代发生之唯一原因,此外并无其他原因也。都市中通衢场所之地代所以高贵者,实因其为通衢场所之故,此种场所,如建筑商店,则业务必见繁昌,收益必见丰富。而此种场所之业务所以繁昌者,即因其土地之位置便利之故。质言之,即因其为通衢之故。场所云者,即表示位置之关系者也。

据吾人所自信者言之,都市宅地地代之发生,实因宅地之不同而场所有良否,位置有优劣之故,如有人以"宅地地代之起源何在"询问者,吾人则迳答以"惟在于位置便否之差异"而已。

宅地地代之发生,实因作为宅地之土地位置有良否之别,农地在其地质及位置之关系上,恒有优劣之差。宅地亦然,亦因其所占位置之良否,而有自然的优劣之差。就街市地而言,其位于街市中心而在一切生活方面皆有便宜者,实为最优等之宅地,便宜之程度渐减,即发生优劣之差。此种优劣之差,即成为地代发生之原因者。在农地方面,须以地质及位置两事为决定优劣之要素;但在宅地方面,则与生产力无关系故无顾虑其肥沃程度之必要,惟就其所占位置之关系,即可判断其优劣也。

假如于此有建筑住宅之人,当其投出资本之时,必先选择在生活上最为便利之位置使用之。但此项土地,因生活上便利之故,欲于其地取得住宅之人必多,故租屋之人多愿支出较多之房租,建筑者对于其所投之资,亦可收回较多之利益。然若此项便利土地尚有余地可资建筑,则他方资本即参加于此项土地而开始竞争,竞争之结果,贷借之租费必趋于低廉,终则流入于此地之资本,亦仅能取得普通之赢益而止。但此种便利之土地如有限制,而可利用以建筑家屋之余地亦不多,则此种优良土地不久必至完全用尽,于是欲于其上建筑家屋之人,即不得不选用较劣之土地,由此逐渐推行,终则最不便利之土地,亦作为宅地使用矣。

就此种情形考察,如住宅之需给关系恰相一致,则对于位置最不便利之家屋,其所得之房租,亦仅能收回其所投之资本与支付其利息而止。至于比较此项家屋之位置更优之家屋,则租屋之人必甘愿按照其位置之优劣而支付较高之房租。若果如此,则处于最优位置之家屋,当可收得最高之房租,至于所谓限界家屋(即所处位置最劣之家屋),其所得之房租,如上所述,亦仅能偿付其生产费而止。如再假定此等房屋皆由同等之生产费建筑而成,则处于优良位置之家屋,依其优良之程度而收得之房租,除偿付其生产费与利息之外,必有赢余,此项赢余,即为差额,完全由位置优良一事而自然发生者;是即宅地之地代也。

由是观之,可知普通所称房租之中,实含有纯粹房租(即家屋建筑费之偿付及对于建筑费之利息)与地代两者在内。所谓纯粹房租,即界限的家屋(在现时所需要之家屋中处于最不便之位置者)之房租,至于比较此界限的家屋之位置皆为优良之家屋,其房租皆多少包含地代在内,其比例则由其位置优良之程度如何而定(至于房租与地代之关系,俟后段详述之)。

如上所论,宅地地代与农业地代发生之原因,两者实有共通之点。所谓共通之点,即为位置之关系,就此点言,两者并无区别。惟都市宅地之地代,仅由位置之关系而生,至于农业地代,则除此位置之关系外,尚有地质之关系为其发生之原因,此两者之差异也。

然则农业地代与宅地地代之起源,其无根本之差异可知矣。由位置之关系而建立之理论,可以支配农业地代,又可以支配宅地地代。就此点言,两者固无区别也。

富克斯教授对于此点,以为两者之间,总有多少区别存在,而其所列举之农业地代与都市地代之差异,则重视交通机关发达所及于两者之影响不同。彼以为在农业地代方面,交通机关之普及与发达,能发生显著之影响,其可以阻碍地代发生及增加之趋势甚大;反之,在都市地代方面,交通机关之发达,并无多大之势力。其所持之理由,则以为在后者一方面,可以搬运之物,非货物而为人类,故不能不考虑时间上之损失与不愉快之感想,交通机关无论如何发达，而住民离去都市中心地以逐渐移居之郊外之趋势，并不甚显著也。

依富克斯教授之意，以为在农业地代方面，其所处位置之关系，因交通机关发达之结果，而所谓地方的竞争（Interlokale Konkurrenz）乃愈形显著，至于都市地代方面，则此事并不显著者也。然而彼之议论，欲由此以认定农业地代与都市宅地地代之区别，不免偏于枝叶而忘却问题之根干。盖上述因交通机关发达所生影响之差异，亦仅为程度上之差异而止，不能因此以树立根本的区别之标准。要之，关于都市宅地，亦有所谓地方的竞争，诚为不可掩之事实。故不能谓农业地代为差额地代，谓都市宅地地代为独占地代也。实则两者皆为差额地代，若谓都市宅地地代为独占地代，则由此种意义，农业地代亦可谓为独占地代也。

四、宅地地代与房租之关系

因此吾人乃不能不就此种关系上之都市宅地地代之本性详论之。欲详论宅地地代之本性，斯不能不就所谓广义的宅地之中，依其存在之地方状态以定区别，研究各处宅地地代与房租之关系，及房租中所含地代之本性。

在实际生活之上，地代与普通房租，混合表现，以纯粹之房租与地代相合，统称之为房租焉。然在理论之上，纯粹之房租与地代，应当分别立论。普通所称之房租中，若除去其作为家屋之建筑及维持所需资本之利息而每年收回之部分，与用以偿还原本之部分以外，而尚有赢余之时，此项赢余，并非房租，乃地代也。而构成此项地代之部分，在普通所谓之房租中，果包含几许之程度，则因都市村邑经济状态之差异而有不同。欲了解此点，须就披尔逊所列举之数例考察之。

披尔逊将都市村邑分为四项考察之。吾人特藉此以考究各种地方房租决定之原因及其原因之相互关系，以阐明宅地地代之本性焉。

披尔逊氏所举第一种类之地方，系指宅地在任何场所皆能充分供给并不包含地代于房租中之地方而言。此种地方，为乡间村邑中所常见，家屋散在各处，比邻间之余地颇多，欲取得此项土地之人，唯支出还原于农业地代之资本额足矣。

第二种类之场所，其房租中亦不包含宅地地代，但其所以不包含地代之理由，则与第一种类不同。譬如以前繁盛之区域渐就衰微，房租减低，以后即令恢复原状或新建家屋出租，而收支终难适合，家屋之供给有余，所得之房租犹不能偿付其建筑费及利息者也。

至于第三种类之场所，则与前两者大异其趣，可由下图说明之。

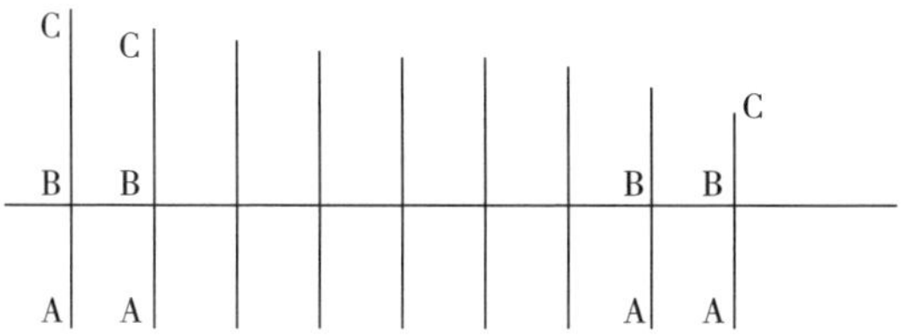

如图，水平线系表示建筑设备等一切皆为相同之住宅，惟自左至右，位置之关系，渐形低劣。今通过此水平线上之各点 B，引垂线若干，以 AB 表示家屋建筑资本及修理费之利息，则各 AB 线当皆相等，盖各住宅之设备皆同，惟位置有优劣之差而已。然如延长 AB 线，藉以表示实际所得之房租系超出建筑资本及修理费以上之比例，则各线之长，自左至右，当渐形缩短，终则不能延长至于 AB 线以上。BC 系表示地代，而上图所欲表示之目的，即在于说明各 BC 线因住宅位置之低劣而渐次短小，终至于与 AB 同长。此图所表示之场所，即为下述状态下之街市地，即宅地已经完全使用，而新宅地惟存于外围之地方，此时住民苟非不能于已有之宅地中寻觅相当之家屋或非因节俭之故而为之，则不欲居住于此种新宅地者也。在此种街市地之中，其房租虽多少含有地代，但不必皆然。作为新宅地之余地，处于外围（郊外）之某一部分，新家屋之建筑虽仍有利益，但在其所处之场所，则不生地代。即此种地点，系上图之 AB 与 AC 相一致者也。

换言之，在此种地方，与街市中心地接近之场所，及其他作为居住用地或营业用地而位置颇为便利之场所，其需要常超过供给数倍数十倍数百倍，位置便利之程度渐次减少，供给不足之程度亦随而减少，终则最僻之地，其需给亦恰相适合以为常。在此种之街市地（通常为大见发展之街市地），其家屋之建筑费与维持费虽同，而其房屋则比例于位置之良否而不免有高低。此房租高低之差额，即为地代，而其地代则因位置之便否有高低而已。至于纯粹房租之部分，其多寡必同。

关于此第三种之说明，与农业地代中李嘉图氏之说明，颇有相似之点。在农地方面，因人口繁殖及食品需要之渐次增加，而次第扩大其耕种范围，扩张其耕种界限；同样，在都市宅地方面，亦因住民之繁殖及家屋需要之渐次增加，而次第扩大其建筑之范围，扩张其建筑界限（Margine of building，der Rand）于外部。在农业地代方面，先立耕种之界限，因而不生地代之土地，随耕种范围之扩张而劣等（在地质上与位置上）土地亦从新耕种之时，亦得以发生地代；同样，在宅地地代方面，亦先立建筑之界限，因而房租中并不包含地代之家屋，迨至家屋之新需要渐次发生，而供给不敷需要之时，即引起房租之昂贵，于是房租中乃包含若干之地代焉。惟有应当注意者，当家屋之需要增加，而有新供给随而发生，足以应付其需要时，则房租即不至于腾贵，因而以前未含有地代之房租，即不至于发生地代。如吾人在上文所论，房租中从新包含地代之时，惟以需要增加而供给不足，又需要急速增加而供给迟迟未至之时为限。是故欲观察此种现象，必以供给不能应付新需要之事实为必要条件。吾人所借用（建筑界限）一名词，即指需给恰相一致之点而言者也。

是故新家屋之供给如超过新需要之时，则房租当呈低落之趋势，旧有之家屋亦必感受其影响而略见减低，因而其房租中所包含之地代亦多少减低其比率，此不容否认者也。惟从新供给家屋之人，必以其房租足以支付建筑费及维持费之利息并偿还原本为必要条件，否则必无人愿建筑新家屋，故所谓房租之低落，亦自有一定限度。故新供给超过之结果，房租虽呈减低之趋势，而其减低之程度，亦以形成地代之部分为限。至于纯粹之房租，当无减少之事，此在理论上可视为正当者也。此种事实，在农业地代方面，亦可作同样之说明者也。

最后所谓第四种之场所，系指街市为墙壁所围绕，或因山岳川泽所限，而宅地绝对无余地存在之场所而言者也。此种都市，在实际上固少有存在者，然吾人因某种经济上之理由，可视为完全孤立隔绝之都市之一部分。在此种部分，其房租与其他部分中之房租之关系颇异。譬如在第一类及第二类之地方，房租之中，并不包含地代，其房租专以建筑费为标准而定，但如第四类之场所，其房租殆不以建筑费为标准，而惟由位置之关系而定。故此种场所之房租颇高，且其大部分皆为地代。纯粹房租之部分较之地代之部分必甚少。

在第四种场所之地代，甚与独占的地代相近，其间当无可以实行所谓地方的竞争之余地。故在此种情形之下，其地代之性质，似颇与农业地代不同。然若细加考察，此种场所之中，其内部亦自有位置良否之区别，各部分土地之地代，亦自有多少差异，且此种差异，亦如他种场所之因位置良否之事实而生，故其地代亦不得完全谓为非差额地代也。

由以上之详细讨论，吾人自信已足以阐明宅地地代之性质。据吾人所已知者言之，宅地地代与农业地代之间，在其本质上并无根本之差异，宅地地代，亦为一种差额地代。农业地代，对于谷价之决定无关，同样，宅地地代亦非决定价格之要素；农业地代由谷价所决定，同样，宅地地代亦由土地或家屋之贷借价格所决定。李嘉图氏所谓“谷价非因地代之支付而增高，地代实因谷价之增高而支付”之言，对于宅地地代亦能适用。又如李嘉图氏所谓“地主即令完全抛弃地代，谷价亦不因此而减低”之言，亦可以适用于宅地地代者也。

五、宅地地代与商品价格之关系

以上系对于宅地地代与房租关系之议论，但其理又能适合于商品价格与宅地地代之关系，吾人兹特就此点讨论之。

人有恒言曰：街市中通衢场所之货价，较高于市梢商店之货价，此其原因，完全由于通衢场所须支付较高之地代之故，商人非以高价出售其货物，即不能经营其业务故也。其然岂其然乎？此种言论之前半段，固为常见之事实，至于后半段理由之说明，则因果完全倒置。在街市之中心地，货价之高，乃属常见之事（但亦不必尽然，有时市梢商店之货价转较市心之货价为低，观以后所述自明），然其货价所以较高之原因，并非由于地代较高之故。通衢场所之货价所以较高者，系因其为通衢场所之故，人皆便于前往，故需要者，集中于此处之机会较多，且某货由某店贩卖之事，亦以有名之场所为人所熟知，故需要者多赴此种场所以购求货物，货价即令较为昂贵，亦易于出售也。又如需要者虽明知此种场所之货价较高，然与其故意奔赴不便之市梢购货，不如以较高之价在此种场所购货，转为有利，故即令市梢之货价较为低廉，而顾虑时间与劳力计，转不免有得不偿失之感。且也有名之场所，大商店如林，交易活泼，故于此处购货，亦有信用上之关系，所购之货物，亦比较可靠，通衢场所之货价虽高，而易于销售者,非无故也。

是故通衢场所之货物所以用高价出售,决非由于地代之增高。语其因果关系,实则相反,尽在此种场所,货物得因上述理由而以较高之价销售,交易亦易于发达,故希望于此处开店之人甚多,皆愿支付其因取得优良位置而发生之多余利益于地主,此多余之利益,即成为该地之地代表现而出者也。是则此中之因果关系,与普通人所想象者完全相反,货价非因地代而增加,地代实因货价增高业务繁昌而发生而增加者也。

由此理以推求之,则市梢地之地代所以较少之故,从可知矣。在市梢之地,经营商业,其业务不易发达,所得之利益亦少,即其由位置关系所生之利益,殆无足观,故成为地代表现而出者,亦无足观也。

东京市之银座街,为货价高贵之区,据一般人之观察,皆以为银座为东京之通衢场所,其地代特别昂贵,故商人被迫而有以高价售出货物之必要。此种观察之错误,已如前述,即令认为有理,而神田一区较之本乡,其货价反觉低廉,神田在东京市中为货价最低之场所,其故果安在耶?抑将谓神田之地代低于本乡欤?或将谓神田在东京市为地代最低之场所,因而神田之货价不得不低廉欤?

此种情形,实为证明中心地之货价不必昂贵之一例,同时又表示货价之高低与地代之多寡不必有直接关系者也。其在神田,货价之低廉并非由于地代低廉之故。神田为货价低廉之处,由来已著信用,顾客较多,神田商人所以用较廉之价出售其货物者,实采取所谓"薄利多卖"主义,每项货物之利益虽少,而因销售之额颇多之故,就营业全体计算,所得之收益则多,故仍旧用廉价贩卖,而藉以发达其业务,增多其利益也。若说到地代一层,则神田之地代,并不因货价低廉之故而减低。神田地代所以不低之故则如何?无他,商人在神田售货之价虽低,而因商务发达利益增多之故,多希望于此处开店营业,以致宅地之需要增加,故地代并不低廉也。

故就此种情形言,可知神田地代之所以增高,实因其以廉价售货一事博得东京市中消费者之信用,又因其地点位于东京市之中央,电车通行,交通便利,商务发达,宅地需要者颇多等项事实而来;同时又足以证明地代高而货价低之奇异现象决非无故也。

其在京都,新京极之地,为京都市最繁盛之区,诚所谓通衢场所中之通衢场所也。但其地之地代虽为最高,而货价反较为低廉。其理由亦与东京市之神田状况无所异。

由此可知货价之增高,非由地代之增高而起,而地代之增高,实非使货价腾贵者也。

货价之高低,其原因不在地代之多寡。故京都市地代最高之新京极,其货价颇廉,而地代较低之市梢地,其货价反高也。至于市梢地货价之所以较高者,其故实因市梢地之商店之顾客颇稀,前往购货者,大都为附近之少数住民,且此等住民,当其购买价目较多之货物时,即遄赴繁华地点以求之,故市梢地之货物交易之景况不佳,商人即欲趸入货物,又恐不易出售,销路既不发达,则商人为维持其营业及取得多少利益计,斯不能不抬高其每件货物之价格。故此地之商人,对于其每件之货物,除顾虑其全体营业之费用及斤斤计算其所得之收益外,又须计及其未曾售出之货物之保险费,其货价势不得不增高也。

今欲说明此等理由,须先知贩卖者用以决定货价之标准。其标准之决定,固以其维持全部营业所需之总费用及其总收益两者为主要要素,但亦注重其可以销售之货物之数量及对于售余之货物与损失等之保险费,故每件货物之价格,除计入其趸入之价格以外,又必顾及此等方面而定之。兹为便于了解,以式示之如下:

$$\text{商品之价格} = \text{批发价格} + \frac{\text{营业总费用} + \text{相当之营业收益} + \text{损失保险费}}{\text{可以售出之货物数量}}$$

是即为商人方面决定商品价格之标准。故可以售出之货物数量愈多,货物每件之价格愈廉,繁华地点之价格所以低廉,市梢地点之价格所以昂贵,实由此而起者也。

然以上所述,不过为商人方面决定商品价格之最低标准,实际上之价格,有在此标准以上或在其下者。实际上之价格,愈超出此标准以上者,商人愈能获得多余之利益,其业务愈益隆盛,若愈益降至此标准以下,而其状态又不发生变化时,则商人终至于不能继续营业,此无待论而自明。而实际价所以在此标准之上下变动之原因,则因买卖之间,除卖者之外更有买者参加,随买卖两方之需给关系之变动,而价格亦不得不变动也。

由以上之详细陈述吾人对于宅地地代，自信已能完全说明，兹更进而论宅地地代决定之标准，以终此章。

六、宅地地代决定之标准

宅地地代之发生，系因某种场所，当其用为营业地或住宅地之时，能占得最有利之地位，惟以其位置优良之故，商务乃随而发达，收益随而增加，或因作为宅地而于生活上有种种便利，以致借用土地之人增多时，则需要者对于此种场所，较之对于位置不良之宅地，必甘愿支付数倍之租费，是即宅地地代发生之原因也。

因此种位置优良之宅地面积颇受限制之故，其地面之所有者，似乎可以随心所欲以取得高额之租费者，但实则不然。此种地面之所有者，如果要求过分之租费，则必至无人承借，租地人决不愿支付过分之租地费，以其租地费超过该场所因位置优良而具有之特别价值以上故也。故该地地代之决定，必与该地因位置优良而具有之特别价值相适合。此盖理论上当然之事也。

然上文所云，亦仅为理论上当然之事实而已，在实际交易之关系上，其所定之地代，虽以此理论上之地代为标准，但不免略有出入。盖土地之贷借，在地主方面，则有地主之要求，在租地者方面，则其希望租得该地之程度及其支付能力各有不同，且在租地者之人数加多时，即不免发生竞争，故此项地代之决定，恒因贷借两方折冲离合之结果，而归着于契合之点。是为理论上之宅地地代与契约上之宅地地代不相一致之理由，可参考第四章第八节所论农业地代与由契约而定之租地费之关系。

今为作具体之说明起见，特举一例以论之。假令于此有一人占有位置优良之宅地三处，彼测定其宅地因所占优良位置而具有之特别价值为一，而欲租用彼之土地者则有六人，此六人对于其宅地之位置所估定之价值，则由六、五、四、三、二、一之数字表现之。由此言之，则能租用彼之土地之人，惟有估价为六、五、四之三人，其余三人估价较少，当然谢绝。在此种情形，无须作上述之解剖的说明，惟就其结果观之，则该地已取得颇高之地代，至其原因虽似乎由于其地之存在量有限，地主可以利用独占的地位以操纵之，但实则不然。地代之所以如彼其昂贵者，实因租地人之间发生竞争，且因多数竞争者中之支付能力皆优，虽支出高价之租费亦不介意故也。质言之，即因租地人对于金钱所认定之限界效用甚小故也。

理论与实际，虽往往不免有多少差异，但亦不至因其有差异而损及理论之正当。就理论言，地代应与土地在位置关系上所有之特别价值相一致者也。

综合以上所论，农业地代与宅地地代，在其本性并无根本之差异，惟其发生之原因，在前者则有两种，在后者仅有一种而已，故关于农业地代之理论，大致可用以推论于宅地地代也。然此亦惟在理论之原则上为然，至其细节，则两者又自有迳庭。方今之时，与都市生活问题（主要者为居住问题）及其他一般社会政策上之问题有关联，而有重要之意义，且须急于解决者，非农业地代，乃宅地地代也。在以前，农业地代曾成为颇堪研究之实际问题，今则宅地地代亦有可资讲究之兴趣，且成为紧要之问题矣。至于此中所生之许多研究问题之理论及其实际的应用，则留在后篇研究之。故本篇所论，实为一切问题之根本理论也。

后　篇

土地问题

第六章　土地之价格(地价)

第一节　价格决定之原因

现今经济学上所极难研究之问题,殆无有过于价值及价格者,以其理论之难于了解,实全集注于此方面也。顾吾思之,价值之理论,实使经济学由所谓常识之学问升为科学之一者。故即谓经济学为关于价值之学问亦无不可,经济学上所欲研究者,皆可视为论断此经济价值之发生、移转,及归属者也。

吾人当研究土地问题之时,所亟应注意者,亦在根据一切土地所表现之经济价值之发生、移转,及归属。故不必涉及价值之广泛的问题,惟有以狭义解之,专就方今普通所指称之土地价值,尤其为土地之价格,加以研究而已。

一、价格决定之原因

关于一切决定货物价格之原因,其学说极为纷繁。李嘉图(Ricardo)及其学派,则以为货物之价格,必依据其生产所必要之费用而决定,社会民主主义学者,则更加以敷衍,谓价格须依据生产该货物所需社会的劳动时间之总计决定之。彼等盖以为货物之交换价值,固应以有使用价值存在为前提,而使用价值,又必以该货物具有效用性之可以认识。然而使用价值,亦仅为交换价值之前提而已,并非后者之多少,须据前者之多少而定也。若谓使用价值之多少,即足以决定交换价值之多少,则凡从事生产者,即应专生产良质而又多有使用价值之货物,决不生产使用价值少者明矣。然一细为考察,则凡生产品之能成为良质与否,殆无不由于生产时所需之劳动多少,因而货物之交换价值愈多,则生产时所费之劳动愈大,故凡决定交换价值者,自不在其使用价值,而在其生产劳费也。故生产者一面思及货物之交换价值。同时又必思及其劳费

(Arbeitsaufwand)如何,即不必常生产使用价值较多之物,而必比较考量劳费与使用价值两者,乃得以决定其生产也。然而交换之标准,即以货币表示,则凡货物之交换价值依据货币表示者,即谓之价格(Preis),此在稍研究经济学者必所熟知,然而对于价格之决定,有所谓需要供给之关系,与对于决定交换价值之效用之多少虽极相似,但其效用之多少,不能决定交换价值之多少,因而对于货物之需给关系,亦不能为价格决定之标准。交换价值决定之标准,既在其生产劳费,则可为价格决定之标准者,亦不得不谓其必在生产劳费,故时时之价格,虽因需给关系如何,而常变动无定,若就长期间加以观察,其间固仍有一定之标准也。大体上虽随其标准而有价格变动,实则不过上下波动耳。而构成此标准者,则不外乎生产劳费也。例如过去数十年间,金银市价之变动,虽似捉摸不定,然金一镑之价格,常为银一镑之价格之三倍,此关系几无变更,由此可知对于金之需要,常为对于银之需要之三倍,以两者之生产条件,在数世纪间,常有同样之关系,而莫之或变也。①

二、价格决定之标准

李嘉图又就不同样之情形下所生产之货物,曾论及其所谓劳费之标准,当于何求之矣。氏之言曰:凡货物之交换价值,无论其为制造品矿产物或为土地之生产物,并非依据对于生产有特别技能之人,在可以享有之情形下,能完成其生产之极少劳动之量所能决定者,必也依据毫无何等技能之人,在生产时必要许多之劳动量,乃可为之决定者。质言之,即当依据在最不利益之情形下,而欲继续其生产之人,所费于其生产所必要之许多劳动量,始得为之决定者也。惟此有当注意者,所谓最不利益之情形,而必供给以所要求之生产物之量,无非含有在此情形之下,非实行生产不可之最劣等之生产条件之意味而已。②

如上所述之生产费说(Die Kosttheorie),其为不完全而急待补正,近时之学者,固亦曾是认之,然亦不过认其不完全耳,并非绝对的加以排斥也。大凡

① K.Kautsky——*Die Agrarfrage: eine Uebersicht über die Tendenzen der modernen Landwirtschaft und die Agrarpolitik der Socialdemokratie*,Stuttgart,1899.S.56.fg.

② *Ricardo's Works*,M'Culloch ed.P.37.

生产货物之价格,于生产费以外,固自有其他种种原因,例如买主对于当该货物之欲望之热度,当该货物之效用,买主之购买能力、社会的地位,其他之关系在其时购买之必要的程度等,以上各种情形,虽各挟有一种势力,然而价格之决定,则常有向生产费可以看出其定住点之倾向者。故价格变动之波动,自常以生产费为水平线而升降于其上下,亦难否定。故就其终局的言之,可谓生产货物之价格,当依据其生产费而划有最低限度(Minimumgrenz)也。惟此有当注意者,必须添用终局的(in the long run)副词耳,以时时之变动,虽无常态,然其终局,则必以生产价格为最低限度。以生产者不能在此限度以下,永久继续其生产也。

于此又有不可忘者,即此最低限度,有时亦有全无意义者,盖以一定之费用所造出之货物,若人人对之,毫无何等之欲望,并不发生需要,以致全无价格,或人人对之欲望极少,其价格亦不足以补偿生产费,甚至远在其劳费价格以下,皆其所不可免者。盖凡所谓价值与价格云云,完全由于人与货物之关系而定,决非该货物自有其固有之价值也。而人之欲望,又极易变动,决非固定者,是以价值与价格,乃不得不随之而变动,决不如李嘉图及其学派诸人所信,货物不必有固定的一定的价格存在者也。

三、非生产物之价格(收益价格)

更有当考察者,货物之中,原有非人力所能生产,因而亦即无生产费存在之余地者,然而此种货物,仍不失为确有价值,如土地者,即属于此种类之货物也。土地为供给世界人类之自然物,固无可疑,至少亦必有一部分为然,此难否定。即如土地性质中所谓之面积,全受天然所限定,纵令加以人力生产,亦终不能任意使之广狭;又如土地之物理的并化学的性能,皆属天与,其间虽有几分可以人力增减,然经一度投下于土地之劳动与资本,必与土地化为一体而不可离,而表现其为天与人为之合体之沃度(Fertility)之性质焉。既一度化为沃度,则必随其面积与载受力而助成土地之独占的性质矣。

自严格的理论上言之,依据人为而赋与于土地之部分的沃度,虽有终为后天的而非天与,因而不能与载受力或面积等,使同属于先天的然至少于地价决定之上,亦有不能认为依据沃度之土地的价值价格,当依据其生产费而决定者。故土地之价格，与其发生沃度所需之用费价格，可谓绝无关系，而不能不有待于独立的决定也。

是故在土地价格决定之上，所谓生产费，并不能有何作用，其成为决定土地之价格之原因者，完全由于卖出者，比较彼于卖出时损失利益几何，就中尤为彼在平时，能从该土地收入纯收益几何，彼于卖出后所能收得之资本额几何，此正与可以任意增产之货物同，而以其生产费作为决定价格之最低限度者，故就土地一方面言，其化为资本之纯收益，实划出价格之最低限度也。然就购买者一方观之，对于决定地价之活动的原因，则在买主之购买能力，在彼所以欲取得该土地之欲望之热度，以及能满足其欲望之土地之效用等事，且当测定其效用时，彼又必考量可以由该土地获得多少之纯收益，乃敢于从事也。若彼于纯收益以外，依据毫无关系之其他动机，而欲获得该土地之时，则其动机在价格决定之上，必自有其主要的重大的势力，此不待言者也。

由此观之，则在土地之价格决定上，成为最低限度者，必为由于该土地发生之纯收益或利率之资本化的总额，学者称此为土地之收益价格（Ertragswert）焉。

第二节　土地收益与土地之价值

如前所述，吾人即可知欲研究土地之价格，必先有考察土地之收益之必要矣，盖不知土地收益，必不知收益价值，亦即无由考知土地之价格。

一、土地收益

土地收益，由于土地利用之方法不同，可区别为两种，即物质的与非物质的是也。凡以土地供农业用者，其收益全以有形的为主，若以土地为居住地，或工场店铺之建筑地，或供交通用之敷设地，则其收益又全以无形的为主。因而若就土地之价值或价格论之，则在农业用地与宅地、工场店铺建筑地、或交通用地之间，自不能不有所区别，以供推理上之便宜。盖两者之价值，在其成立上，自有稍稍异其面目者，此不可不知也。惟关于此项，在研究地代之理论时，关系至大，如所谓农业地代与宅地地代者，吾人已于前篇中详论之，以其发生之原因皆各各异趣也。因而其地代之本性，不能谓两者完全同一，盖一则颇属于自然的独占的,一则不然,其种种关系,皆由此而发生也。

是以有形的土地之收益,既以农业收益为主,于此实无详论之必要,以下所述,即专为对于无形的非物质的土地收益而发者。

所谓无形的土地收益者,即使用土地者依其所指称之使用所收得之利益也。例如就店铺言之,恰与对于优等之农地,比较劣等农地,虽同样加以劳动资本,而可获得多大之收益者相似,故在某地之店铺,必对于使用者之劳动,获得多大之报酬,乃始得成立也。然又须知土地之使用,有生产的,有消费的,故由其使用所发生之利益,即对于使用者之生产力,能获得多大之报酬,亦不过使其消费状态更加良好已耳。何则?一种利益,原即收益无异,其利益之多少,固可将各地所发生之利益相互比较以为计量者,如现今之货币经济时代,必以货币量表现之,即其例也。因而在流俗人之眼目中,断不能以此种收益,即作为货币收益观。然而货币,不过为测定价值之具,故此场合,亦不过以无形的收益而以有形的表现之耳。

二、由使用上所见之土地区别

如上所述,土地之使用,既有生产的与消费的,故富克斯(Fuchs)教授即由此观察点,区别土地为耕地(Ackerboden)、业务用地(Geschaftsboden)、住宅地(Bauboden)三种。世人动辄对于专供消费用之住宅地,有欲否认其收益者,要之此不过浅见者流,以为住宅地之所有者,居住其上,并无何等货币收益,不过供其无形的享乐而止,遂断定为无收益耳。须知此种住宅地,亦与其他之业务用地同,固不断地有现实之收益发生者,今虽以之供消费之用,未表现货币价格,骤观之,一若全无收益者,殊不知若如吾人以前所述,则此种收益,无论为住宅地与业务用地,皆无区别,本皆属于无形的,即不论以货币额表现与否,皆与收益之有无毫无关系者也。

若此宅地,不供所有者之自用,而以之租借与人,则其收益,即可供所有者之消费,在未消费以前,必由租地人之手以移交于所有者之手,因此必以货币额表现之,有使成为具体化之必要,此即有形的表现之一种货币收益也。在此场合,可知非因所有者自行使用,则不发生收益,贷与他人则发生收益也。收益固无往而不发生者,惟一则显而易见,一则藏而不露耳。

如上所述,即所以指示价值与价格之不同者。宅地之收益,若止于无形的,因而似不见有所谓收益,在此场合,只有收益价值而无收益价格,若其收益既依据货币额表现而成为货币收益,则是以收益价值为基础复有收益价格出现也。惟于此有必须避免误解者,若据此说明,以为收益价值与收益价格既已相同,遂以收益价值之凡可以货币额表现者,辄指为收益价格,则又有不可耳。绝非绝对的不可,然总不免为不完全之见解。何则?凡所谓价格者,固由于以价值为基础而决定,然价值要不过其基础而已,收益价格,有出于收益价值以上者,亦有降至其以下者,盖价格决定之原因,在价值决定之原因以外,尚有其他之原因存在也。是以收益价格,大体虽与收益价值相当,而可以货币额表现之,然谓两者即能相应适合者误也。此种理论,不仅在收益上如此,即在土地之交换价值与土地价格之间,亦复如此。

三、同样数地间之价值决定之标准

复次,有当成为问题者,例如有一地于此,无论其使用方法,或为耕地,或为宅地,要之此地,并非因其作为业务用地,则占有特别有利的地位,亦非具有其他适切的性质,又非因其作为住宅地,则有特别的优良,其实在三种使用方法中,固无所谓适合,亦无所谓不适合,在此场合,则此土地之价值,究须以何者为基础,以何者为标准而决定耶?如为事务用地,当以最大之收益为标准;如为住宅地,当以中间之收益为基础;如为耕地,则当根据最少之收益。此常态也。乃在现有之土地,作为任何业务用地,亦不具有能收获最大收益之适当的特别性质,作为住宅地时亦然,即作为业务用之工场或店铺及其他任在土地上有何建筑,亦于收益毫无变化,并无所谓非有此地不可者之理由存在,故其地即令作为业务用地,或作为住宅地,亦不能不超过其作为普通耕地之价值以上,而更有多大之价值也。

在此场合,而欲决定其土地之价值,即不能不依据其界限效用。所谓界限效用者,即在诸多之使用方法中,举其收益最少者,而依据其最小之效用以决定其价值者也。

然情形若与此相反,譬有某地于此,以其地质与位置言,于业务用地尤特别具有有用的性质,则其价值,自当以其特质为基础,以适于业务用地有多额收益者为标准而决定也明矣。盖界限效用之理论之所适用者,以该货物在多数用途上皆有同样之适用性为限也。

然于此如又有数地,就其位置地质等关系言之,各地间原无所谓优劣,乃因偶然之情形,一地则建筑收益最多之酒楼,他地则建筑商业店铺,第三地则建筑普通住宅。在此场合,各地果当各应其收益之多少而异其价值否耶?各地之位置、地质等,本来不甚悬殊,其为酒楼之建筑地者,并未具有特别有利之性质,即为普通住宅地之土地,自应与建筑酒楼者有同一程度之收益,故在此场合,此数地之价值,亦应以为住宅地之收益最少者为标准而决定,则界限效用之理,依然可以适用也。

然而在此场合,亦与前例同,各地之位置及其他,以有完全同一之便宜为必要,若其中之一地,以特别具有有利之条件故,则该地之价值,即不得不取有与其便宜相当之高值,且各地便宜之程度若有差等,则其价值,亦必应其便宜之程度而有高低,在此场合,固有不能适用界限效用之理者。何则?界限效用之理,固以对于一定存在量之货物之各部分,无论何项利用,皆具有同一之适用性为前提也。

再据上述二场合举例观之,虽似各有其不同者,然就理论上言,则固无所谓不同也。盖既能领悟一方之理,则对于他方之理,自不待辨而明。总之,皆可根据界限效用之理,即可加以判定者。惟于此有当注意者,则界限效用之理,必与一定之前提条件有不可离之关系是也。即如以上之二场合,固皆适合于其条件者。顾或有谓界限效用之理,只适用于所谓消费货物,而不适用于所谓使用货物者,然其实则在前者,具有如上所述之条件较多,后者则稍缺,为其通常者已耳。然而以货物区别为消费货物与使用货物,不过在便宜上有此大体之区别而已,实则货物之本来,并非有此应行区别之本性,决非于严格之理论上,有应立此精密之区别者,此则不可忘也。因而据此区别,以分别界限效用之理论之适否如何,亦不过就便宜上立言而已,在纯理论上,对于界限效用之理之适用,只须附带有上述之条件即足。除上述之情形以外,凡关于界限效用之理论之适用,必其货物之存在量,为有限的或无限的,而其货物又有适合于分为多数同样之单位者为其必要条件,亦所不待言也。

要之,土地之价值,无论为使用价值或交换价值,皆不过当该土地有满足人类之欲望，而认为必要者之认识之测定而已。至于必经过此种认定之土地之性能即其效用，果为有效与否，则在交换价值，当以该土地之收益为基础，以其多寡而有增减，则常例也。如欲求其容易明了，大抵能知土地之交换价值全在于以土地所生之收益为标准，即已不中不远，然在使用价值，则在其人所欲利用该土地之思想。换言之，即人对于土地之欲望种类极多，有的并不全以收益为主，因而亦有不以收益之多寡为标准者。本来使用价值，就认识之人言之，全属主观的，故绝无一定之标准可言。极而言之，即谓为万人万样，亦无不可。然其间亦自略有一定之标准者，则人类之所以经营社会的生活之结果，由于各人之思想感情，自有一致共通之点不少也。

然吾人于此，并非故为是泛论价值之纯理论，以眩惑读者，实以有非详加研究不可者。要之，关于土地之价值决定，必先开陈其大体之理论，而后有裨于其抉择也。

兹更有当反复详述者，土地之价格，既以上述之土地交换价值为基础而决定，后者又以土地收益为标准而决定，因而土地之收益，在地价决定上，即成为有力的原因。故地价实以土地之收益价值为标准，而又以所定之土地收益价格为标准，于其上下发生变动者。至于土地收益价格之理由如何，以下更详论之。

第三节　土地之价格

一、收益与价值及价格

土地之价格，本出于土地之价值，故价值发露即成为价格，自不待辨而明。然而土地之价值，如前节所述，系以土地收益为基础始成立者，因而土地之价格，亦不能不谓必由于以土地收益为基础始克成立。

然土地之价格，虽以土地之收益为基础而认定，而其价值亦非即时发露而为价格者。详言之，以货币额表现其价值者，固为价格，然其范围若何，则两者不必常相应一致。如价值之决定，自有其固有之原因，价格之决定，亦有其固有之原因，因而其价格之额，有时超过价值之相当以上，有时或降至其以下，皆不一定，此已具述于前矣。而此亦即土地之收益价值（Ertragswert）与买卖价值(Kaufwert)不必常相一致之故,须知凡所谓价格者,皆不外乎买卖价值之具体的依据货币额而表现者也。即买卖价值,实具有泛称此种货物与其他一定额之货物有可交换之可能性之意味,而买卖价格,则又随其可能性化而为现实之交换之事实而起者。

然则今之土地之买卖价值乃至其价格,又将如何为之决定耶?在方今之经济组织,价格之概念,既与货币之概念不可离,故吾人若欲以计数的表现土地之价格,即不得不以土地之收益,取货币额以资表现。而既已一度决定土地收益之价格,或以之根据某利率,而使其资本额还原,即可以决定土地之收益价格,是以土地之价格,必随收益之价格有变动而变动,同时亦必根据使资本还原之利率之高低而有变动。盖利率高则地价下落,利率低则地价腾贵也。

二、土地收益价格变动之原因

由此观之,则知欲知土地之价格,第一,必先知土地收益之价格,第二,必对于使资本还原之利率有所研究。以下吾人更就欲探知土地收益之价格时,当就其发生增减之原因,尤其为收益发生增减之原因,必详述之,次再论及利率。

(一)土地收益之价格

欲知土地收益之价格,须知若就物质的探究之,并不难于了解,盖物质的收益,其自身既有一种交换价值,就中尤有买卖价值,因而即有价格。然而土地之收益,往往有非物质的,其问题尤不简单。在此场合,即土地之出卖者或出租者,对于收益,自必尽量地要求多额之收益。反之,在该土地之购买者或承租者,必先考量其收益如何。若以其土地使用于工场或店铺之建筑地之用途时,必计算使彼之物质的收益,能增几许程度,而对之加以精密之考量。即令以其土地供作住宅或其他消费的目的之使用。亦必以使用者之货币贮藏额之界限效用为其最重大者。

如此,则以出卖者与出租者之所欲,合之购买者与承租者之所考定,必要几经折衷谈判,方始看出一致相合之点,更就其点以决定无形的土地收益之价格。一地之收益价格,一旦决定,则在此同样状态下之其他土地之收益价格,亦可据此为标准而决定,甚至所有者自身使用自己之土地之收益价格,亦可依此标准以决定也。

前已言之,农业上土地之物质的收益,如欲知其价格,并不甚难,然有不可不知者,则此种收益之多少,因受有两重之原因,其影响固甚大也。兹先就物质的土地收益增加之场合言之。

(甲)根据土地改良或耕作法改善等,而使投下于土地之资本与所施之劳动,比较从前,发生多额收益之场合。——与此场合有同等之势力者。即附着于土地上之种种束缚,例如土地自由分割之禁止、土地利用方法之限制、土地负债等之废除轻减等,使土地收益增加之场合是也。——在此场合,皆根据改善之事实,而使地代增加者,然其地代之增加,即在农产物之价格下落时,亦有可以发生者(参照地代论第三章)。地代既增加,则地价必随之而腾贵,然其腾贵,并非使卖出土地者受有不当之利益,亦非使购买者因此而受有意外之损失,其结局亦毫不因此而损害社会之利益也。何则?卖出者于卖出之际,以彼向来所收之纯收益,加入此次为谋改善所费之资本额合并计算,而要求多额之价格,虽似不当,然其土地之生产能力,确能增加足以补偿此项多额之价值而有余。故在购买者,即令支付高价,亦实可赢得收回之增收也。

(乙)其次,则其收益并不根据改良之结果,唯因人口增加等诸情形,对于农产物尤其为谷物之需要增加,而土地之生产力不能随之增加,有此供给不足之故,于是由于农产物价格,尤其为谷价腾贵之故,则收益亦必随之增加。要之,此皆当归功于土地之一种独占的性质者,业如前所述矣。盖土地尤其为肥沃之土地,既非无限存在,其生产力亦非取之无尽,则农产物之供给,决不能尽量地满足需要。因而农产物之价格,决不能不因此腾贵。在此场合,卖出土地者,既不费何等劳费,而猝得此多额之收益,实为不当利得,同时在购买土地者,亦必因此而受有不利。何则?购买者对于只有比较的少额生产之土地,必付出比较的高价,倘一旦农产物价格下落,则在彼终不得不受意外之损失也。

是以此种地价之腾贵,在社会上非徒无益而且有害,盖地价腾贵,既由于农产物价格之腾贵而发生,则不得不指为专为所谓地主之少数者之利益,而使社会一般之消费者,忍受多大之负担,而且因其腾贵,或则诱致人为的使永续至于将来,或则更诱致价格上腾之努力,甚至酿成土地投机,则为祸尤烈也。

(二)利率之高低

以土地之收益使资本额还原之利率,每因种种原因而有变动者也。即对于土地抽取重税,或以人为的增课种种负担之时代,比较现今施行解放农民,减轻土地负担之时代,便不能不以极高之利率,方能使其资本额还原。此与对于不易通融之资本必须付给高利者无异。是以自有解放农民,减轻土地负担以来,土地收益,因此突增,不仅地价腾贵而已,同时并因可以低利率使收益额成为资本化,更增大地价之腾贵也。

在土地收益安全之场合,则利率亦当低落。然而土地之收益,固有因法制或国民之道德心而有安定或不安定者。是以法制完整,道德心向上,则土地收益因之安定,使资本额还原之利率低落,地价亦自随之而腾贵。

然而决定将农业收益,还原于资本额之利率额最有力者,亦与安全投下于其他之资本之方法同(商工及其他业务),有可收得多少之利益……者。若欲减少其利益,则以土地收益使资本额还原之利率不得不低,因而地价腾贵。盖在此场合,凡持有土地者,与其以资本投入其他之业务,自不如投入土地之有安全的收益也。而此投入土地之资本,若不变其绝对的收益额,则较之投入其他者之资本,自应可收回相对的多额利益。惟情形有与此相反者,则地价又必下落。

三、收益价格与买卖价格之关系

于此有不可忘者,以土地收益而使根据某利率而还原之资本额,不过在地价决定之上,为其最低限度(Minimumgrenz)而已,并非即以此作为该土地之买卖价格者。在实际之买卖,大抵比较此种最低限度,必以稍高之价格买卖,殆为常例。盖以凡欲购买土地者,每不考虑现时投下资本之道,而惟希望将来之利得,此亦普通所恒有之现象也。

上述之情形,以小资本农民欲购买土地之场合居多,盖彼等之购买土地,与其谓为欲谋投下资本之方法,毋宁谓其欲在土地上从事劳动,而使其劳动成为独立的,成为安定的。因而在此场合,在其由土地所生之收益中,属于地代之部分者极轻,属于工资之部分者较重,在所谓地主者之小农民,对于收益,固不问其为地代为工资,苟足以补偿彼自身及一家之生活,则彼购买土地时所起之希望，即可以满足矣。至于彼所提供之价格，可谓与利率全无关系。是以在多数小农民渴望获得土地之地方，则小农地之地价，必为特别的高价，若就资本投下之方法着想，可谓全然不合。如日本现在之实情，盖即有此现象者。在此场合，农民为补偿购买土地之损失计，对于一家之劳动，虽牺牲其工资之若干部分，亦有所不辞也。

又常有土地之买卖时，卖主若预料将来该土地发生之利益必有增加（例如新修铁路或都市膨胀，其附近土地之地代，早晚必有增加之希望者），因而对于以现时之收益额，能以普通利率还原之资本额为不足，而必特别要求多额之卖价，此时之买主，亦因有将来收益增加之确信，而不惜承诺之也。

于此有当注意者，如上所述，皆就土地之存在量有限，而其生产能力又非无尽，其土地实存有固有的一种独占性，始有此结果耳。故欲研究地代增加遂使地价随之腾贵者，不可不于此深长思也。

最后，更有使土地之买卖价格，能超出于其收益价格以上之原因者，即购买土地者，或欲根据所有土地以获得选举权或被选举权，或因此以求社会之尊敬，或又有因此以谋一家之财产安定之类是也。如日本国民之过半数皆为农民，农业以外，商工业尚未十分发达，农民出而从事之机会比较极少，而国民之常食又为米谷，其生产地，在地球上又被限于比较的狭隘之范围，一方尚有家族制度之残存，而古来尊农重土地之风气至今犹为热烈，以故国民对于土地之欲望极强，凡有土地者，无论在政治上与社会上，皆挟有极重要的意义。因有社会之尊敬全集于地主之情事，于是地价逐年腾贵，现今农地之地价，若欲对比其收益，几乎不成其为比例。要之此决非可喜之现象也。

除上所述以外，更有土地投机，其及于地价上之影响，亦有不可不考虑者，当于后别设土地投机论一节论之，兹不赘。

要之，土地之价格，由于以其价值为基础而成立，更以收益价格为标准而决定其买卖价格者，两者之间，固不必常相一致也。至其所以不一致之原因，虽不一而足，然其价格之决定，必非出于固有者，或为社会的情形之偶然，或为惯习的情形所束缚，而尤以人民之无智，加以助长者不少。若平心论之，凡世间一切情形，苟能悉如理想地展开，两者自应适合一致，至少亦必有接近之倾向，土地之价格，亦其一端也。

第四节　关于地价评定法之异议

对于以土地收益价格使资本额还原而决定土地价格之方法,学者中颇有唱异议者,就中尤以洛柏图斯(Rodbertus)当极力加以反对,而绝叫以土地为资本之不可。鲁兰德(Ruhland)亦持同一之见解,而提唱所谓土地之真价值(der wahre Wert),且为之试其说明。吾人兹试节录二氏之见解,并开陈其对之之意见如下。

一、洛柏图斯之租费主义

洛柏图斯以为在现代之法制下,承认土地为一种资本,并以之作为资本处理,实有其不可者。彼以为资本之为物,固由于人之劳动之结果而成,因欲造成其价格,自当以其费用价格为基础而决定。然土地之性质上,决非根据人的劳动所生产者,因而其所谓价格者,即不能以生产价格为准据。土地不过为收益之源(Ein Ertragsquelle),而为租费元本(Ein Rentenfond)耳。故就关于土地之法律行为言之,无论为取得此种租费,或买卖,或供担保,均无一而可者。乃在方今之法制,则误认土地之性质,对于土地所有权,以人为的强与以资本的性质,且以土地收益照当时之利率还原为资本,而欲以此所得之资本,认为土地之资本价格。须知此种资本价格,全出于法律之拟制,并非有事实存在者,若以此种价格为现实之价格,则与土地之收益,自不能不常相呼应,必不至随其增减而有上腾下落。乃观于方今之状态,则土地收益虽同一,而毫不增减,但随利率之上下动摇,而地价竟因此而腾贵而下落。且按之方今之情势,即令收益减少,乃因利率之下落,而土地之资本价格反见腾贵。其反对方面,即令收益增加,若利率同时上腾,则土地之资本价格,反随之下落。土地之资本价格,既如此上腾下落,无论对于社会,或对于地主,皆不能受其丝毫之利益,惟有欲买卖土地者,或贪得不时之利益,或身受意外之损失而已。于是乎土地投机之事业,乃不得不乘虚而起。是以以土地作为资本处理,虽属方今一般之实情,然终不过一种虚制,为非理之尤者,徒使社会不见一利,反成为土地投机之诱因也。且既以土地作为资本处理,以土地供作通融资金之要件,更发生土地负担(Bodenbelastung)之可忌现象而愈益加重其负担者,此即洛氏之租费主义也。

洛氏不承认土地为资本,只承认为一种租费元本(Rentenfond)。彼以为若将土地正当管理,既能永久发生一定地代,始可以之作为资本而评价,惟有以其地代视为资本化耳。因而若对于土地而有放款,只能以租费购买(Rentenkauf)之形态行之。尤其为对于土地改良之放款,只能视为据此发生收益之增加,质言之,即一种永久资金(Ewiggeld)也,决非依据土地所有所应返还者,仅可依据节约之地代(租费)偿却之,否则亦不过依据其他之资本得以买回而已。

二、对于洛氏之意见之批评

惟洛柏图斯对于地价之见解,要不能不承认其自有一种特色。氏不以土地之价格,看作资本价格,惟认为租费价格(虽与前二节所指称之收益价格相似,然意义有别),实不能不谓为正当之见解。何则?若认土地为资本价格,则必以土地之价格任在何时皆为流动的,同时须能举其全地持至市场通融(moblisieren)为前提而后可。乃实际所可通融者,只有租费价格,即欲卖却其土地或以之供作担保而借款者,亦惟有以其租费价格作为交易之基础,或作为价格决定之标准而已。

至于以土地看作资本之可否问题,完全由于资本之概念之定法如何而定,有非可一概而论者。洛氏以为资本由人为之结果而成,土地既非成于人为之结果,故不能看作资本,然如吾人在《地代论》第四章第三节所详述,若举资本之意义,以广泛的解释之,凡可为收益源(Ertragsquelle)者,皆可谓之资本,洛氏自身之意见既如上述,认土地为一种收益源,则亦为资本无疑,故吾人对此问题,不必更费议论也。

且洛柏图斯以为所以决定土地之价格者,在以土地之收益依照普通利率使还原为资本额,为不过一种拟制即虚制,故收益虽同一而不变动,乃随利率之变动,致惹起土地价格变动之不可思议,皆由于抱有关于价格之本质之误谬见解为之也。质言之,即关于价值及价格之本质既有误解,反以无所谓不可思议者,酿成为不可思议之不可思议耳。

试问何谓价值?不待言,即一定之物件或劳务,在一定的条件之下,能满足人之欲望,此人对其效用所承认之重要程度也。由此可知,凡所谓价值者,即一定之物件或劳务,在一定的条件之下,有对于人之欲望而发生者,故人若以为其可以满足欲望之物件或劳务之一定性质而非实在,则其价值乃不得不为虚制。然其性质既为实在,而且承认其有价值,则决不能谓为虚的。纵令其性质虽同一不动,仅价值有变动,亦不能谓为虚的。盖所谓实在的价值,决非物件或劳务自身所固有者,皆不过人人随时对其欲望之关系所发露也。因而物件或劳务之性质虽不变化,若人之欲望有变化,则价值即随之而变动。即人之欲望有变化,虽货物之生产费或由此发生之收益一定不变,而其货物之价值,仍不能不变动也。

更就土地加以思索,其由土地发生之收益虽同一不变,而因利率有低落,则与向来发生同样收益之土地,发生有所得之物件,比诸其他由于利率低落收益减少之货物较为合用,因而其价值自当增加。是以与向来同样之土地收益,依照低落之利率而还原之资本额,在低落之利率下,其土地依其所发生之所得,乃得以正确表现其现实之要度。故土地收益虽同一不变,仅因利率上腾,则人之对于认为产出所得之要具之土地,不能不认为比诸同来更有较少之要度,因而其价格乃不得不低落。如此,则知以土地收益依照普通利率而还原之资本额,并非如洛柏图斯之所谓虚的,有时或竟能正确表明实现的收益价格也。

更深思之,凡以收益依照普通利率而还原的资本额以决定其价格者,亦不仅土地为然,即如公债,股票等资本之为具体化者,殆无一不如此。故欲绝对排除由于以土地作为资本处理而发生之投机及其他弊害,则惟有禁止一切土地之买卖让渡。而将土地收归国家社会所公有之一法耳,除此以外,固别无良法也。如洛柏图斯之议论,或亦有不能不希望有此最后之一着乎。①

三、鲁兰德之真价值说

次则鲁兰德之意见,亦与洛柏图斯同,极力排斥“测定地价依照当时普通

① 参见 Rodbertus Jagetzow-*Zur Erklärung und Abhilfe des Grundbesitzes*。

利率而使资本额还原”之非理，而对于以土地为资本化者，欲代之以土地之真价值（Der wahre Wert）说。据氏之理想，则以为土地之真价值，为不施何等改良之土地，依据最粗放的经营，发生原始的收益，再加算投施于其上之改良费用，乃始得成立者也。

鲁氏之意，以为土地所有之自然的价值测定之标准，即所谓真价值（W），可在粗放的农业经营之地代价值或收益价值中发见。而对于此地代或收益价值（R），更当加算测定地代价值以前，根据投下其地之资本劳动而成立之费用（K）。如此，则所谓真价值者，乃根据地代价值与费用价值之和而成立者，即W＝R+K是也。是以自总货币收益中除去必要的用费，即有纯货币收益额之表现，若照当时之利率使成为资本化，即足以表示地代之价值。而土地所有者之认有此种真价值，只有独自一己之存在，并非顾虑将来可望之收益而定者。此种真价值，与市场变动无常之价格毫无关系，即对于利率，亦为独立的，与土地管理者之有为与无能亦无关系者也。

由此观之，则鲁氏之所谓土地之真价值者，系由于两种要素而成立。一为不加何等改良之土地，根据最粗放的利用发生之原始的收益之相当的价值。在此场合之土地收益，在价格评定上依然振其势力者。然氏之所谓第二要素者，谓必加算因改善土地之物理的并化学的性能所投入之用费，此虽有似完全抛弃依据土地收益以测定地价之方法，然又不免陷于李嘉图派之生产费说之误谬者也。

四、对于鲁氏之意见之批评

顾吾思之，如前所论，凡世间一切物件，其自身固绝无有固有之价值者，不过与人之欲望有关系始有价值耳。人以其可以满足欲望，而承认其有用，其物方有价值。然其所谓价值者，决非确定的，不仅由于货物之生产费不同而价值有变化，且由于人之变化及其货物合于人用之种种条件之变化而亦变化，乃鲁氏之所以测定土地之真价值者，谓土地在未加何等改良之前，已有原始的收益价格，复加算其改良费额，而不知实已忘却上述之价值本来之性质矣。即退一步，谓吾人能知土地之原始的收益价值，又能精知加于其上之改良费额，然后者亦决不能为测定据此发生之土地价格增加之标准。何则？果其改良而有效,则据此所发生之土地价格之增加,必极可惊,而有非与其改良费所能比拟者,以改良费依据二三年间之收益增加,即可得而收回也。因而其人即视为获得所得之源,于其土地上所认之要度,必较之改良费为更大,以故今之土地之价格,竟超过所加于原始的收益价格之改良费额以上。此种超过额,即可看作希图改良土地之人之多余利得者。

若其情形与此相反,虽经改良,并不奏预期之效果,或其改良着着成功,土地亦增加收获,乃同时竟因外国农产物之供给输入过多,致土地收获之货币价格,反形减少,则其改良费绝不能使土地价格腾贵,无论其用费额如何巨大,而地价反随收益价格之减少而下落,此亦恒有之事也。

凡地价有超过与其收益价格相当以上者,学者中每欲指此超过部分,为一种虚的价格(Fiktiver Wert)。而其所以能发生此种超过者,一则有人确信将来收益有增加,宁肯承认超过现在收益价格以上之地价,二则其人或欲获得政治上之特权,或欲购买社会之尊敬,或希望劳动之安全与不息,或预谋财产之安定,故不着眼于收益额,而宁肯支付较高之地价耳。然在上之二场合,亦非必即为发生虚的价格者。即在前者,万一其所预期之收益增加不发生,则其超过价格,固为虚的价格,若能如所预期而有收益增加,则其超过价格,又依然成为实的价格。至于第二场合,则亦与此无异,无庸详辨。

前已言之,所谓价格者,无论为实的或虚的,必由于能满足人类欲望之物件之效用性存否如何而分,若有此性质存在,则地价虽超过其收益价格以上,即不应以其为超过额之故,竟斥为虚的。超过价格,亦不能以其为超过价格之故,而即谓为虚的价格,必根据其可为价格之基础之效用性有无如何,始可分别为虚的或实的。即就上述之二场合言之,所谓将来收益之增加、社会之尊敬、政治上之特权、劳动之安定,财产之安定云云,即其效用性之具体的表现者也。

总之,在决定土地之买卖价格时,能划出其最低限度者,全在其收益价格,此外虽有数种,而于实际决定价格成为最有力之原因者,则为土地所具有之一种独占的性质。是以若虑及地价有超过有收益价格以上者,即当就其独占的性质如何,加以深密之考虑。一国之政策,亦宜于此力谋灭杀其势力。反之,若更助长其独占的性质,而以人为的谋使地价腾贵,则其贻害社会,实有不可胜言者。扑灭英国之农业,使其农民没落而与有大力者,即此人为的地价腾贵也。而此人为的腾贵,尤以人口增加,国富增进之时为最甚。地价失于太高,则土地必逐渐集中于大地主之手,小农夫大抵皆舍弃田土而逃入都会,或航海而远适异邦,否则惟有化而为佃农而已。最足注意者,则英国农业之衰颓,实起于施行谷物保护关税之时代,因有保护关税而使谷价由于人为的腾贵,地价亦因此而愈益腾贵,然而土地之生产能力,则并不因此而有增加也。及至1846年废止谷物关税,事实上英国之农民几等于零。顾吾思之,英国之施行谷物保护关税法,固号称所以保护农业者,乃事实则竟大相剌谬,其效果却酿成极端之正反对。英国农业衰颓之原因虽有种种,其唯一之原因,虽在保护关税,而使地价之人为的腾贵,又加以保护关税之活动力之伟大,皆其不可掩者。

殷鉴不远,后进农业国,其亦知所警戒也乎。①

第五节　都市宅地之需要供给

观于前数节所议论,吾人于此,已了然于土地之价格之理论矣。惟其议论,虽系对于泛称为土地者而发,然施之于农业用地固确,即施之于业务用,居住用之宅地亦确。盖关于此点,理论上固有难于显立区别者。

然现今之问题,最惹人注目而于研究上极有趣味且为必要者,则非农地而为宅地(广意味)也。而尤以都市之宅地为然。

吾人在本节,更欲就都市宅地之价格决定,关于其需要供给之关系有所论述。盖都市宅地之需给关系,一言及土地,同时即附带有房屋,与农地之需给关系,有所不同,明乎此,则知自有特别讲究之必要也。

一、对于都市宅地之需要

吾人前已言之,凡所谓地价者,皆以收益价格为标准而决定者也。今就都市宅地言,自亦不能避开须研究决定此收益价格之为何之必要也。

亚丹斯密(Ad.Smith)及其学派诸人所认为前提者,以为租房人对于居住

① 以上参照 Dr.Ruhland, *Leitfaden zur Einführung in das Studium der Agrarpolitik*, 1898, Berlin。

支付租费,只限于彼之所得中之一定比例,若在此比例以上更形高贵,则彼等宁愿以劣等之居住为满足也。

费里浦(Philippovich)固亦同此见解,然氏之立说,用意似更周到。氏之言曰:吾人所以决定愿意支付之房租额者,乃一定之所得状态与生活习惯,故吾人须常就此一定之额加以考虑,若吾人在一定之时,决定居住费所支出者,为其所得之二成五分,由此而划出其地价为 X 而计算之,则此地价,决不能任意由 X 而涨至 XI。何则?其上涨之必然的结果,虽为增加利息,而与此利息相当之房租额,在一定所得中,自有其不可逾越之界限(比例)也。

Die gegebenen Einkommensverhältnisse und die Lebensgewohnheiten bestimmen die Summe, die man für die Miete auszugeben bereit sein wird. In jedem Augenblicke haben wir mit einem solchen bestimmten Mass zu rechnen, wenn wir zu einer gegebenen Zeit, sagen wir 25% unseres Einkommens für das Wohnen ausgeben und dabei ein Bodenpreis von X resultiert, so kann dieser nicht beliebig auf X und XI erhoht werden, denn die infolgedessen notwendige Steigerung der Bodenzinse fande in den gegebenen Einkommen einen schwer zu überwindende Grenze.

今如所得毫不增加,而惟有房租腾贵,则在此场合,必有两种观念发生:其一,为节省其他方面之欲望,仍欲满足如前之居住欲是;其二,即迁居稍为劣等之处,使居住费仍得保持如前之比例是也(此中含有迁移费,须留意)。

二、对于居住费与住宅之需要关系

盖在吾人之所得中,所可划为居住费之部分,本有一定不可动者,因而追随所得之增加或减少,有认为对于居住之需要可以随意变动者,有以为对于居住之欲望非可变动,纵令所得减少,毋宁节省其他之欲望,使居住仍如前者,此两种见解,为学者意见之所分歧,至近时则以持有后一种意见者较伙。如塞利格曼(Seligman)即其最有力之主张者。氏之议论,以为所谓居住者,一方于人之生存,有绝对的必要,同时又为炫耀于社会之一种奢侈的标识,无论在社会上下何种阶级,皆无不然,即令所得减少,而在迁移至劣等住宅以前,宁肯节省其他的欲望,此常态也。故由此所生对于住宅需要之变动,并不甚大。

即就实际调查，取其种种材料观察之，因各人之所得有不同，即因所得阶级有不同，其所费于居住之比例，不仅大相悬殊，即在同一所得之阶级中，亦复于其最多额与最少额之间，有不少之悬隔。然若概括而言，在繁华而有渐见发展之地，其所费于居住之比例，不免特大。即在劳动者方面，亦追随物质的精神的向上，因而对于所谓居住之安慰与优良者，亦极注意，其对于所得之居住费比例亦高，此亦不可否定者。

而且居住与营业，有互相结合而不可分离者实居多数，故即令所得减少，亦有不能即移居于劣等房屋者，有一经迁移，即难免于营业上不受重大之打击也。

在现时之都市生活，居住移转固极自由，然亦当知自有限制，而不免于困难也。

居住移转最为容易而又最富于移转性者，不待言，即下等社会也。彼等在移转时，所感受种种烦杂与不愉快者至少，家具简单，固无所谓烦劳也。然细加考察，此种人之移转，其范围、其比例，极受限制，以彼等可以移居之区域，比较地极为狭隘也。盖彼等不仅喜爱惯住之所，且必居住接近于其从事劳动之地，故决非不择场所而可以任意移转者。是以虽有人将某场所之下等住宅全数拆毁，而另于相隔之新场所建筑新住宅以供给之，而结果仍不免于失败者，即其恋恋不舍旧居，而依然相率猬集于附近之其他场所，以致此地住户过多，供给不足，此亦常有之情形也。

不仅下等社会如此，即资产者阶级，其居住移转，亦多有被限制者，以移转之范围，亦极狭小也。何则？以彼等不仅爱选择适合健康便于生活之场所，而且要适于与下等社会住户相隔极远之场所。

于是即在一都市中，遂发生有所谓上街下街（日文为上町下町，东京名山之手与下町）之区别，而有所谓贫民窟、劳动者街、富户街，其他如官吏，如实业家之住宅，则亦方以类聚，物以群分，无形中有自成为一种区域者。

由是观之，则居住费不必皆追随所得之增减而上下变动不已者。所得关系以外，尚有第一，劳动其他工作之场所；第二，住惯与移转之嫌忌；第三，社会的顾虑，皆于其决定上与有力者。

是以趋向居住费之所得之部分，决不如亚丹斯密等之所考虑，有可认为决定的。然而对于居住,更须支出所谓衣食者之两种必要费,仅能支用其所残存之所得部分甚明,因而对于住宅之需要,若超过供给以上而有房租腾贵,则认为居住费之所得部分之最大限度,即因此而实现矣。

以上所论,系就限于狭义之住宅者言之。此外,房屋之中,更有(一)工场或工作场,(二)人的勤劳之应接处(例如银行,律师事务所,医院等),(三)普通之商业店铺,此皆必不可少者。

在上项之第一种类,其场所以便于运送为主,务必选定火车站附近或江河沿岸,又如工作场,则必便于以其手工业的制品直接贩卖于消费者。故其结果,必选择在其附近有安定客路之场所。

第二种类,不待言,亦须选择某特别之位置,而银行家则爱群集于交易所附近,律师则必接近法院近旁。

在第三种类之商店,则又不能不依其经营商店之种类,以选定场所,如为贩卖生活必要品者,例如米庄、肉店、油盐店,固可任向何处散布,然亦有集于某一定之场所而成为所谓市场者。例如东京之鱼,则集于日本桥河岸,京都则集于锦通。至如什器及其他杂货商,亦有集于某一定之场所者,就东京之显著者言之,泥娃娃则在十轩店,估衣铺则在柳原河岸,京都之家具什器则在夷川万寿寺之类是也。

惟此有当注意者,无论为手工业者店铺,或小卖商人店铺,若在一定场所之一定家屋贩卖一定之货物,固常有在同一家屋贩卖同种货物之利益。若向各方时时迁徙,则客路毫不安定,又不能招引顾客,必也使消费者预知若往某街某家,即有购入此种货物之便宜,方于营业上最有利益也。

如此,则知不论住宅与业务用房屋,其场所(Standort)自必被限制于某区域,故各人皆非可以追随所得之增灭,而得以随意自由移转者,其移转之范围,比较地自有限制,固不得而否定也。因而对于其各区域之房屋的需给关系,不必常能适合,而且由于都市人口之自然增加,及由乡村地方流入都市者之逐年加多,因此对于房屋之需要愈见增加,即令有新供给随之。然如上所述,既有移转之限制,则对于久在便宜位置之房屋,其需要愈形加重,而房租乃不得不腾贵。由此而地代腾贵,而地价腾贵,所谓依据自然增价而发生不劳所得者,乃愈益加多也。

以上吾人专就可为都市宅地需要之基础之住宅需要，而叙述其特性耳，今再进而研究都市宅地之供给。

三、都市宅地之供给

昔在16世纪末叶，伦敦之人口突然增加，都市中之地代忽然腾贵，当时之政治家，愕然莫知所措，后经调查之结果，始知地代腾贵之原因，实由于伦敦市中，建筑有多数之房屋，因此招致乡村地方之住民源源而来，于是依利萨伯(Elizabeth)女王即于1896年至次期议院开会时，禁止新筑一切房屋。

然德国威廉第一(W.I.Wilhelm)则以为若建筑多数房屋，必可立致都市之急速膨胀，与英国政治家所采之政策，正复完全相反，因极力奖励建筑之故，几使建筑业者有穷于应付之感。

究之此种政策，实不免颠倒其本末因果，若以今日进步的经济学之眼光观之，几乎不值一笑。然今之学者间，犹不免有持与此相似之颠倒因果之谬见者，惜乎其不自悟其非也。

吾人今欲详论都市房屋及宅地之供给，势不得不叙述土地投机所发生之影响。关于土地投机，吾人原拟于次节再行详论，惟于此既多少有所接触，即不能不先有一言。

四、土地投机及于宅地供给之影响

土地投机及于地价与地代之影响，论者之见解最不一致。大多数人，则以为投机实所以助成地价腾贵之势者，并欲其负此责任。盖既有投机，则必故意缩少建筑用地之供给，投机者待至地价腾贵以后，始渐渐出而供给，因此即为以人为地腾贵地价者。然在某学者，则又以为土地决非可以人为地缩少其供给者，如土地之所有者欲及早获得增加地价所得之结果，必在对于宅地之需要尚不甚大之时，即先以农地供给为宅地，转可使地价趋于低落者。

相信地价由于土地投机者之手所造成者，则以为土地为独占物，至少亦为准独占物。然而此种议论，究属正当与否，不能无疑。

吾人于地代论第五章第一节既详论之，关于此问题，固必依据所谓独占的名词之意义如何乃能明了者。如以独占的意义作广义之解释，则土地之存在量,有自然的限制,非可以人力增减者,无论何人,均无异词。然若以独占的名词,依照普通经济学之思想解释之,必其货物之供给为一手或少数者之手所把持,因而价格之高低,全由于供给者之手心而决定,方得谓之独占。至于土地,决非此种意义独占物,地价亦决非由于土地所有者之手心所可任意腾贵者。

在现时状态之下,在一定时之宅地地价,一般已表示其最高价格,决非可以人为地更希望其增加者,此固瓦格涅(Wagner)教授所早道破者也。

Im Allgemeinen haben die Baustellen und städtischen Grundstücke in einen bestimmten Zeitpunkte unter den gegenwärtigen Verhältnissen schon einen Maximalwert.So beliebig höher treiben kann man Wert der Grundstücke keineswegs.

要之,不能以土地看作纯然的独占物,因而地代亦决无独占的价格之理,业如吾人之所详述矣。惟对于可为宅地之场所,与披尔逊所举之第四种类相当①,是种建筑地之区域,终必有一步不能扩张者,此则不免稍带有独占的性质耳。

然就实际观察之,则知都市中下层社会之住宅,因欲建筑出租者之建筑企业家太少,故常苦于供给过少,因而现在有此项住宅出租者之房主,遂竟获此一种独占的利益耳,可知住宅问题之关键,似多关系于此。而建筑企业者不欲对于下等社会建筑住宅,且有十分嫌忌的风习。此可据英美德等国之事实证明之。

盖在实际状态,无论在何都市,大中房屋之建筑,尽管超过需要,而适于下等劳动者等之小房屋建筑,却感不足以满其需要。因而在大中房屋之建筑,地主获利之比例较少,而在小房屋之宅地,地主获利之比例反大。凡此皆由于一种心理的原因,故无充分之竞争而建筑企业者,又大都不欲于此染指者。

尤其在欧美各国近来之倾向,国家及地方团体,对于下层社会深加注意,而有所谓社会政策者着着实行。在赁贷契约,法制上又多承认赁借人之有利条件,对于下等小房屋之卫生的设备,亦有严重之命令与取缔。在此方面,房主之负担既特别加重,以致欲建筑小房屋出租者益形减少,且极以为可厌,而惟欲建筑大中房屋,要之皆有所不得已者。于是小房屋之供给益告不足,惟有

① 参见《地代论》第五章第三节。

不厌此种负担，又不嫌以下等社会为对手者，反因供给不足，竞争者少，却占有意外的独占的利益。骤观之，颇觉为奇妙的现象，而不知实有当然之理由也。

是以对于居住状态，苟施行社会政策，一方固为极可欢迎，同时在他方，又有如上所述，使下等住宅之房租腾贵，且促进对于下等住宅之投机，皆其无法避免者。

论述都市住宅之供给，吾人对于市街之外围，即所谓郊外地，更有必须加以考虑者，或者有谓市街外围之地域，若自地理上言之，固可谓广大无边，然在经济上，则自有一定之界限也。尤以人情最嫌距离市街中心地过远，不欲向郊外地求得居住地，故市街地并不因有此郊外地，而受有所谓地方的竞争（Interlokale Konkurrenz），因而市街地之地代地价，仍可主张其有独占性也。

然此终不免于有所拘泥之议论也。夫所谓郊外地，在地理上无际限，在经济上有限制之主张，固非无理，然所谓经济的限制者，要不能不就其程度加以考虑。市街地之经济状态发达，则市街地即渐向郊外扩张，此就事实所可证明者。尤以现今之电车、汽车，及其他交通机关之便既开，则住民之中，有不好离开市街中心地者，同时亦有爱住于郊外地者。而新房屋之供给，事实上又多在邻接市街地之郊外地行之，以致市街地渐次向外扩张，而使向来存在于市街内之房屋，在供给上发生无可避免之竞争。故谓向来在市街地域内之房屋，因有此新供给发生之竞争，可以超然而仍得保持其独占的利益者，实属误想。

论者又以为市街地之宅地供给尚有余裕，虽有电车延长至郊外地，使郊外之地域渐次化为市街地之方策。然土地投机者，已早着手于郊外之地域，收买其土地，以缩少其供给，俟其地价腾贵之后，再行放出，则仍无妨于市街之发展也。

凡此皆不可否定之事实也。然投机者之为此，殆不免于自杀的行为。何则？彼等若收买郊外地域之土地，以缩小其供给，不向市街地之方面发展，而向其他投机不能行之方面求发展，实出于投机者之预想以外，倘地价任至何时尚不腾贵，则投机者在其间，以不堪损失利息之故，终不得不提出其土地以供给市场。故谓市街宅地之供给，不因此种投机而有被其妨害之结果，论者之说，终不免于穿凿附会之讥也。

要之，都市交通机关之发达，影响于都市居住问题者至巨，由此而有新住所地域之开辟,而有房屋之供给润泽,且藉以和缓市街地地代增加之势者极大,此皆不可否定之事实也。和缓都市地代地价自然增加之势之方法,总不外乎交通机关之普及与发达。尤以市街电车,若对于劳动者有特别之折扣,或发卖有折扣之来回票,或增大其速力,使交通极便利而愉快,则交通机关对于居住问题之效果,愈可以发挥尽致也。

总之,土地投机,据某人之所信,谓于经济上并非有害,即证以方今一般所承认者,亦可信其必然。在土地改良论者,尤以显理佐治(Henry George),以为投机之结果,若土地独占不行,即投机在适度之内行之,则土地之供给,不独不因此减少,转有适宜之供给,而得地价之平均,其情形大抵与食料品及其他大多数之货物无以异也。

达马修开(Damaschke)亦谓,土地投机者无论若何增加,必更多筑房屋,终必有多数成为空房,不能觅得租户者,是即欲以人为地发生房租腾贵,而终于不发生者,此亦含有多少意味之言也。

方今各都市土地需给之关系,正陷于无秩序的状态中,固无可疑,然不仅土地为然。在方今之经济组织,凡百货物之需给关系,又有何一不陷于一种无政府的状态者。恐慌之来,即为此故。若使无此原因,则恐慌亦即无发生之余地。然对此土地需给关系之无政府的状态,则土地投机,亦非可以排除使至于完全绝迹者。苟土地投机者完全绝灭,则都市之发展,惟有坐待郊外地之农民之好意而已。然而彼辈则极暗于经济一般之情形,其结果,对于土地或更希望法外之高价,其妨害都市之发展也,恐较之土地投机者尤甚。盖在土地投机者,本预想都市之发展,而以资本的收买土地,只希望价格腾贵耳,然其期待之期间愈长,则所损失之利息愈大,此所以终于不能久待也。反之,若在农民,则袭祖父之余荫,获得土地,至今犹以从事耕作获得农业收益为目标,并非有迫于从早放手出卖之必要,故可待至极长之期间,希望地价之十分腾贵。因而农民所有之土地,其能供给为宅地者,较之出于土地投机者之手者极少,既不能追随需要,则其助长价格腾贵之势自更大也。

以上所论,皆为吾人对于都市宅地之需给关系,阐明其至理之所在者,按其理论,虽似稍偏于都市住宅之特有的需给关系,然严格地言之,对于农地需给之关系,固有不得不从省略者。且都市之土地需给问题,既与房屋需给问题有不可离之关系，尤以欲知方今重大问题之居住问题，与都市宅地有紧切之关系，则如上之议论，自有必要而又极便利也。

吾人于此间，欲详知其重大之意义，且欲充分了解决定都市宅地价格之原因，则对于土地投机所及于地价，及在一般都市之土地问题居住问题，其效果究如何，皆不能不有所充分研究者。吾人今再就土地投机加以考察，乃渐次及于土地自然增价等诸大问题。

第六节　土地投机

土地投机之利害，学者间之意见颇不一致，即在所谓土地改良论者中，有绝对承认土地投机之有害者，亦有谓与其谓为有害毋宁谓为有利者。其以为有害者，则谓任听土地投机，是使地代由于人为地增加，招致地价之法外腾贵，为增高房租惹起居住难之根源者。反之，在认土地投机为害少利多者，则谓因有土地投机，转使土地早离所有者之手而得有融通性，即足以平均地价，增大宅地之供给，以防止房租之腾贵者。

一、土地投机之意义

兹就土地投机之利害考之，首先应明了者，即此所谓土地投机之名词之意义也。而此意义，又每因人而异，有以广义解释者，亦有以狭义解释者。然而造成投机之概念之必要的要素，其一，为购入土地时，并非欲供自己之用，必也因有利得即再卖出；其二，其所谓利得者，非如普通商人占有平均的利益即足，必也于买入与再卖出之间，依据地代之增加，可获得巨大之利益，方能满足。此与商法上所谓商行为之概念虽极相似，惟于第一要素以外，复加有第二要素，则普通之商行为与投机行为之间即有区别。然所以造成商行为之概念者，必对于买入之物，不以何等加工为必要，乃在土地投机，则不必要，在多数之投机，虽不为何等加工，然亦有买入土地而加工为宅地者，或又自行建筑住宅而为住宅之供给者，皆不能不加入于土地投机者之内，故若就土地投机者与住宅投机者加以严格之区别，不仅不可能，且亦不合理。

是以若以广义地解释土地投机，必也料定地代增加，在普通商业平均的利得以上,有获得侥幸的利益之希望,而以营利的经营土地买卖,方为合于实情之适当的观念。因为欲在普通平均的商业利益以上,获得侥幸的利得,则此投机者,必先占买土地,暂行握住不放,故意缩少土地之供给,以促进地代增加之势,以谋地价之人为的腾贵,自难否定为普通之手段也。然此不过就普通多数之场合言之耳,须知若不如此,即不免缺乏投机之要素,若欲造成投机之要素,则非有上述之情形不可。纵令此种手段不完全行之,然亦有可为土地之投机者。惟所待地代之增加,其时间有长短,则有问题耳;至于其时间之长短,非可以决定的确言者,又所不待言也。

二、土地投机之任务

今再进而就土地投机,考察其经济上之任务。土地投机之所以发生,实因都市周围之农民有爱惜土地之感情,或昧于都市膨胀上所有之土地之要度(按即需要之程度),不欲辄将其土地放手,以致都市不易发展,土地缺乏供给,故投机者乃谋防止此种阻碍都市发展之事实及开拓都市发展所必要的土地之供给,以助成都市之膨胀,并承受此种任务,宁负担对于都市发展之危险而不辞,此皆土地投机者之任务也。

是以土地投机之事实,必先看出都市周围及附近有土地尚为比较地廉价者,由投机者利用农民不知将来都市膨胀,其耕地可以作为宅地,而预先收买其所有地,且必广为收买,同时更使该农民仍为该地之租种人,皆其常例也。在此场合,其买卖价格,必多少超过作为耕地发卖之价格,投机之所以为投机,全在乎此。投机者惟知料定将来必有地代增加与地价腾贵,故敢于冒此危险也。

三、土地投机之利弊

普通所认为投机之弊害中,其最要者,即如前所述,投机者握住土地不放,故意缩少其供给,以促进地代增加之势是也。然此亦有不能完全认为加害于社会者,因为有此,转可以抑制盲进的房屋建筑热,盖房屋之供给,若超过至于需要以上,则或因此而有发生多数空房之结果,对于建筑资本,则有利息之损失,或有不得不减价以充偿还资本之一部者,既有投机者介在其间,则亦因之而得有所救济。此种情形,专就纸上空谈,似乎无大利益,若就实际上加以考察,则颇饶兴趣,以实例之所以诏吾人者固不少也。

是以土地投机者,若对于已起有住宅之新需要之土地,或已在适于建筑之状态,而故意不为供给,是则此种故意缩少供给,并非投机者例外的场合,而为普通一般之状态,土地投机之所以应受非难者即在于此,以其损害经济界之利益不少也。

然在土地投机,所谓地代及地价之增加,果能如所预料实现与否,既不可必,则固明明有危险也。而又加之以对于比较的高价土地之代价,必须付出利息,皆为投机者正待地代地价增加时所应有之无意味之损失,故在投机者决不能获得世人所谓占有极大利益之机会。倘所期待之期间愈长,则因有利息之损失,往往皆以意外之失败而终,在土地之原来所有者之农民,乃反如愿相偿而去。因而在投机者,与其待至极长之期间,努力诱致对于土地之需要增加,无宁以从早放手,将土地辗转买卖为有利也。因而即有土地投机,而所谓以人为地缩少土地之供给者,亦决不如世人所恐惧者之大也。

以故因有土地投机,既增加土地之融通性,复加以土地之买卖盛行,则因此而起竞争之地价,较之农民爱惜土地不肯放手,因而使土地之供给不足者,或更廉价而又少所变动也。由此可知对于土地投机,谓其故意缩少土地之供给,以人为地腾贵地价,其非难之声,固有非可一概是认者。使无土地投机,而任听地价之自然进行,恐更有莫测其究竟者。

然而土地投机之利弊,若不加以慎重绵密之研究,亦不能遂下轻率之断定,吾人兹拟再进而考察之。

第一所当考虑者,凡从事土地投机之时,大抵必以宅地为目的,因此必要投下不少之资本。盖欲购入普通农地作为宅地,而用高价卖出,以期获得极大的投机的利益,则必对其原为耕作之土地,加以改造,使适于宅地之用。其因此所费之资本,即为土地之现实的价值增加者,由此可知地价之腾贵,决非虚的价值也。

而在投下上项之资本时,必有极大之危险缘之而生。盖对此加工之土地,不仅果能唤起需要与否,大有疑问,即对于其地之地代,亦完全根据自已之推测计算。且此种推测,往往失之过高,实际果有此项地代发生与否,亦不免大有疑问。若对此甚大之危险,果能如投机者之所希望,而有地代增加与地价腾贵,在彼固能获得普通以上之投机的利益,然而一虑到既冒此极大之危险,毋宁谓其确应受此相当之报酬也。

更有当考虑者,凡对此新宅地设立此种投机的计划,以待需要之来,非充分获得投机的利益,不愿卖出,则必要极长之岁月,非资本充足者,断不能于其间仍得保持其土地也。故凡欲占有投机的利益以购入土地之人,每因地价腾贵之期间太长,不能久待,或忍受损失,或甘于取得相当之利得,即再以其土地卖出者,在实际上实居多数。在此场合,则以土地辗转买卖之结果,反使地价趋向正当之价格而决定。如此,则地价决不因有投机而有超过正当价格以上之恐惧也。

复次,投机对于土地之需要增加供给一点,在经济上亦实具有有用的性质者。盖在农民,通常每以竭力保持其所有之土地为必要,决无自动地乐于卖出者,然在土地投机者,既以卖出而又买进为业,则必怂恿农民卖却其土地,而又以之转卖他人。如此,则土地之不动的性质,既藉此为之和缓,即因人口增加或其他事故以致土地需要增加,供给不足,使地价法外腾贵之势,亦藉此类投机者之加入而为之稍杀。在此场合,必因有投机者,转能防止地价腾贵之势,此亦经济上之有益而无害者。

更因有土地投机,始有平均土地市场之利益也。盖在不惯于买卖交易之农民,或对其土地必得有法外之高价方允卖出,或又暗在实价以下卖出,即彼等以不惯于买卖故,故对于需要供给,全缺见识,复无有经济上之普通智识,故不免有此弊,因此遂使土地交易关系,不安不定,几于使人无所适从。然既有以买卖交易为业者之投机者流介在其间,充当需要供给之媒介,则对于地价,即可防止此种法外之摇动,能顺应地价,有平均而又正当的标准,此亦其不可否定者,是正与谷物投机相似,投机之此种职能,在国民经济上,固有不能不重视者。

顾或有为之说者曰:股票在交易所,因有投机的热烈买卖交易,较之未入交易所以前,更形高价,则土地亦必因有投机者介在其间,热烈地从事辗转买卖,更使其价格腾贵也。故土地投机盛行,则地价终非腾贵不可。然而此种议论,实极不明事理之言。何则?股票未在交易所上场以前则价廉,既上场以后则价贵，倘无交易所买卖股票，惟保有之以为领取红利之所得源，计固得已，然一旦若欲卖出变成现金，而欲看出其需要者，殊非一朝一夕所能达其目的。反之，若既在交易市场表现市价，则今日卖出，今日即有获得现金之便宜，因而可以减少股票所有之危险，而得以增加其融通性者。

况土地则尤与以上情形相反，如为农民所有，既使供给不与需要相应，故其价格每不安定而且高贵。而在投机者之手，则以永久保持不放，有损失利率之危险太大，不如辗转买卖，既无所谓对于需要有供给之不足，又可减少久待之危险，其结果，即使价格平均而动摇甚少，而又有比较地廉价。可知危险愈大，则价格愈不能不高贵，危险减少，则价格自趋于低落也。故股票虽因买卖交易热烈而价高，土地则因买卖交易热烈而价低，即前者因交易热烈，而共认为投资之物体以增加其安全性；后者则因买卖热烈，而减少其附随交易之危险也。两者既完全异其理由，固不能以一而概其他也。

论者之意，大抵认定交易所之投机尚无大害，而土地投机则有害也。何则？交易所之投机，既有定期交易及其他种种规定，投机时可根据有效的机关，在充分的法律限制与行政的监督之下行之；反之，土地投机，则完全听命于私人的意见，其间并无何等秩序与强制也。既有此明白不可争之事实，则取交易所之投机与土地之投机一为比较，遂不免有此论断耳。然不能以交易所之投机，较之土地投机之害少之理由，即认定为土地投机有流毒社会之理由也。交易所之交易，自为交易所之交易，土地投机，自为土地投机，各各有其利害，实不可不加以考察者。白马之白，无以异于白人之白，不能谓白马即白人也。

在土地投机时，更有在价格下落之际，因欲缩少余剩的土地供给，而不能以土地移转于他所者，盖土地既具有不能移转于他所之性质，则土地投机，自不能如交易所投机之对于需给及其他关系，有精密之调查。因有此种情形，故于投机者往往不利。即如米谷交易，其需要虽一定而显而易见，尚不免有供给之不定，至于土地投机则不同，即令供给有一定，而需要则仍常感不定也。

要之，土地投机与交易所之有价证券及其他投机之间，本质上原无特别之区别，故谓前者较之后者流毒社会特大，实有难于一概断定者，无宁谓前者较之后者，在投机者之本人，不利之处较多，因而含有颇难投机之情形也。

复次，则一般所深信，以为土地投机公司，可以获得非常之利得，而不知事实殊不然,在一般所信为可获得小说的巨利者实不多见,土地投机公司,非有精通经济情形而又手眼明快之人士经营之,几于无不以失败而终者。即就德国某重要地产公司之营业成绩观之。如韦柏(Ad.Weber)所记述者,固有足资参考之价值也。①

由此可知今后一般之倾向,对于都市周围之地或其他距离稍远之地,或全为乡村地者,其竞争惟有日加激烈而已。有以工场离开市街地而移于乡村者,有谋住宅于郊外地而乐田园生活者,加以对于土地投机之都市政策又极严重,或据法令,或依租税,所课之负担日日加重,则土地投机所能占得之利益必渐减少而无增加之希望,皆不得而否定者。

四、土地抵当影响于地价腾贵之势力

亚柏斯特(Eberstadt)则以为对于地价腾贵房租腾贵云云,而最有重大之势力者,并不在土地投机,而实在土地抵当。即土地投机,并不能以独自一己之意思,使发生特别之大害,惟有土地抵当流行,则房租因之腾贵,地价亦因之腾贵也。然对此主张而加以反驳之攻击者亦不少。

在薄资投机者流,欲实行土地投机之时,终不能以自己之资力为救济投机之法,乃辄利用土地之抵当,向抵当银行出其所买之土地,或欲买之土地供作担保,以谋通融资金,复又以之收买土地。因而一方买进,一方抵押,辗转运用,得以达其目的,以获得投机的利得者不少,此按诸实例而可证明者。此正与薄资之股票投机者流之买进股票,即持至银行押借现金,又买又押循环不止,最初只须有稍许之资金,其后辗转运用,即可从事大宗之买卖者无以异也。亚柏斯特等有见于土地抵当之利用上,常常有此活动,遂断定土地抵当,实所以促进地价腾贵房租腾贵者,非无故也。然而亚柏斯特所说明之方法,未免过于直截,致遭多数论者之反对。殊觉其可惜耳。

盖土地抵当,非直接造成地价腾贵之原因,故不能即谓地价腾贵由于实行土地抵当而发生。虽然,土地投机之因有土地抵当而更得畅行,自为不可否定

---

① Boden und Wohnung, *Acht Leitsätze zum Streite um die städtischen Boden-und Wohnungsfrage*, von Dr.Ad.Weber, Leipzig 1908.S.63 fg.

之事实，故如以土地投机能促进地价增加之势，能依人为方法增高地价，则土地抵当对于土地投机实属与有大力，亦为不可否定之事实。譬之犯罪，若以地价腾贵看作犯罪事实，则土地投机为其主犯，土地抵当为其从犯，造成地价腾贵之原因者实为土地投机，至土地抵当，不过助成此原因之附属条件耳。亚柏斯特之说明，似以土地抵当为上述地价腾贵之犯罪事实之主犯，实不当也。

如谓土地投机，无以人为的腾贵地价之力，则土地抵当，亦自无有使地价腾贵、房租腾贵之力，今投机者既有使地价腾贵之力，则土地抵当亦自与地价腾贵有关系。总之，土地抵当，对于地价之腾贵，实为土地投机之从属者，无主则无从，唯其有主乃得藉从属者之力而愈益逞其势力焉。

此种事实系就土地投机者利用土地抵当银行之情形而言者，又如近来逐渐通行于日本之地产公司，对于公司以外之人，通融资金，使其收买土地，即以其土地为资金之抵当物，其方法颇与上述者相类似，对于地价之关系，两者亦复相似。惟在前者，土地抵当放款与土地投机通例均由其营业者行之，一方为银行，一方为投机业者；但在后者，一方大都为薄资者之地产公司，一方复为更薄资者之个人，故后者较之前者，其危险性尤大。因此乃有不熟悉土地情形者加入不健全的土地投机之漩涡中，偶因意外事变，多不免有丧失社会地位，与倾荡其资产之虞焉。

有在社会有位置而无资产，而认有自有住宅之必要者，每利用此种地产公司，以其所欲买之土地为抵当，以求资金之通融，而以分年方法摊还之，此种事实，与土地投机，并无直接之关系。在公司既有信用，而又以其贷借之条件合宜，自极有利，且可因此而使宅地之供给圆满，即在缺乏资力者，亦得有取得住宅之门径，诚简便之方法也。然该公司若为投机的，在欲得有宅地者，亦并非欲于其地建筑住宅，专谋遇有机会即再卖出以占利益，此就表面观之，其情形虽与前者无异，而亦不免有多少弊病潜伏其中，则又不得而否定也。

五、土地投机有害的场合

由以上所论观之，则在普通之见解，以为投机足使地价腾贵至实价以上，实非无所见而云然也。即以读者之慧眼，根据以前所论，可知土地投机，亦自有可以大伸其辣手之余地者。据前所述，凡缺乏资力者，如欲染指于投机，以不堪待至长期始有地价腾贵之故,故无几即当放手,得免于以人为地腾贵地价之祸,转使其反得接近正当之价格。若从事投机者,拥有极大之资本,立有充分的计划,则其流毒又有不胜言者。盖彼既拥有极大之资本,一经将土地买进,非待至地价十分腾贵,不肯放手,如再进而施行买占(即屯买殆尽之意)之时,则必将广大之面积一时买进,握住于手中不放,以人为地缩少需要土地之供给,以激成地价愈益上涨之势,而以社会之利益供其牺牲,满足彼之欲望,则其流毒于社会,殆有不胜言者。

惟其所以然之故,即土地之存在量,本有自然的限制,复因都市膨胀,在其周围可供宅地之适当地所,更有极被限制之事实,始有此当然之结果,而此土地之独占的性质,实与大资本投机者以逞其无厌欲望之余地也。而小资本投机者,买入土地,以不堪久待而放出之时,亦必辗转而入于大资本投机者之手,使得满足其不当之利欲焉。是即投机之最大弊害也。

如上所述,吾人虽议论地价之不当的腾贵,而其实与其谓投机能促进地价之腾贵,无宁谓为促起地代之增加也。何则?盖谓投机者收买土地,故意缩少其供给,以待地价之腾贵,既与事实往往不合,惟有投机者买占有甲种性质者之土地,待甲种性质亡尽,复又收买乙种性质者,以谋地代增加,则必安坐以待,非甲种性质将尽,乙种性质又有地代增加实现,不肯放手,此即其促进地代增加之实况也。地价原以土地之收益为基础而定,故地价不外乎资本还原之地代额,与其谓投机者以人为的直接使地价腾贵,无宁谓其激成地代增加之势,以间接助成地价腾贵之势,较合于实际之理论也。

惟有所应知者,即根据投机所助成之上项地代增加之势,惟在都市周围等之未建筑地始得发生是也。盖当都市市街之优良土地,建筑将尽,而向较劣之未建筑地发生需要时,则此种地代之增加,完全离开人为,乃由于自然的表现而来者也。

投机者若买占上项都市周围之未建筑地,则第一步即促起地代急速增加之势,第二步始助成地价之腾贵。而此地代增加与地价腾贵之事实,在都市膨胀而逐渐向其周围扩张其建筑范围之时,虽因增大市街冲要地与非冲要地位置优劣之差异而自然发生,然投机者如料定有此自然发生而收买未成宅地即无有宅地地代之土地,预定为宅地,以待其发生地代,始行卖出,又如因其收买而缩少宅地之供给,使无投机之事,即能使未生宅地地代之土地急速发生宅地地代也。①

是以此种投机,通行最广,而流毒又最甚者,必在经济状态隆盛而都市特别膨胀之时始有之。若在衰颓之都市而欲投机,则必无利得之望,以只能行买投机而不能行卖投机,即只有 a la hausse 而无 a la baisse 也。可知能行投机者,以都市周围附近之地,即所称为郊外地或外围(der Rand)土地,最为实行频繁之场所也。

六、投机利得之是非

上述各场合之投机者之利得,皆不外乎根据地代增加而发生之现实价值,然则投机者所欲根据买卖土地以谋地代之增加者,除在国民经济上,取得现实所生之价值以外,究能取得何物,恐不能不加以否定也。彼投机者所占之利得,通常虽根据此种现实的价值而成立,然若就其个个场合观之,则又不能不承认为纯然的投机的利得之占取者。盖投机者既富有买卖交易上之机智,又利用有迫于资金之必要而欲卖出土地者,遂以比较的廉价收买之,又无暇坐待地代之增加,即以比较的高价卖与于渴欲取得土地之人。例如昨日以 1 万元买进之土地,今日即以 13000 元卖出,一日之间而获利 3000 元,是即为纯然的投机的利得也。纵令一日之内,未必即能获此大利,要之即其普通之利得,固亦有皆可看作为纯然的投机的利得者。

就此种场合而论,投机在土地之融通之一点上,固不无多少贡献,然其利得,究非与此贡献相当之正当利得,而投机之弊害,即发露于此间,尤为不能否定。是以投机之弊害,若由大资本者以大规模行之,任在何时,或待至地价腾贵,或不久待即行卖出,固不免有此流弊,即为小资力者,若能灵敏善捉机会,以占得不当之利得者,皆不能不谓为其弊害之最显著者。对于后者,此时不必详论,惟就前者细考之,可知土地投机者所赢得之利得,总不外乎地代增加,及由此所发生之地价增加而成立者,故就彼辈由于投机所得之利得,根据所谓分配论的见解观之,或更参以伦理观察之,均不免应受"不用相当之劳力而受有

① 读者欲了解此理,请参考《地代论》第五章第三节。

过分之利得”之非难者也。然退而就国民经济上之价值问题,加以研究,则形成投机者占有之利益之价值,原由于土地具有自然的性能而来,实完全脱离投机者之意思而发生者;纵令投机者能于其间有多少助长其发生之势,须知纵不加以助长,迟早亦必有发生者。是以若就不混入伦理观之冷静的纯经济的理论言之,则此由于土地之天然性所发生之此种自然的价值,无论为投机者所获得,或为最初持有此土地之农夫所获得,其意义并无有所轻重也。盖即为农夫所获得,其为不劳而获之过分利得亦仍不变,若以投机者收得为不当,则农夫之收得亦为不当,若谓农夫之收得为正当,则又何能独异,而谓投机者收得为不正当耶。

至于所谓价值者之问题,既为根据土地之自然的性能而发生之价值,自应仍归属于土地,此固无待烦言者,然其价值,既表现为现实的所得,则专以之属于理论亦有不可。盖若使之专归属于土地,则土地并非有人格者,固不能不以收得此价值者,属之于土地以外之具有人格者。且在方今私有财产制度之下,法律上固承认当归属于有其所有权者。此究正当与否,要之又不可不根据伦理观以判断之矣。

瓦格涅教授,即高唱此种伦理的论调者,其宗旨,即根据伦理的判断,以指摘土地投机之弊害者也。吾人亦甚赞成其见解之得当,盖对此问题,不能专从经济上之利害加以判断,更须就其广及于人生生活上之影响加以许多之顾虑也。

据吾人所信,如欲研究土地投机之利弊,不应专就经济上之利害得失着想,必诉之于社会之道德心,及社会生活上并风教道德上因此所受之影响,加以致密之考虑而后可。若就此诸点立论,必无承认投机之为健全而又公明正大者。即退一步,谓于经济上无有大害,或竟有多少之利益,然使人心陷于堕落,有害社会之风教,亦非可承认投机之无弊者。尤以在土地上实行投机,于此点尤当考虑,本来对于公债股票之投机,已属非可推奖者,然以其影响之范围甚狭,尚可存而不论。至于土地投机,则对于居住问题,实有直接之影响,尤其对于吾人之生活必要上,发生极恶之影响,因而其流弊之所及,广涉于社会全般,而使人心及人之生活,常受重大之打击。再就米谷及其他食料品之投机而论,在此点上,固亦有与土地投机相类似者,然通常行使此种投机者时期甚短，又因其价格高下，变动无常，故投机可由买卖两方行之。至于土地投机则不然，如前所述，只有买方能行而卖方则否，纵令地价亦有时多少下落，然必常倾向于腾贵一方面，固不得而否定者。此土地投机之在社会生活上，所以有大害而绝无一利也。

要之，根据土地投机所聚集之富，实出于不劳而获之侥幸，故若谓在社会的可以视为正当，实非吾人敢于忍心害理所愿加以赞同者。且从事此种投机之幸运儿，每欲于一朝夕之间，成为巨万之富豪，而依其金力以横行于社会，则其品性之卑劣，实为人道之蟊贼，东西各国，比比皆然，曷胜浩叹，故就其流于社会之毒害与其及于人心之恶影响言之，虽鸣鼓而攻之可也。

第七章　自然增价及增价税

第一节　自然增价之意义与事实

观于前章所详论，吾人即可据以作为关于地价之大体概念。通常所指称之地价，多指土地之买卖价格而言，然其所据以为标准者，实为土地之收益价格，由此可知土地收益之多少，实含有土地价格之高低之意味。且所谓土地收益之主要部分，仍不外乎地代，由此更可知地代之多少，即足以决定地价之高低者。

又根据《地代论》第三章所议论，已使吾人对于地代增减之理由与原因，得有充分之智识，故吾人即可根据地代增减之理由与原因，得以详知地价高低之理由与原因。

吾人今再进而就地价腾贵之一种特殊形态，即所谓自然增价者，欲试其特别之研究，更连带及于国家及特别团体，对此之课税政策，亦欲有所观察，盖自然增价及自然增价税问题，在方今各文明国间，不失为诸多紧急问题中之一，尤以其在社会政策上之意义，最有研究之价值也。

一、自然增价之意义

惟自然增价之概念，与约翰司徒滑特弥尔（Mill，J.S.）所创不劳所得（unearned increment）之概念，有不可离之关系。若就其意义约言之，可知其系与劳动资本无关系所发生之价值之增加，因而在收得者，即与平常之中彩无异，真为不劳而获之侥幸事也。更就土地观之，则此种自然增价，与地代之自然的增加，殆有同一之意义，据弥尔等所信，则谓此种自然的地代增加，多以一般社会之发达为原因而发生者，因而若欲论其归属，当然有不可不以之归属于社会者。

而此所谓自然增加者，顾名思义，可知为货物之自然的价值增加，故凡货物之依据人为的改良等而增加价值者，自不能谓之自然增价，盖在自然增价，当以该货物之自体，不变其形质为必要也。

又在成为自然增加之价值，实与所谓交换价值相当，并不在乎主观的使用价值。因而货物之有使用价值增加者，亦不得谓之自然增价，盖自然增价，必不能不有可见为交换价值之增加者。且其交换价值，必须以货币额表现之，换言之，必其自然增价，有可认为货物之价格（Preis）之增加也。

就土地观之，如前所言，可知自然增加价格，即地代之增加也。盖土地之价格，以其收益为基础而定，收益则为施于土地之劳动与投下之资本，而由于地代而成立者，然以上二者，既为资本与劳动之投下与施为，则在此以上，自应无自然增价发生之理。所谓自然增价者，须知必离开人之意思与行为，由于自然的（以社会的原因为主）而发生之结果。质言之，即不外乎以地代之自然的增加为基础而发生者，总之所谓自然增价者，终不外乎自然的增加之地代，而以普通利率使资本额还原者耳。

吾人今当就此意味，以研究土地之自然增价，而探索发生此种自然的价值增加之原因，以考察其在经济上并社会上有何重要的诸意义之前，惟有先就方今欧美先进各国，举其土地自然增价之显著的实例，胪列其可惊的状态之一斑，庶使议论既适当而又极便利也。

二、自然增价之实例

自然增价实例中之最有趣味者，即有名的博物学者洪保德（Alexander von Humboldt）诞生地之房屋，在 1746 年，其屋仅值 4350 达伦（德币名当马克之三倍），至 1761 年，则涨至 8000 达伦，1796 年，则值 21000 达伦，1803 年，值 35200 达伦，1824 年，值 4 万达伦，1863 年，值 92000 达伦，1865 年，则竟涨至 14 万达伦之高价矣。关于自然增价之事例，以达马修开（Damaschke）所介绍者为最多，其中最可惊者，莫如岐利安（Kilian）之农夫，在柏林附近瑟涅堡（Schoneberg）地方，有种植马铃薯地一方，原系以 2700 达伦购入者，至 1870 年，竟以可惊的代价 600 万马克卖出，其增价额，实为 5991900 马克，以卖价比较原价，正当2222倍。于此有不可忘者，即此土地之增价，在该地主之所有者，实不费一举手之劳所得之利益也。又有某农夫，在柏林附近布立兹(Britz)地方，约有8摩尔坚之广大耕地，曾欲以5万马克卖出，而苦于不得受主，不意数年后，该地近旁新设火车站，其价格乃一跃而以130万马克卖出，其可惊为何如者。

即据萨克逊(Saxon)最近之自然增价税法所示例，则自然增价之比例，亦至可惊，大抵1平方米突之平均买卖价格，其增价之比率如下：

(K.Kumpmann, Die Wertzuwachssteuer.S.7 Tübingen 1907)

地方	1879—1889年	1889—1890年
Düben	100%	100%
Kappel	100	100
Paunsdorf	400	100
Milkau	600	300
Katiz	50	500
Reik	75	600
Laubegast	600	700
Cotta	100	1000
Heidenau	1000	1200

又在Kurfurstendamm地方，有地一处，当1830年时，仅值5万马克，至1890年，该地上并无何项建筑，而问其价格，则已增至5000万马克。[①] 此亦事实之最可惊者，若论其增价比率，则为100000%，即十万倍也。

再观于美国之实例，有位于芝加哥之中心地一处，其面积为四分之一"爱克"(Acre)，其地随同该市之发达，所增加价格之状态，有至可惊者，下表即据Chicago Real Estate Board所调查，由伊里诺斯(Illinois)洲之劳动局揭载于第八年报告书中者，兹列表如下：

---

① Ad.Wagner, *Wohnungsnot und städtische Bodenfrage*, S.5

年次	芝加哥之人口		四分一“爱克”(acre)之价格	增	减
	绝对数	增加比例	弗	%	%
1830	50	——	20	——	——
1831	100	100	22	10	——
1832	200	100	30	40	——
1833	350	75	50	67	——
1834	2000	467	200	300	——
1835	3265	60	5000	2400	——
1836	3820	17	25000	400	——
1837	4179	10	3000	——	88
1838	4000	4	2500	——	17
1839	4200	5	2000	——	20
1840	4470	6	1500	——	25
1841	5000	12	1250	——	17
1842	6000	20	1000	——	20
1843	7589	25	1100	——	20
1844	8000	6	1200	10	——
1845	12088	50	5000	——	——
1846	14169	16	15000	200	——
1847	16859	18	12000	——	20
1848	20023	25	13000	9	——
1849	33047	15	15000	15	——
1850	28269	22	17500	17	——
1851	3400	22	20000	14	——
1852	38754	14	25000	25	——
1853	60662	60	30000	20	——
1854	65872	9	35000	17	——
1855	80023	23	40000	14	——
1856	84113	5	45000	12	——
1857	93000	11	35000	——	22
1858	91000	2	30000	——	14
1859	95000	4	29000	——	3
1860	109000	15	28000	——	3

续表

年次	芝加哥之人口		四分一“爱克”(acre)之价格	增	减
	绝对数	增加比例	弗	%	%
1861	120000	10	28000	——	——
1862	138000	15	32000	15	——
1863	160000	16	33000	3	——
1864	169353	6	36000	13	——
1865	178900	6	45000	25	——
1866	210418	12	57600	28	——
1867	220000	10	65000	12	——
1868	252054	15	80000	23	——
1869	272043	8	90000	12	——
1870	298477	9	120000	33	——
1871	325000	9	100000	——	17
1872	367396	13	125000	25	——
1873	380000	3	100000	——	20
1874	395408	4	95000	——	5
1875	400000	1	92500	——	3
1876	407661	2	90000	——	3
1877	420000	3	90000	——	——
1878	436731	4	95000	5	——
1879	465000	7	119000	25	——
1880	503298	8	130000	10	——
1881	530000	5	145000	12	——
1882	560000	6	175000	21	——
1883	590000	6	238000	36	——
1884	629985	6	250000	5	——
1885	700000	11	275000	10	——
1886	825880	18	325000	18	——
1887	850000	3	435000	34	——
1888	875500	3	600000	38	——
1889	900000	2	750000	28	——
1890	1098570	22	900000	20	——

续表

年次	芝加哥之人口		四分一"爱克"(acre)之价格	增	减
	绝对数	增加比例	弗	%	%
1891	1300000	10	1000000	11	——
1892	1300000	9	1000000	——	——
1893	1400000	8	1000000	——	——
1894	1500000	7	1250000	25	——

即在1830年时,如欲获得该地,只需从事普通之劳动13日即足;至1850年,则非100年之劳动不可;1880年中叶,更须500年;1890年末,必须2000余年;其后则非在3000年间,有继续不断之劳动,不能获得此土地矣。其可惊之程度,真有令人舌挢不能下者。①

英国于1890年,所开之 Committee on Town Holdings 卫布(Sydny Webb)氏曾就伦敦市中之土地自然增价,发表其最有兴味之报告。氏所调查,系根据 Metropolitan Valuation 之评价法而定者,就伦敦人之住宅收益价格,每五年调查一次,其中之四年间,惟就其建筑改良或新造加以评价调查者。在自然增价全额中,扣除当归因于建筑之价格增加者,其残余额,即土价之自然增价也。

据所调查,则自1867年至1876年凡十年间,增收总计为14884000磅,其中除去房屋增价8792000磅,残存之6093000磅,则为土地之自然增价。以此额平均计算,正与30004634磅相当。再以此作为收益额之计算,而以当时之利率四厘还原为资本额,则伦敦之土地自然增价,1年平均,适为762万磅。伦敦市之人口,1870年为380万人,1890年为554万人,故此20年前,实增加173万人。如假定伦敦之地价,在此20年间,即由1867年至1876年凡10年间,亦与此同,则以人口之增加比例计算之,其增加额总计,当为15亿磅,每人口增加一人,伦敦市之土地所有者,即应得有约870磅之利益。

据此同样之方法,就柏林市所调查者观之,在沙罗腾堡(Charlottenburg)地方,则自1887年至1897年之间,其自然增价,已达于25亿马克,其间人口之增

① Ad.Weber, *Ueber Bodenrente und Bodenspekulation in der modernen Stadt*. Leipzig, 1904. S. 126 ff.

加约10万人,故每增加人口1人,则该地方之土地所有者,平均约赢得2500马克。

再就瑞士之巴塞尔(Basel)百伦(Bern)沮利克(Zurich)三市,举示其土地自然增价之状况如下:

就巴塞尔市自然增价之事实,曾有加以根本的研究者,即在1891年6月,由夫赖兰德公司(Frei-Land)对于巴塞尔市政当局者,提出有建议书,说明对于干敦内,凡土地所有之分配状态、买卖移转之状态、使用状态,并自然增价之情状,确有调查之必要,市当局容纳其意见,即着手从事调查。调查之结果,由巴塞尔大学教授柯札亚公表。① 据所表示,即见有自然增价之事实如下(市各部1平方米突之价格):

年　次	法　郎	年　次	法　郎
1868年	247.74	1892年	521.80
——	64.07	——	246.51
——	34.07	——	62.41
——	14.64	——	80.38
——	9.74	——	32.33
——	3.48	——	14.90
——	2.54	——	29.15
——	1.70	——	18.95

此系20年前所调查者,由今观之,当更有较大之增价无疑也。

至于柏伦市自然增价之事实,不独富于兴味,而且可资教训,其所示例,皆有可信赖之价值者,即1899年,卡尔兰顿特氏曾就该市调查,公表其自然增价之实例,下表特其一例耳。②

市　区	年　次	价　格	年　次	价　格
Kramgasse	1892	119.000(法郎)	1877	72.720(法郎)
Stalden-Matte	1894	11.500	1885	3.650

① Th.Kozak, *Bericht über die Erhebungen betreffend Liegenschaftsverkehr im Kanton Basel-Stadt*, 1899.

② Carl Landolt: *Die Wohnungs-Enquête in der Stadt Bern*. SS.683-685, Bern 1899.

续表

市　区	年　次	价　格	年　次	价　格
Spitalgasse	1896	205.000	1892	148.000
Langgasse	1896	141.000	1894	85.000
Mattenhof	1892	63.000	1881	47.000
Langgasse	1894	15.250	1888	8.300
Marktgasse	1896	240.000	1890	166.000
Stalden-Matte	1896	70.000	1896	65.100
Spitalgasse	1896	52.000	1890	24.000
Stalden-Matte	1885	18.000	1885	11.000
Marktgasse	1895	125.000	1895	120.000
Spitalgasse	1994	112.000	1890	60.000
Spitalgasse	1894	140.000	1891	90.000
Mattenhof	1895	95.000	1895	50.000
Mattenhof	1893	18.000	1892	10.000
Marktgasse	1893	110.000	1892	83.000
Gerechtigkeitsgasse	1889	24.000	1888	17.000
Gerechtigkeitsgasse	1896	20.000	1888	7.000

此外，更有关于柏伦市之一例，即 Kirchen-und Lindenfels 地方，有地一区，约 788484 平方米突，曾于 1881 年，由地方团体售与英国之 Bern-Land Company，得价 425000 法郎，复约定归该公司负担，有架设 Kirchenfeld 桥之义务，其架桥费，约需支出 120 万法郎，若问该公司，其后在该地得有如何巨大之利益，则就每 1 平方米突计算，已有 20 法郎 30 法郎 35 法郎之价格买卖，其后柏伦市欲在该地分地一区，以建筑学校，亦不得不以每平方米突十法郎之比例，交付该公司以十万法郎之代价矣。① 又在柏伦市(Spitalacker)区，当 1880 年时，每 1 平方米突，可以一法郎二三买卖者，至 1909 年，每 1 平方米突，非 48 法郎不能买卖，仅仅二三十年间，每平方米突，已有 40 余法郎之增价矣。

再观于沮利克(Zurich)市之状态，据格罗斯满所公表者，②其火车站近旁

① 参见 Fritz Trefzer, *Die Grundpreise der Stadt Bern*. Basel 1894.

② 参见 Dr. E. Grossmann, *Die Besteuerung des städtischen Bodenbesitzes in Schweiz*. Zentralbratt für Staats-und Gemeindeverwaltung, 1907. S. 97 ff.

地，当 1878 年，每 1 平方米突，以 230 法郎买卖者，至 1903 年，则以 1624 法郎之高价买卖。现今其火车站附近之地价如下：

年　次	法　　郎
1860 年	3.15（每 1 平方米突）
1892 年	419.97
1893 年	398.43
1901 年	665.76

至其火车站大街之市街地，每 1 平方米突之价格如下：

年　次	法　　郎
1869 年	6.70
1878 年	197.00
1880 年	255.00
1883 年	438.00
1898 年	1185.00
1899 年	1367.00
1904 年	1417.00

该市街之某地，当 1878 年时，每 1 平方米突，以 183 法郎买卖者，至 1899 年，则以 1460 法郎之价格买卖矣。

较之上项市区稍形僻静者，其增价状态，虽不若上项之甚，然就 Lowenstrasse 之地价观之，亦如下：

年　次	法　　郎
1874 年	45.77（每 1 平方米突）
1877 年	50.00
1878 年	55.15
1880 年	93.05
1896 年	138.32
1901 年	186.74
1905 年	183.85

至于日本自然增价之事例,事实上虽极显著,特以统计之不完备,无有兴味之证实耳。

依据上项所揭诸例,可知诸国自然增价之一般状态,实有其大可惊者,此则吾人所应注意者也。

第二节　自然增价之本性

前已言之,所谓自然增价之概念,与所谓不劳所得之概念,实有不可分离之关系,故就方今之用例言之,自以不劳的为必要,苟稍参有非不劳的而增价者,即不能不认为除外。必也人之持有土地者,既不加以何等人为的改良,又未投施劳动与资本,仅依据地价之腾贵,使所有者占得不劳所得,始能谓之自然增价。质而言之,即该土地所有者,或在睡眠中,或在旅行中,甚至幽囚于囹圄之中,亦与之绝无关系,而惟有地价之增加者,始得谓为自然增价也。

Der Wert wächst ihm(dem Eigentümer)zu während er schläft, während er auf Reisen ist, selbst wenn er im Gefängnis sitzt, steigt seine Grundrente und sein Gewinn.①

然就实际加以考察,其状态决不如此简单。盖地代之增加,不必即从一般法则而表现,故吾人即当就自然增价之各要素,加以分析与玩味,否则必仍不知自然增价之为何物。

例如在某特定场所之土地增价,如欲测定某部分为人为之结果,某部分为非人为的,得以明确知其不劳的自然增价,殊不能不感困难。盖在实际上,既有不能看作纯粹出于不劳的自然增价者,又有不能看作纯粹由于人为之结果而增价者,故欲分别其某一部分为不劳的,实属难于识别。

一、自然增价之原因

如欲确知不劳的自然增价,则吾人对于土地价格之自然增加之诸原因,即

① Koppe, *Jahrbuch der Bodenreform* Bd.II Heft I.S.4 ff.

当加以玩味，据布利特（Bredt）之分析法，在研究上实极便利，氏以为①自然增价，本含有四种主要要素，而其各要素，又当归功于下列四种原因：

（一）一般的情形…………………Allgemeine Umstände

（二）个人的劳作…………………Tätigkeit Einzelner

（三）公共团体之设施……………Aufwendungen öffentlicker Körperschaften

（四）资本…………………………Kapital

其一，就第一之场合言之，固无人敢否认其非不劳者，即某人并非抱有何等投机的目的，方始购入土地，其后既未加以特别改良，又未从事分割，要之即未加有何项资本劳动，而以购买当时之原状仍行卖出，惟其价格较之从前腾贵而已。在此场合，所以成就地价增进之原因者，无非由于人口之增加或交通状态发达等之故。

此种地价腾贵，其为离开人意发生于自然的，毫无疑义，而为其原因者，又皆不外乎社会一般之情形发展，尤极明白。然而所谓社会之发展，终系出于人为者，故此种地价腾贵，实不能完全认为超绝人为。例如在某地修筑铁路，建筑车站，则其周围之土地地代，突然增加；又或选择一地建筑营房，则其周围之土地地代，亦当突增；又或以向在市街内之工场移至乡村，则其周围之土地，亦必有价格增加。凡此者，或选定为设置车站地，或选定为建筑营房地，或决定为工场建筑地，皆必根据身当决定之任之人的意思而定，则此等事实，实全出于人为的，殊难否定。

是以若谓地代增加为离开人为，而欲对于发生地代增加之该地，谓其并不含有何等人为的原因的意味，则此发生地代增加者，实非完全不含有超绝人为的意味者。不过论者若以既有车站之设置、营房之建筑、工场之移转等种种人为的事实存在，即据之以为其附近土地增加地代之原因，而以此种地代增加，为非自然的而人为的，则又未免过于牵强附会。故有多数论者，往往欲否认地价自然增加，而又眩惑于其事实，动辄即出此牵强附会，则亦不可不戒也。

其二，布利特所认为自然增价之第二原因，辄举及个人之劳作，盖据氏之所信，以为自然增价之发生，土地所有者之活动，固有其重大意义者。使土地

---

① Joh.Viktor Bredt, *Nationalökonomie des Bodens*, Aufl.3.Berlin, 1908

所有者并无特别积极地且有形地施以土地改良，则对其土地之使用方法等，当无形的发生优劣之差，实为不能否定之事实，而因有此无形的优劣，其所以促进或遮断地价增加者果有几许，实不可知。故能巧于利用所有地者，则地代可大增加，惟知懒惰贪眠袖手不顾者，自不足以致自然增价也。

然此见解，亦复大有错误。何则？若谓土地之地代增加，因而其地价腾贵，为由于所有者利用方法之优劣而发生，则是所有者对于土地加有企业的劳动始行发生，决非自然增价也。以自然增加，并不含有此种场合之地价增加之意味也。或投资本，或施劳动，并非积极地从事土地改良之工作之意味，论者谓此亦为所有者之利用方法，因而亦有地价增加，而究非自然增价，盖与自然增价毫无关系，此不可不知者。在吾人所欲评论自然增价者，无论该所有者，或贪睡眠，或耽游戏，或旅行世界一周之途上，或呻吟憔悴于狱中，均与之毫无关系，而惟见有自然的地代增加地价腾贵者。而在现代，尤往往依据都市膨胀、经济发展等之事实，与所有者之所在或其动作毫无关系，而依然增加不止，则又如何？

其三，布利特所认为第三项之自然增价之原因者，即对于某地域，由于国家或地方团体之手，加以积极的改善，以致地价腾贵，则该地域内之土地所有者，即因此而获得不劳所得者。例如都市之某部分，由于都市之公费，施行改良工事而发生增价者即是。当该地域之土地所有者，固当对于都市缴纳租税，或因进行该项改良工事，须捐出特别赋课金，然因改良工事之结果，致其地价值增加，往往有超过纳税额或赋课金额者，尤为显而易见之理，此种超过部分，即所有者所受之不劳的利得也。

此种增价，不惟都市中有之，即都市以外亦有之，兹举一例示之。著者之乡里，原有童山一座，乃因施行防砂工事，遂使向来本无价格之山地，忽然发生价格。著者之乡里，本为山僻之村落，而为一河流之发源地，四围之山岳，皆为濯濯之童山，因之河川之下流，年年必有土砂堆积，每因洪水泛滥，即不免荒废为流域地。当局者乃认为一县事业，而于童山一带，施行防砂工事，幸于一二年前即已毕事，因此从前本为不毛之童山，与所谓无用物无异者，今竟一跃而有相当之高地价。著者之一家，于此防砂工事区域内，本持有多少地面，对此工事，并非负担何项支出，不过仅有其所有权，乃其结果，竟获得不少之利益。

此种所得,就著者一家言之,固不能不认为真正的不劳所得者。在此场合,若以之比较都市之自然增价而获得不劳所得者,固不免相形见绌,然据此以说明依据公共事业使所有者获得不劳利得,固一极有兴味之例证也。

然而此种场合,究能认为自然增价之一场合与否,亦有不能无疑者。何则?此场合发生之自然增价,就其所有者观之,其为纯粹的不劳所得,自不待辨,然不能以此不劳所得,即谓为自然增价也。盖所谓自然增价者,必对于当该土地不投施何等资本劳动,因而在当该地之形状性质等,亦未发生何等变化,而依然有发生增价之事实者而后可。故其投资施劳,无论为土地所有者行之,或由其他如国家公共团体等行之,均可付之不问者。

是以此种场合,正与英语中所谓 Betterment(即改良改善之意)者相当,与自然增价,实稍异其面目,此为不可忘者。此种增价,应归属于国家或地方团体等所有,既不待辨,则在当该地之所有者,因此获得之利得,其为不劳利得,抑何待言。

其四,最后所认为自然增价之第四原因者,而竟数及资本,则是指此场合,因有土地投机,始有地价增加也。然布利特之意,则以为此种场合之增价,非不劳的,而由于资本运用之结果所成就之资本的利得,故以其原因在于资本,遂数及资本耳。

布利特以为自然增价,如欲根据土地发生,则投机者之资本必要有力。质言之,即任到何时,有能待至地代地价之十二分腾贵为必要也。是以投机者因土地投机所占之利益,其有待于投下资本之事实极大,投机者之成功与否,一视其资本力之充分与否如何。因而在此场合,虽尽有地代增加之事实俨然存在,而资本力弱者往往从事捕捉,亦不能获得利益,惟有资本力强者得以捕捉其利益也。因而其利益为不劳的,然为欲获得利益,而不能不投资本冒危险,则不能谓之为纯粹的不劳的,毋宁谓为对于资本之投机的利得,须与其他之纯粹的不劳所得稍示区别,方为妥当。

然而此种议论,实极奇妙之议论也。何则?土地投机者,原欲运用资本以占有资本的利得,始以之投入土地,而又料定土地必有增价,方始收买土地,以谋收得普通利息以上之资本利得,固属不误,然既一度以其资金购买土地,则已成为土地之所有者,及至再卖出其土地,以占得剩余的利益,则此种利益,实根据地代之增加而成立者，无论彼之投资之心理如何，至其收益之在经济学上之性质，则仍不外乎地代。在理论上，凡收买土地者，有为运转资金者，有为谋财产安固者，又有根据其他的动机者，总之资金在为资金之间，固为资金，若一旦既与土地交换，则已非资金而为土地，其人在最初，虽为资金之所持者，今则已变而为土地之所有者，故因再行卖出土地而占有之利得，实不外乎以土地所有者之资格而占有者。惟其所收得之全部，究由于严正的地代之增加而成立耶，抑由于买卖交易之巧妙，发生一种投机的利润而成立耶，乃至依据两者之混合而成立耶，若以此一段情形而论，则非就其实际之事实加以玩味，不能明言，论者之议论，若果注意在此，则吾人殊无详论之必要，盖在理论上，原不过为无关系之事实问题，果其利得纯由于地代之增加而成立，始能成为问题而有可议论之价值也。在吾人所欲主张者，此种利得，虽属依据地代之增加而成立。若谓在资本运用上之利得所表现之场合，即当认为资本的利得，则未免大有误解。

复次，更有不可忘者，若既持有土地，则无论为农民所有，或由于欲收买土地以为一家之财产之人所有，总之，在欲获得土地之时，必要资金。更进一步言之，即令为继承祖父之遗业，在最初获得该土地者，亦必已投下一定之资金。故就取得土地必要资金之一点言之，则以上各场合与土地投机之场合毫无所异，乃论者以为在其他场合，则当认为其土地即其人之财产之所有，若在土地投机者，则当认为资本的营利事业，不过因为营业之一时的所有，则两者之间，自各异其面目耳。然在土地原来所有者之农民，待地价之自然地腾贵而卖却之，以占得多额的利益，既为不劳的，则土地投机者买占土地，待其自然增价始行卖却而占有利益，亦同为不劳所得。两者之间，固不能认有性质上之区别也。盖一则以根据自然增价之营利为目的，他则不以此为目的，而两者之对于土地，同是不加改良，同是不变化土地之性质，同是对其使用价值毫无变化，则仅依据其交换价值增加之场合，谓两者之所得，皆为不劳的，又复有何分别。总之，不劳的与不然的，全依据对其增价，由于所有者有能使之发生之功劳与否而分，纵令土地投机者为欲取得土地而费去资金，苟对其投资能获得相当之赢益，则其依据自然的地代增加以占有巨大之利益，亦不能否认其为不劳的。盖所谓不劳的与否，当依据客观的情形始能分别，非依据主观的即所得者之心理如何所能决定者也。

按诸土地改良论者之议论，恒主张自然增价税，而力说自然增价归属于私人所得之不可，专置重于以上所论布利特所举四原因中之第一点，即置重自然增加，为依据社会一般情形之发展而发生者。反之，在布利特等，反对自然增价税者，则又轻视此点，吾人就此意见之相远者，拟稍加以考察。

盖欲就土地自然增价之内，区别某一部分，当归因于一般情形发生，某一部分为依据其他三原因发生，欲其洞悉靡遗，殊感困难。以无有可以权衡两者之轻重之权衡存在也。是以自然增价否认论者，则轻视第一原因，主张论者，则又重视之，然亦不过各信其所信而云然耳，决非以一定之尺度所测知者。

顾吾思之，凡欲论究是等问题，必先充分明了议论之本旨，而后可，审是，则"不劳的"一词之意义，即有先行确定之必要矣。苟此意义而先不明不定，纵有百千议论，亦属徒劳。然则所谓不劳的与不然的（unverdient 与 verdient）其意义之区别究竟如何？

始用不劳所得之文字者，实为约翰司徒滑特弥尔（Mill，J.S.）氏。弥尔身任"土地所有制度改良协会"（Land Tenure Reform Association）会长时，于1871年该会所发表之纲领宣言中，所主张之言曰：凡依据地代及其部分将来须发生不劳的增价（Unearned increment）之课税者，其自然增价，当使之归属于国库。

二、Unearned increment 之意义

而就此不劳的增价（unearned increment）之意义如何，非加以十分详细之研究不可者，则吾人之任务也。顾吾思之，在所谓不劳的增价之场合，而必冠以"不劳的"形容词，实为对于当该货物之所有者之关系，须冠以自然增价，而非附着于增价之自体者，即其增价，并非依据所有者之功劳而发生，乃由于其他即社会一般之进步而发生者，故其发生增价之功劳，不能不归属于社会，在未发生何项活动之所有者，自无可以取得之理，故就所有者言之，即所谓不劳的增价也。

若更进而考察不劳的（unearned）文字之意义，可知实含有两种意味：其一，为个人专为自己之利益而劳作之结果，而与应归其人所有之物质的利益有关系者；其二，则与供作一般公共之用之劳作有关系者。而此两者，在有某项发明之场合，即同时可以表现。

此种区别，若就英语之 to earn 与 to merit 之区别考之，尤极明了。弥尔虽

使用 unearned increment 之文字，实非适于确切能表示该氏之意思之文字，若如其意所欲言，如现今之归于所有者之所得(earned)，其实乃依据社会一般进步所发生之增价，故所有者不当垄断，若欲表现此种意义，非使用 unmerited 之文字不可，至少亦当使用 unmerited 之文字，方能使意义明确。若用 unearned，则似稍有不当，盖无论依据何项原因而发生，若既使之归属于土地所有者之自己所得，就彼个人言之，自为 unearned 而非 earned。然其实则为 unmeritedly earned，故曰 unearned increment 之意味，即 unmerited(unmeritedly earned) increment 之义也。

以日语译之，则曰“不劳的”，语气虽觉生硬，然尚能仿佛上之意义。

弥尔不仅如上所揭，谓“根据地代及其他一部分之不劳的增加所课税者，在土地所有者既未有何等劳动，又未出何等费用，自不应归其所得，而当以由于人口之增加与社会福利之增进所发生之自然增价，使之归属于国家”而已，更大声喝破曰，“任在何时，任到何处，所有者既非土地之改良者，则由国民经济上之立场观之，果有何辞以辩护其土地所有权者。”据此，则知 unearned increment 之真意固有在矣。

土地改良论者所主张之不劳的自然增价之意味，大抵略如上述。惟有不可忘者，即在土地改良论者，对于由土地发生之收益中，并非否认其含有此不劳的同时又含有不然的即 merited 者。此就农业耕地收益观之，尤为明显，凡由于人之勤劳之结果而有对之之报酬表现者，皆不能不谓之 merited，verdient。然若就都市中之宅地观之，则此种收益颇少，其收益即以宅地地代表现者，皆为离开所有者之意思而自然地发生者。因而由其增加之结果而来之地价增加，在彼固全为不劳的，殆为不可否定之事实。盖在可作为建筑场所之土地，为纯粹之天与物，不若农地。有就之而考察其所谓生产力云云之必要者，故容易知其为天惠物，若在其上而建筑房屋，则又属别一事。即建筑场所之土地之意义，并不存在于其载受力及其空间的扩张以外，而此两者又皆属于天与，任何人对之无有异词者。然建筑场所之土地，纵令其上无生产物，而尚能维持其价格，则其价值，殆全属于所有者之不劳的(unmerited)，况在其增价时耶。

如布利特等之否认自然增价者，前已言之，恒轻视自然增价四要素中之第一原因，即轻视一般的情形，而谓其增价系从属于其他的原因所表现而来者，即有可见为社会一般情形使发生自然增加之场合，亦由于个人或公共团体之投资，始有价格增加之事实，因而其结果之表现，亦决非由于社会一般之情形所发生者。例如某场所，有某商人欲开设一大商店，其周围附近之地价，忽亦因之腾贵。此场合之地价腾贵，骤观之，虽似为社会之发达所致，实则亦因有商店之开设为其原因，则其地价增加，决非不劳的。

然此为误解之甚者。吾人试就氏等所据为理由者，以反驳氏等之主张。即如上例，骤观之，一若商店附近之地价腾贵，系基于建筑商店之人为的原因，因而非不劳的，殊不知仍实为不劳的。何则？在欲开设大商店之人，所由选定当该场所而于其地设置商店，必已见到适合需要而使业务繁盛之故，故对于既存在之需要，由彼加入，决非因彼设有商店之后，始有需要随之而来者。是则论者之见解，已与事理相反矣。故在其场所而有地价腾贵，自应归属于社会一般之情形，而不能归功于建设商店之原因。商人建设商店，依据其商店之营业而有所利得，虽决非不劳的，然彼以地主之资格而所有其地及其附近之地，依据其价格增加而有所得，则为纯粹的不劳所得。由此理推之，则知彼之自为此地地主，与他人之为此地地主，均无所异。若以皮相考之，则必以彼自身既为地主，又依据彼之自身之活动开设商店，因而若有地价增加，则其增价，即非不劳所得，然此亦不免于误解。盖土地之所有者，无论为彼自身或为他人，总之在此场合发生之增价，皆以社会一般之发达为原因者，凡土地所有者取之，皆为不劳的也。

据以上所论观之，吾人深信已能由自然增价发生之原因，阐明自然增价之本性，而就其不劳的理由，略有所论证矣。最后，则就论究自然增价时，指摘其必须注意其似是而非之自然增价，以促起读者之注意焉。

三、对于自然增价当注意之点

第一当注意者，即土地有买卖时，不能因买价与卖价之差额增大至普通者以上，即谓之自然增价也。例如市街地内，破旧房屋之中，有未经利用之广大地面横亘其间，徒任其乱草纵横，所有者对之，并不认其有特别之价值，但事为投机者流所探悉，乃以廉价买之，复以高价卖出，此时买卖价格之差额固亦颇大。然此差额，只具有土地向有之现实价值，不过由于所有者过于无智，遂未能十分认识，今则始有其十分之显露耳。即其买卖中介者之利得，虽为投机的利得，至其造成其利得之价值，亦决不可应为自然增价，惟不过与根据普通商业交易所表现者有同一性质之价值耳。惟在普通之商业交易，其间所表现之买卖价值差额往往不大，而在此场合，则以其差额太大，两者之性质虽似乎有异，然一考其差额之所以大者，实由于从前未经认识，今则始突然发露而已。至于其性质，则两者仍无异也。

其次当注意者，即土地之价格，在某时期与某时期之间，发生差异，而在一定之期间内，有增大其价格之场合也。然而所谓地价者，本来须以货币额表现，故货币价格之增减，尤不可忘。若其期间货币价格大跌，土地价格增加之比例，仅能与货币价格下落之比例相等，则地价即有腾贵，实非发生土地之自然增价，不过表示货币价格之下落耳。在此场合，价格之腾贵，不仅土地为然，其他一切货物，殆无不表现者。即此场合之增价，惟有货物之以货币表现者有价格之增加，至其交换价值，则固未尝增加也。然而土地之自然增价，则必以土地交换价值之增加为限，此亦与论究一般价格之场合同，有应注意不可忽者。

自然增价，必有价格之增加，固属无误，然实因有潜伏于其里面之交换价值增加，始以价格表现之，而表示其增加耳。若交换价值不增加，惟有价格增加，则非自然增价，而不过货币价格之下落者。此种理由，凡曾研究经济学上价格之理论者当无不知，且亦不可不知者，然而对于此种地价腾贵，往往有误认为自然增价者。方今货币之价格，既不断地有下落之倾向，因而一般之物价，亦常有腾贵之倾向，即在地价，固亦有偏于腾贵之一方之倾向者。然在其增价之中，若有由于货币价格之下落而发生者，务必十分注意，不宜使与自然增价混同。惟就实际言之，地价腾贵中，究当以何部分归因于货币价格之下落，以何程度归功于自然增价，如欲严正识别，殊感困难。惟在理论上，应知于两者间，有所区别而已。

第三节　自然增价之文化的意义

一、发生自然增价之原因之分析

由上论观之，吾人已知土地增价之原因，实在于社会一般之进步发展。盖所谓自然增价，并非某特定之个人尤其为土地之所有者，因对于土地加以改良的劳费所发生者，乃根据一般社会情形之进展，于不知不觉之间所表现而来者也。而此社会之无形的势力，实不能不认为一国国民经济的活动，总之皆由于人口之增加与交通机关之发达等所诱致者。学者有分析此种社会一般之情形，认为招致自然增价之主的原因者，略如下之数项：

（一）依据居住之增加，则对于一定场所，而欲求得居住之需要增加。

（二）欲买卖一定地域之风习极旺，他方在交通上，又有新中心地发生。

（三）因有新营造物之设置，更随之而对于道路交通机关及其他投下经费。

综以上各原因而精密观察之，皆为需要供给之关系所由发生，其事实则皆干燥无味，非可以言词表现者，即其发生自然增价之真的原因，及其活动的强弱如何，亦非可披沥其彻底的见解者。惟有所欲问者，若都市之住民增加至二倍，则地代及地价，果比照向来加倍与否？又欲有所问者，对于居住之需要既渐增加，倘供给者不能使之满足，则又如何？凡货物之价格，皆依据贩卖者之所求与购买者之所应，即其购买能力之调和而决定者。然则在此场合，亦非有购买者即租借人之购买能力或租借能力，能与需要之增加齐一步调前进，则虽欲价格腾贵，亦有所不能也。任人口如何增加，群集于市街之人如潮涌，苟其付款能力不增加，则于价格之上，必不发生影响无疑也。

本来地代之增加，同时必有所谓土地之交换，价值之产出，随之表现者，依据价值之产出，始有地代增加发露，然而国富之增加，则必根据地代之增加，始有与此相应之价值产出者。土地之为物（此以都市之住宅地或业务用地为主），无论自其性质的（qualitative）观之，或自其分量的（quantitative）观之，依然同一而毫不变化者。惟其价值，则因其使用者之力所能及，而为人之社会的劳作之生产物耳。然而其生产物之价值，则随乎社会的劳作之程度上进而上进，换言之，即随乎一般经济的文化上进而愈益增加者。惟是种情形，皆由于科学上、技术上、美术工业上，并道德上等诸关系之共同作用所造成，而与社会的并政治的组织有密接之关系，对外则须视其权力上之地位如何，对内则须视其人民自由之发展如何，而有多大之关系者。

二、自然增价之真原因

故凡可为自然增价之前提者，非仅依据人口之增加与交通之频繁而已，其实必须有享乐手段、交换手段及付款手段之增加，乃能随之而发露也。例如东京与大阪，地价之所以腾贵者，就表面观之，虽似乎由于多数人口之流入，然所以使此多数人口流入者，实因人人料到在此大都会，有获得此等手段之机会较多之故，而现时获得此种手段之人，特不过其一小部分耳。其支出高额租费与生活费之手段，皆欲于此地之活动中求之。是以即在某偏僻之地方，向来本有衰落之倾向者，倘一旦遭际偶然之机会，例如中彩、承继或修筑铁路，或有多额之货币流入其地，则其地代房租亦当腾贵，盖既有货币手段之流入，则使人口对于安慰之居住，必大增加其欲望与需要也。

惟在某时期中，某国民或某社会团体之文化程度，如欲满足在其中者之欲望量与种类，其必要之手段，必须视其生产能力如何以判断之，吾人欲判定此种欲望之种类之价值如何，又有必须考察其中所含之学问的、美术的并道德的性能之量与其相互之关系如何者。然欲使之满足此种欲望，其大部分，则关系于物质的物件，而欲生产此种物质的物件，则在生产技术上，又非预备有充分的教养练习不可。而此种之事实，所赖于社会一般进步之程度者甚大，其间必有许多精神的并物质的条件互相错综活动，作成一种复杂的状态，而有种种之现象表现者。对于土地之欲望的关系，固亦不能脱出于此错综之漩涡中也。

三、土地之价值与一般文化之关系

由此观之，吾人即知土地之价值，与一般文化之间，实有极密接之关系，在许多方面，有支配人生生活之一般文化之状态，同时即在技术的生产之上，亦无不有其支配力。然为吾人在生产所必要不可缺者，则为材与力——即原料与劳力。而所指称为原料者，实即所称为万物之母者之土地所提供，或在山岳，或在平原，方得见其产出。又就施展其劳动时观之，亦必要有工作之场所，而场所亦非由于有土地之提供不可。以故生产之技术愈进步，则生产之事业愈发展，而人类之需要土地之程度，亦复有加无已。此即使土地之所由发生增价也。盖或则作为工场用地，或则作为商业用建筑地，或则作为交通用地，或则作为住宅地，固无一不需要土地，而在原料品生产之场所，尤必要极大之土地，随其必要之程度之增加，而土地之使用价值亦愈见增加，因而其交换价值亦愈见增加也。如此，则随乎一般文化之进步发展，土地之价值增加，必有其不知所底止者。故曰使土地发生自然增价之第一原因，在于文化之要求也。

欲得有健全的文化发达，其发达固必涉及许多方面，然于其间，又不得不谋其调和。无论政治上、社会上、经济上，苟能涉及各方面，使其有调和之发达，即可获得健全的文化之发展。而此所谓文化发达之多方面者，即适合于一般进化之法则，使历史发展之过程上文化的进化，逐渐成为有意识的，因而对于多方面之要求，乃得更期其确实。此种情形，在 19 世纪后半期，尤为显著，以精神的科学方面，与物质的科学方面，其进化法则能合一也。近年又有康德主义随之而来，更带有较大之活气，其为之主眼者，则在于使自然科学，能与属于形而上学之范围之认识相调和。由此可知凡所谓文化者，虽包含有人生生活之精神的各方面，然使无经济生活之基础，则亦有不能想象者。因而即就土地自然增价观之，其所由发生者，固为人类社会一切文化的努力与效果之贡献与助力，然究不能不归因于人类之行为能力有增加，以增加土地利用之程度，因而使土地之效用，益为人所认识也。质而言之，即吾等社会之各员，无论为农夫、商工业者、官吏、教员、僧侣、法律家、医生、投机者，皆为互相集合而使发生土地之自然增价者。

要之，土地之自然增价，为一般文化发展之法则所发生之自然现象，而人类社会进化之法则，又使之增进不止，故即如此表现也。土地所有者所由能使之发生此种活动者，不过彼辈能举随着社会一般情形之条件而巧于利用之耳。至于自然增价之所由发生之原因，固不能出乎一般文化之力以外也。

第四节　自然增价税

一、增价税之目的

自然增价之本性，既如上述，发生之原因，确在于社会一般情形之发展，在土地所有者，则为不劳所得，此实不可否定之事实也。故以此归于个人所得实为不当而必使之归属于为其发生原因之社会公共所有，一则合于理所当然，一则根据个人所得以除去分配上之不公平，使欲达社会政策上之目的者，得以努力进行，此实理之当然而又为不得不然者。

即自然增价税，实不外乎根据“土地自然增价之不劳所得，不使之属于个人所垄断。而以之属于国家社会公安之利用”之目的行之。故对于由自然增价而生之个人不劳所得,加以课税者,即不外乎取其几分,使归属于社会一般之利益也。然而自然增价税之第一目的,必存在于以含有上之意味之社会政策上之目的,前已言之,实为约翰司徒滑特弥尔之夙所倡导者。

凡课税之目的,本不一而足,有以财政收入上之目的为主者,有以经济政策上之目的为主者,更有以社会政策上之目的为主者,恒因时代与国家之不同,而有种种之区别。然若详察之,则当初之课税目的,系专注重于财政收入上,固绝无可疑者,如欧洲中世诸侯之课税,日本上古以来以至德川时代之课税,大抵如此。但在欧洲自重商主义时代以来,则多欲根据课税以谋兼达经济政策上之目的,于是乃有以财政收入为主而以经济政策上之目的为从者,又有以经济政策上之目的为主而以财政收入为从者,总之皆欲兼达此两者之目的也。例如关税,即最能表现此种情状者也。及至近时,则一般之情状,均有置重于所谓社会政策者之倾向,于是在课税上亦斟酌社会政策之目的,或则与经济政策并行,或则单独注重社会政策上之目的焉。如土地自然增价税,即专为此社会政策上之目的而设,至其合理与否之判断,则不可不于社会政策的见解中求之。

惟所谓自然增价之事实,与据此所得之不劳所得,在方今资本主义的经济组织之下,实出于有所不得已者。既有所不得已,则对之加以相当之设施,即当讲究如何方不与社会一般之利益相矛盾,如何始能利用之以增进社会之福利。故既有不得已之事实,即不宜纯任自然,使其依然流毒于社会,如欲除去其流弊,即当讲求供给社会公共利用之道。自然增价税,即专为达此目的而发生者。

自然增价税,原来根据自然增价,而对于个人之不劳所得加以课税者,故当课税之时,必就自然增价,认定何部分为不劳的,加以十分精确之决定,自无需乎多辨。因而在课税之前,必就自然增价之原因加以玩味。纵有土地增价之事实,若非真正的自然增价,而为出于人的勤劳之结果,则其所得,决不能谓之不劳的,故不能认为不劳所得,而不可加课以自然增价税,更无待烦言者。

顾吾思之,对于自然增价之根柢的见解,与马克思所谓赢余价值之见解,固有可互相对比而加以考察者,而且一经比较,殊觉其富有趣味。盖据马克思之意见，以为在方今之经济组织，资本主为买进劳动力以经营生产者，其劳动苟能发生赢余价值，则彼辈即愿购买。然而赢余价值，本为劳动所产生，自应使之归属于劳动者之所得，如欲归属于劳动者之所得，则对于方今之资本主义的经济组织，便当加以改造。乃在今之土地自然增价，为资本主购买土地，当其购入时，必料定该土地能自然增加价值，必发生一种赢余价值，方始购入。然在资本的生产之赢余价值，与劳动所发生者异趣，不能使之归属于劳动者，土地之自然增价，除资本主之活动以外，全系由于社会一般之经济状态的发达而发生者，故不得不使之归属于社会一般之所有。就此关系立论，则马克思之赢余价值之见解，在议论自然增价时，当然可以适用。故马克思之所谓赢余价值，与此之自然增价，在此关系上，面目虽有不同，而精神则一也。

总之，自然增价税之目的，既全以社会政策上之目的为主，故近时倡道之者，既已甚嚣尘上，即从事实行者，亦已略有端倪。愿吾人之所以主张自然增价税之正当者，更欲少申其说。

二、增价税之正当理由

关于自然增价税之理论的方面，瓦格涅教授于其《财政学教科书》中，已有极中肯綮之说。氏以自然增价，看作一种 Konjunkturgewinn。其思想多渊源于拉萨尔（Lassalle）、马克思（Marx.K.）、恩格尔（Engels，Fr.）、考茨基（Kautsky）等所谓科学的社会主义者，自无可疑。

瓦格涅之言曰：凡各个经济，必经营两方面之生活者。即一方以有意识的向外界而活动，同时在他方，则完全离开意思与作为或不作为，惟务须顺从外界之势力。是以在国民经济上，就其正当而完全的营利课税之目的言之，各个经济之收益中，多少必有可看作由于其经济体之经济活动即劳作（Arbeitsleistung）发生者，又有完全离开其经济活动，单独附随经济的法制，即所有权及相续权之构成而起，根据一般之原因或经过而发生者，不可不加以严格之区别也。以此种收益，自经济上观之，实不外乎依据偶然之事实，或自然之增价，完全离开人的经济行为而发生者。是以若将此种收益，就国民经济上正当而且公平之租税分配上言之，对其收得者，实为应当课税之课税物体而毫无疑义者。至承认自然增价之课税之所由正当，则不可不就各个人及各个经济，对于国民经济之关系中求之。

Jede Einzelwirtschaft führt ein zweiseitiges Leben, d.h.sie wirkt zweckbewusst auf die Aussenwelt ein, und sie unterliegt unabhängig von ihrem Willen, Tun und Lassen den Einwirkungen der Aussenwelt.

Dies gilt speziell für den Erwerb der Einzelwirtschaft.Es ist daher gerade auch für den Zweck volkswirtschaftich richtiger, vollständiger und gerechter Erwerbsbesteuerung immer schärfer zu unterscheiden zwischen demjenigen Erwerb einer Einzelwirtschaft, welcher auf bestimmte doch wenigstens mehr oder weniger als"Arbeitsleistung" zu qualifizierende Tätigkeit dieser Wirtschaft…… zurückzuführen ist, und demjenigen Erwerb, welcher ihr ganz oder jedenfalls grösstenteils unabhängig hiervon durch allgemeine Ursachen oder Vorgänge nach der Gestaltung der allgemeinen wirtschaftliehen Rechtsordnung, namentlich der Eigentums-und Erbschaftsordnung, zufällt. Disser Erwerb lässt sich ökonomisch daher als Erwerb durch Zufall und durch Wertzuwachs ganz oder doch wesentlich ohne persönliche wirtschaftliche Leistung des Erwerbers bezeichnen.

Dieser Erwerb ist nun ein Objekt das zum Zweck der volkswirtschaftlich richtigen und der gerechten Steuerverteilung bei dem Erwerber besteuert werden muss.

Die tiefere Begründung einer Besteuerung des Erwerbs durch Wertzuwachs liegt in dem (schon angedeuteten) Verhältnis des Individuums und der Einzelwirtschaft zur Volkswirtschaft.

惟对于根据自然增价之收益而课税，究为正当与否之问题，自当依据租税原则上所谓“正当的原则”者解释，大致当然不误。然在现今之经济组织，既是认个人主义的自由竞争，而相信为唯一正当之经济组织者，则自然增价之发生，实由于以此正当的组织为基础的所有权而自然发露者，亦自不得不谓为正当。故有主张对此课税，为对于神圣所有权擅加侵害，为大有不当者。盖所有权既为现时社会组织之根柢，则方今之经济组织，实即建设于此基础之上者。

此种见地，所受法律的见解之影响极大，故至今尚有多数人欲维持之，其势力殊不可侮。然以近时在租税上，有持有社会政策的见解者异军突起，始不能不为之辟易耳。盖在现今支配社会政策的见地之课税原则，以为依据现今之经济组织所表现之财产及所有分配之状态,皆不过表现经济进化之一过程,而为正要大加改善之一表现者,故在租税分配上,亦应常不失却此极大之见地,且常由此极大之见地,以期课税之正当与公正,至少亦欲希望其宽和者。诚哉有如瓦格涅所言,法制原非一定不可变者,尤其有适应社会各方面当时之实际情形,当然加以改善与变更者。故不能以其反于现今法制之主义,不合其形式为理由,而否认其改善之方策也。

故由此含有极大之意义者言之,对于不要何等劳动,惟依据社会一般情形之发展,而获得不劳所得之自然增价,加以课税,其为正当,自不待言,且因此得以治愈由于私人主义之经济状态所发生之病患之一部,在理论上,固自有充分之理由也。

三、土地增价税有特殊之意义

惟此种不劳所得,在种种方面亦有发生者,如有价证券之差额交易,或物品交易,亦均有发生者,然究以依据土地之价格腾贵而发生者最为显著,故在讨论一般自然增价之外,尤须注意其特有的种种情形。即在课税,亦有必须注重其特殊之点者。

盖土地者,原为人人所必要,苟欲生存于此世,即无一日不要求利用土地,乃人之生存,既无一日可以离开土地,而其面积,则早为天然的所局限。关于此点,已先具有一种独占的性质,因而利用此独占性之少数个人,一旦占有其土地,即于其上施行排他的特权,使他人无法利用,此实为伤害人类一般之福祉之尤者,而个人的资本主义之流毒,乃得于土地之上大逞其气焰也。若就资本主义的见地言之,以之变为土地所有,固极安全而近于不可侵,凡经济上之竞争,在土地上并不激烈,而又足以培养独占的利益,计固无便于此者。然易一方面观之,在资本主的个人虽极安全有利,而在一般社会,即因此而受有极大之不利也。

人口愈益增加,经济生活愈益发展,则对于土地之需要,亦复有加无已,而土地独占者之利益,更不期而增大矣。

对于土地所有之独占的性质,有当附带考虑者,即由此发生之土地自然增价,在该所有者得之,虽为不劳所得,若归于一般社会即国家或其他公共团体得之,则又不然。何则?以自然增价之原因,不在所有者个人的劳作,而全在乎一般社会情形之发展,自不能加以否定也。

是以举此发生之利益,仍还诸社会一般之要求,而定为租税以征收其一部,实为最合于公正之原则者。如自然增价税,盖即由于课税上公正之大原则出发,而最适合于方今社会组织上当然之要求者。

第五节　对于增价税之反对论

自然增价税之正当,业如上述。然学者及实际家中,对于自然增价税,尚复有热心高揭反对之旗者不少,而其所据为理由之理论,又颇有可以倾听之价值也。盖方今关于土地改良之种种要求与目的,其中最重要者,实为土地自然增价税,因而关于此项问题,各抒其赞否之议论者,实苦难于识别,几使自然增价税,成为土地改良论者及其他学者论客争议之焦点。惟其论争中,除专关于实际问题者可以存而不论外,或有所贡献于解释此问题者亦不多,亦可置之不论,惟有理论的专就纯学理之见地以讨究此问题,而对之与以纯理的解释者,则吾人不能不认为有益的事业,盖必有学理的讨究,始足为实际问题之标准也。

一、反对论之立脚点

对于自然增价税之反对意见,虽纷纷难于列举,若概括言之,则以下之数者最为重要:

(一)所称为自然增价者,若问其本质,实不能不认为对于资本之利息或企业之赢益,其认为不劳所得而加以特别课税者误也。

(二)自然增价,若由于国家或地方团体之积极的设施而发生,固当以其增价归属于国家或地方团体之所有,然亦只应课以特别赋课金,而不当课以所谓自然增价税之特殊租税。

(三)若以自然增价当归属于国家或都市公共团体所有,倘一旦地价下落,则国家公共团体,即不能不对之有所补偿,若置后者于不顾,则专取前者亦为不当。

(四)主张自然增价税者,往往以土地上之抵当负担置之度外,误也。盖土地所有者之地代所得，其大部分皆为土地负债之利息，应归于抵当权者之所有者。

（五）若重课增价税，即不免使都市住民中之富裕者迁往地方。

（六）以自然增价税作为财政收入，则其性质往往变动不定，在实施以后，常使国家或地方团体之财政，增加不安之分子。

（七）实施增价税以后，更足以育成大投机者。何则？投机者于卖出土地时必被课税，则必选择租借或建筑房屋之方法，以便免避负担。

（八）自然增价税，有不当的转嫁之危险。

以上所举之反对意见，皆一一具有相当之理由，非可任意加以排斥者，吾人试就各种反对意见中，取其有研究之价值者，再讨论其理由之果孰正孰误。盖必如此，始能了解增价税之意义之正当，且相信其裨益当不少也。

二、自然增价究可认为利息或利润耶

先就其第一理由观之，在持有反对意见者，以为自然增价之根本性质，实为资本之利息及企业之赢益，然一参照吾人在本章第二节所详论，即容易证明其误谬。不过此一问题，为一切根本的问题，有值得十分慎重之讲究者，吾人于此，更欲再试其议论如下：

如布利特等之所主张，以为土地投机，决非可以人为地增加地代者，即土地改良，亦决非可使地价下落者。此种说明，正与彼颠扑不破之李嘉图之《地代论》所证明者相似。所谓地代，乃对于不生一文地代之土地，依其所有之多余收益而成立者，此种理论，无论为农业耕地之地代，或都市宅地之地代，固均可适用者。李嘉图之《地代论》所由在经济理论中少受非难者，以其所说明，既合于事实，又合于理论也。都市中之地价，既以地代为标准而决定，而地代又如上所说明，乃一地对于其他最劣等地之所有收益之赢余（有包含于房租中而表现者）而成立者。如以此多余收益，为由于土地自然所有之位置之优越的原因所发生，则是完全离开人意与人为，而非可以投机之力增减其额者。惟然，则投机者亦不过一时地妨碍地代法则之进行，稍紊乱其活动而已。

然而投机者果有增加地代之力量与否，又不免颇有议论。如布利特与韦柏之见解，则以为投机无此力量，赞同之论者亦不少，然同时在他方面，则又有极论投机有此力量，而以为方今之地代增加，确由于投机之人为的结果者。本来地代之增加，固足以诱致投机，然在循环的，则投机亦足以诱致地代增加，此亦前已详言之者。

此两种见解，虽均以事实为基础，顾吾思之，尚不免有速断或误解事实上之因果关系之讥。何则？地代之增加与投机，虽皆以其他之第三事实为原因而表现，然如以两者之同时表现。即轻率而认为一种原因，却不免有对之欲附以相当之理由与说明之嫌。而所谓为此两者之原因者之第三事实，即近时随着社会进步而来之对于住宅及土地之需要增加，极平凡之事实也。由此处加以观察，则知两者见解之相差，尚能与地代之理论适合。

当此社会进步大混乱之时代，投机与一种之土地高利贷，一时的固亦可使价格腾贵，然此既不过一时的性质，倘有调和的势力随之而来，亦自可以恢复其常调也。

土地投机与一般经理土地买卖者，仅以其自身之力，固非能使土地之租借价格腾贵者。而此所谓价格腾贵云云，若离开决定价格之一般法则考之，其为主者非依赖土地之承租人，在土地租借关系上有付款能力不可。而此付款能力，固可由于土地之所有者，加以十分刺激，或努力使其全幅表现，然而对此刺激，亦可发生十分之反抗，两者折冲之结果，必使其付款能力达于最高点。既一度达到最高点以后，则在承租人方面，必一步不能再进，故在此以上，即无不能不让步之虞；反之，在出租人方面，则欲让步即让步，实无所谓不可不让步者。此虽为极有趣味之现象，然事实既已如此，则亦无如之何。且此种关系，不仅租借时有此表现，即在买卖交易，亦有表现。惟以此为商品而加以居住及劳动场所之特性者，或又全与此异，此自然增价税之问题，所以最先表现于近时之社会运动也。

布利特(Bredt)反对自然增价税之言曰：若就现今之所谓所得税者言之，所得之源果何在，所得之种类究如何，均未闻有深加以讨论者。质言之，即不问其所得或由于劳动而来，或由于资本之所有而来也。以故在所得税赋课之方法，无论其所得或出于劳动，或出于资本所有，皆照一律办理，无有歧异。今独对于土地之收益，而必区别其出于勤劳之结果之 verdient 与不劳所得之

unverdient，竟认定自然增价为不劳所得，殊不能不谓为一极可惊之大变革也。本来此种所得，亦不外乎一种资本所得，人若以此种所得，为由于社会一般所造出，即应使之归属于社会一般所有，则不免使现今之经济组织，有根本破坏之忧。何则？方今之经济组织，本为所谓资本主义的组织，在其本质上，即不能分出社会一般所造出之一部分，而以基于资本之单独成为资本所有之事实，分给之以为其所得者。

然而此种奇妙之议论，实苦于莫知其意之所在也。氏谓以自然增价为不劳所得者，必与一般之劳务所得区别，非出于勤劳之结果而有正当理由可根据者，即为不劳所得，故认为一大变革，而发此惊异之声也。然而开一新例，未必即为不当，如若氏之所言，凡旧来者皆为正当，新事例则皆不当，推其所极，是非谓凡正当者。皆为旧来之习惯，凡不当者皆属新例而后可，世间宁复有此种理由耶？虽属新事例，若证实为基于正当之理由，自不能不认为正当，虽属旧来之习惯，若发见有不当之理由，亦自不能不认为不当。正否之标准，本不在于新旧，天下固未闻有以新旧之关系，作为区别正否之标准者。氏又谓土地之自然增价，实为资本的利得，吾又不知其何所见而云然？凡资本之所由发生利息者，不在于为新生产而增加货物之价格之一点，实在于能节约生产费之一点，吾人于《地代论》第四章第七节固已详论之矣。若单据价格腾贵所得之利得，则已非利息而为企业赢益，盖赢益者，乃依据生产价格与市场价格之间之差额而成立者。顾吾思之，所谓赢益，决非自然的发生者，必由于企业者之心的注意与身的勤劳相结合，始能发生者也。

更有当考虑者，所谓资本者，并非放置不动即能发生价值，必也企业者以之用于生产，始能节约其生产费，始能发生利息所得也。然若就今之土地自然增价观之，则如其字所读，本为自然的增价，即令资本主与企业者一事不为，而土地之价格，依然随着社会一般之进步单独的自然增加，决非投入土地之资本，有可认为表现其活动而发生者。且利息在资本间竞争之结果，其发生之比例必能平均，所谓普通利率是也。而土地之自然增价则反是，与利率之如何，全无关系，而独自掉臂游行于调子以外者。

要之，无论如何曲为之辩，土地之自然增价，实有不能认为利息者，如布利特上述之两段关系，吾人亦始终不能发见其为正论也。

三、自然增价与企业利润

再进而就企业赢益,加以详细之考虑,凡所谓企业赢益者,于普通情形以外,更有由于种种原因,使货物价格有变动,而发生多余之利得(或多余之损失)者。是实为经济界市面之变动所发生,故可名之为 Konjunkturgewinn。然若就此多余利得(多余损失于此无必要略之)加以考虑,苟经济界市面尚好,而依据其变动,使需要供给之关系,仍转变而无常态,则物价之变动无常,诚非得已,如社会主义之经济组织,由于国家之注意与努力,能常维持需给关系调和一致之状态者,固非吾人所知,若在现今实状的经济组织,恐为势所不免。而此依据价格变动之企业赢益,时或为多余之增加,时或有意外之减少,亦为势所不免。而此变动,或更受有投机之不少的影响,尤为所难避者。且企业者既预想将来,而以其预想为基础以经营事业,则其事业,必多少带有投机的臭味,亦属理所当然。将来对于该货物之需要究竟如何,既不能十分精确料定,因而随着货物之生产必附带有危险,企业者既冒此危险以定将来之预想,则纵有多少投机的倾向,亦避之无可避者。故企业之投机的分子,在方今之组织上,于国民经济上实为有利,并非必发生有多大之弊害者。

更就企业赢益之为不劳所得与否(verdient 与 unverdient),加以考察,苟企业之行为于生产为必要,国民经济上亦急需企业者之劳作,则彼之应其劳作而得报酬,实为理所当然,而非不劳所得也明矣。然企业者之劳作,多以心的为主,间或加以身的,特其劳作之程度如何,则千差万别,有非可定为标准者。惟依据企业者其人之能力如何,有备极辛劳而所得仅少者,亦有并不辛劳反获得多大之生产利益者。因而对其辛劳之报酬即赢益,究以到何点方与辛劳适应,欲具体的明知之,殊不可能。然至少亦当在理论上,确定其适应之观念而后可。总之,其赢益之非不劳的,自有不待言者。盖企业者之企业的劳作,既为国民经济上所必要,则其赢益,即彼之企业的劳作之报酬也。

然而企业者所占之赢益,既如上述,系根据经济界之市面如何而变动无常者,故其赢益之中,时或完全包含有由于需要供给关系上之变态发生多余之利得者,亦所难免,此全离开企业者之意思与劳作,唯值经济界偶有机会,得于意外占得多余之利得耳。因而在此部分,决不能认为对于企业者心身之劳苦之报酬，而完全为偶然的即侥幸的，为彼所占得而已，则此部分之性质上，为不劳的，实难否定。

复退归本题而再考之，土地之自然增价，与最后所述之企业者之多余利得颇相类似，盖彼为完全离开企业者之意思与劳作而发生，此则完全离开土地所有者之意思与劳作而单独发生者，故企业者之偶然所得，既为不劳的，则由于土地发生之此种不劳所得，亦不得不谓之为不劳的。

更就企业赢益与土地自然增价之一般的性质考之，凡所谓企业者，本为人之努力，或为生产货物之原动力，或为促进文化之原动力，皆不外乎以人之意力征服自然力，提高或丰富人生生活之内容之努力。于此有活动，有生命，有向上，有奋斗，皆企业之特色也。然在土地之所有，决非企业，不过持有土地之消极的事实，并不需何等之活动也。唯因历史与习惯，许可私人中之某人占有从事生产经营生活之必要条件之土地，故遂盲目的守其因袭，而使某个人与土地，发生一种之结合而已。土地所有者若就所谓所有之事实考之，无思无虑可也，袖手安居可也，即怠惰贪眠亦无不可也。由此可知企业赢益与土地自然增价，在国民经济上，其意义完全不同。然则土地自然增价之为不劳的，更可不烦言而解矣。

四、自然增价与资本

复次，反对自然增价税者，更有主张凡所谓土地之自然增价，实非自然的发生，乃由于投下资本之结果者（Ein wirklich grösser Wertzuwachsgewinn ist heute nur mit Einsetzung von Kapital zu erzielen-Bredt）。

顾吾思之，方今所称为自然增价之概念，皆脱离投资及劳动，并与其报酬不相应，而有表现多额之价值增加者，故论者之所考虑，根本的即与自然增价不相容。若果以论者之说为正，则自然增价之概念，即全然不能成立，否则自然增价之观念如为不误，并且可以成立，则论者之思考，必为全然错误。

再就实际观之，在方今之土地，尤其为都市建筑用地，如前所述，皆依据社会一般之发达，不为何等投资，不施何等劳动，而自然增加其价格者，纵令有劳动资本之投施，而其价格增加之比例，亦实多而且大，终有不能认为由于普通之利息或工资而成立者。若将今之经济学上之利息与工资加以改造，则吾人诚无由知其究竟，苟非然者，则谓自然增价为对于资本之利息，吾人虽愚，实不能有此想象，况事实之所以诏吾人者尤不如此。故吾人以为现今之资本及利息之观念，既应遵守普通之见解与经济学上之定义，终相信论者之说确为误谬也。

论者又有主张，谓土地为原来之所有者（大抵指农民），于普通之农耕以外一事不为，惟坐待都市之膨胀，经济之发展时，而收得地价腾贵之大利得者，固为不劳所得，若向农民收买之，使成为适合建筑之土地，或照原状卖与建筑业者而有所得，即土地商人所得之利得，似非不劳所得，而为对于彼之企业之赢益。然既承认自然增价为自然增价，而犹故为是说，非顾左右而言他而何。盖既以土地原来之所有者占有多额之增价利得，以其在农耕之相当利益以上，与所应得者有不调和之故，遂认为不劳所得，则土地商人所占得之多额利得，亦在其企业之普通赢益以上，与所应得者有不调和之故，又何能谓为非不劳利得？总之，其所得之原因，既出于社会一般之情形，则为原来之农民地主所收得，即为不劳所得，为所谓土地商人者一时之地主所收得，又非不劳利得，其理由果安在耶？

果如论者之说，是即完全误解不劳所得之本来之性质者，只需使用稍许之资本与劳动（广义的），则无论占有如何巨大之利益，亦非不劳所得，而毫不考察其发生利得之原因，错误之甚，殆未有过此者。

五、自然增价与公共的设施

复次，反对自然增价税者，则谓“因国家或地方团体有某项设施，即认土地所有者，由于价格腾贵之所得为不劳所得，而加之以课税者”，实为不当。其所谓为不当之理由，以为若值国家或公共团体或发布警察令，或改善某土地，以致土地价格腾贵，对其增价，即应课税，倘依其命令处分或改善事业，致其土地价格减少，则又如何，在此场合，该土地所有者，究能对此请求损害赔偿与否？若使无此权利，则对于增价，亦应无服从课税之义务。何则？所谓命令处分者，对于土地，究能使之增价，抑将使之落价，固非可以预定者，即改良之事业，究能成功与否，亦属不可知之数，其结果如何表现，要之无一而非偶然者。对于偶然之事实而课税，殊为不当，今只注重增价之利益，而置减价之不幸于不顾。对此不安而又无恒性者课税，实未见其有正当之理由也。

然而此种议论，殆无意味。何则？凡所谓课税者，必在一定之时期，看定有表现之负担能力，始行课税，自不必论，即土地之自然增价，亦必确有自然增价之事实实现，始能加以课税也。故不问由于公共团体之设施发生，或依据一般文化之发达发生，苟有自然增价之事实，即当课税，苟不发生，则亦惟有不对之课税而已。若谓公共团体之设施，有发生增价之事实，亦有发生减价之结果，故不可课税，则所谓一般社会之发达者，若就某场合某时期考之，或有停滞不进者，亦有反而退步者，尤以经济状态，在某时期或某场所，变动不定，有今日为繁盛之场所，明日即陷于衰落之境遇，皆其所难保者，因而对于由于社会一般发达而来之自然增价，加以课税，又何不当之有。

更详考之，即在普通之所得税，有今年有相当之所得者，至明年或竟一无所得，有昨日有数十万元之所得者，今则零落而负债如山，此皆人事所恒有也。若如论者之论法，则对此不定无恒性者课税，亦非认为不当不可。然现今究有何人出而主张所得税之不当者？夫既无为此主张者，则课税之原则，决不应如论者之所云云也。所得之性质，本来容易变动，然在租税单位期间中，若其额既有一定，即不妨对之课税，惟应将其税率分成多种，使应其每年所得之变动，得有课税上之正当，或其所得额竟落至课税标准以下，即全然不课税亦可。所得税既然，则以自然增价税较之一般所得，犹为富有恒性者。故如论者所主张，凡依据公共团体之设施以致土地减价，自不至发生课税问题，惟仅在发生增价之场合始行课税又有何不可？即谓之自然增价税，则必已有增价始有课税，又何待烦言者。

六、转嫁之问题

复次，反对增价税者，更谓即令以此税向土地所有者赋课，然以辗转转嫁之故，在没有自然增价之利益者并不负担，其结果反转嫁于居住人，除提高房租，使居住问题更感受困难外，并不见有何等社会政策上之效果也。此种转嫁问题，在自然增价税上，诚哉其为最重要的问题，而在讨论此种课税之可否，与以最后之决定之场合，或竟有当以此为最重要之问题者。何则？土地增价税，其主义，其目的，除土地投机者之类以外，任在何人，皆容认其正当，不惜加以推奖，绝无对之有怀疑者。惟对此问题，有不能不审慎者，则此税究有能达其目的之结果与否？详言之，即施行此税，果为身受自然增价之利益者所负担，得以其增价利益，使归属于社会公共之所有与否？换言之，即此种增价税，在方今一般，虽是认其主义，至对其转嫁性如何，尚不免存留多少问题。如此转嫁问题而能决定，则此税之正当而有效，任何人亦无插疑之余地。更换言之，此税之正当，虽为一般所容认，至其果为有效与否，则犹不无多少问题也。

即就上述之意味言之，所谓转嫁问题，实不能不谓为决定自然增价税之最后运命之中心点。盖此税之正否如何，有效无效如何，全系于此一点也。

Das Problem der Steuerüberwälzung ist der Mittelpunkt, um den die Frage der Gerechtigkeit und Zweckmassigkeit dieser Steuer sich dreht, sie ist die Fels, auf den sie sich stützen oder an dem sie scheitern muss.①

有谓赋课地代之租税，必为其付款者所负担，决非可以转嫁者，此李嘉图及其他古典派经济学者之定论也。

Es gilt die alte nationalökonomische Regel, die schon von der klassischen Nationalökonomie aufgestellt worden ist: Eine Steuer, die auf die Grundrente fällt, kann nicht eignet sich abgewalzt warden. Sie wird von demjenigen getragen, der sie zahlen muss.②

论者有谓增价税不能转嫁者，其言曰：土地之价格，既以收益为基础而定，而收益又以地代为主要要素。所谓地代，既从李嘉图之原则，完全离开人意与人为而绝对的决定者，则不能因受有课税，得以故意提高其价格也。此即一派纯理之演绎的解释也。

土地改良论者关于此点，则根据种种论据，而主张增价税无转嫁性，其意以为对于土地之卖却者，即没有自然增价之利益者加以课税，则此税非能使彼转嫁于土地购买者，因而其后之购买者，亦不至被其转嫁，其所主张之理由如下：

（一）卖出土地者对其土地，必尽其力所能至，常欲获得高价，以要求于买

---

① H. Koppe, *Finanzarchiv*, *Jahrgang* XXIII, 1906, S.2.

② Ad. Wagner, *Wohnungsnot und städtische Bodenfrage*. S.22, 23.

主，今若赋课增价税，则必不能于此上更使价格腾贵。

（二）购买土地者，当欲购入之前，必先计算能从该土地发生多少利益，以决定其可以支付之额，与卖主所提出者互相比较，两者果能调和，方始购入，今若赋课租税，则必不愿再以高价购入。

（三）若增价税而具有转嫁性，则土地投机者流，对之激烈反对，毫无理由，增价税反对之声，毕竟不过空吼。

就此问题，克披（Kappe，H.）颇试其绵密之研究矣。研究之结果，始知对于增价税之反对，皆无何等根据，不过论者各自就其主观的立场，吐其随意之议论而已，增价税固决非具有转嫁性者。其所持之理由如下：

买卖及贷借，乃有两方面之法律行为也。买卖及贷借，既为两方面之法律行为，则此问题，即不仅为卖却者欲将其租税额转嫁与否之问题，同时又为购买者及承租人有愿将此额赔偿卖却者及出租人之决心与否之问题。在交易市场中，凡买主及承租人，皆与卖主及出租人互相对立者，在决定价格时，必视此两当事者之实力如何。是以欲以增价税转嫁，仅以其税额主张为土地之价格腾贵，则其实际之买卖交易，决非仅贩卖者有决定价格之实力者，故主张可以转嫁说者，实非可以维持之谬论也。

此种说明，尚未十分彻底，故未能使读者十分了解，然在理论的说明，吾人应暂认为满足。盖对此问题，原非纯粹的理论问题，必须根据其时其场合之经济实际状态，有不能专照理论转嫁者，亦有出乎原则以外，竟能转嫁者，其情形如何，固不能一概断定也。

是以所谓增价税者，必对于有地代增加之地价腾贵而赋课者，然所谓地代者，又系根据李嘉图之理论，离开人意与人为所决定者，地价则又不过待此客观的决定之地代而还原为资本额者也。是以今若对于增价而施行课税，则在该卖主，断非可以人为地增价土地之价格者。然而此处所谓之价格，系所谓收益价格，如吾人在本篇第一章所论，必非常与买卖价格相一致者。买卖价格，恒因时因场合，依据土地需给之关系如何，或出于收益价格以上，或下落在其以下，故虽以收益价格为标准，亦不必常能适合一致。因而今之收益价格，亦不能依据人为使之如何，增价税虽能赋课，卖主虽不能以其额附加于收益价格中，然而彼非不能决定买卖价格也。买卖价格，既由于当时之需给关系而定，若对于土地之需要既多而且大，则卖主即能容易以税额加算于卖价中，得以圆满地转嫁于买主。尤以土地本为一种独占物，其供给量极有限（在便宜位置之土地尤然），故都市如日趋繁荣，人口如日见增加，需要土地者如增加不止，则卖出土地者，尤易实行其税额之转嫁。要之，此税之能转嫁与否，必根据土地之需给关系实际状态如何始能决定，决非于理论上有可一概论定者。苟欲实行增价税，必也对于高价之土地，纵令于其上更附加有税额，而对之仍有需要而后可，惟买主愿意出此代价与否，则实此税能否转嫁之所分歧也。

以上所述，固可认为确论者也。何则？增价税虽有可转嫁之性质，然若以其所赋课之额，绝对的可以增高地价，则又未免错误。盖既为增价税，则所谓税者之性质，固非有可以转嫁之性质者。

七、增价税之社会政策的效果

与转嫁问题相关联，更进而施行土地课税，则必有社会政策的效果如何之问题缘之而生。如市街地及其周围之土地尚未成为建筑地，价格虽颇高贵，而收益殆不足观，若课税加重，所有者除加以建筑之外，必无法避免损失，因而必从事建筑房屋。然在此场合，房屋之供给，难免不超过需要以上，其结果，必至房租下落，成为空房而求佃无主者，此即土地课税之效果也。盖既有房租之下落，即课税之克举豫定之社会政策的效果者，然而此种效果，在益见发展之都市，大抵不过一时的现象，而有难于永续维持其势力者。何则？房屋供给过剩之结果，致发生许多空房，则土地所有者，明知其后若再建筑房屋，必在向来之负担以上，更须加受建筑利息之损失，毋宁不再建筑房屋，待都市人口愈益增加，使房屋之需要与供给能相适合，则房租亦到相当之程度，可恢复腾贵之情势。如此，则知土地课税，不能永奏房租下落之功，不过对于居住问题，有解决或宽和之功效耳。

若情形与上述者有异，纵施行土地课税，土地所有者看定建筑房屋之无利，宁肯将其土地放置不动，则能获得利得者，仅有资本雄厚之土地投机者而已。盖在此场合，土地投机者因欲避免利息之损失，不出以比较的廉价卖出其土地，而一一买占之，暂时观望形势，一俟有建筑房屋之机会，再行建筑，一面既防止房租之下落，一面又得以比较的廉价买进土地，以收得相当之房租，是为于计两得。故在此场合,土地课税之所以贡献于解决居住问题者,可知其必不甚大也。

而且若实施增价税,则土地所有者,自必极力收束,不再买卖,因此即当缩少土地之供给,促进地价之腾贵,发生住宅之不足,使居住有更增困难之虞,皆其无法避免者。例如兹有以 3 万元购入土地者,二三年之后,已腾贵至 5 万元,此时如欲卖出,即当缴纳增价税,例如值百抽二十五,则非缴纳 5000 元不可,于是在彼持有土地时,可认为有 5 万元之财产者,若一旦卖出,而于其内减少 5000,则不过 45000 而已,故彼必不愿意卖出,纵令认有卖出之必要,亦必暂待地价之腾贵,俟其价格超过应纳税额之 5000 元以上方始卖却。如此,则因增价税之实施,反致以人为的缩少土地之供给,又使土地投机之弊害愈以增大也。

如欲避免此种困难,则当效法德国在胶州湾之办法。其办法之最有特色者,即对于土地之未有买卖者,亦时时评定其增价额而加之以课税也。

再征之胶州湾之实例,土地以受有课税之故,买卖常不活泼,因之住宅减少,房租腾贵,然因房租过贵,则人人皆移入比较向有之房租稍廉之房屋,因而房租一般下落,亦不至特别增加居住难之苦况。

Das Unternehmen hatte guten Erfolg: nach der letzten Jahresbilanz entfiel auf den Kapitalanteil des Gouvernements ein Ueberschuss von 8 Proz., und der Wohnungsmangel wurde weniger fühlbar. Immerhin konnte der Wohnungsnot nicht in kurzer Zeit gänzlich abgeholfen werden; die Nachfrage überstieg nach wie vor das Angebot, und die Wohnungspreise erreichten eine übermässige Höhe. Das Gouvernement war nicht in der Lage, die Preise auf eine angemessene Höhe herabzudrücken, denn es war verpflichtet, den Beamten gegen Zahlung eines den heimischen Verhältnissen entsprechenden Mietzinses angemessene Unterkunft in bestimmtem Umfange zu gewähren, und befand sich daher in einer gewissen Abhängigkeit von den privaten Hausbesitzern, denen es die geforderten Preise stets bezahlen musste. Bei dieser Sachlage konnte das Gouvernement, um eine weitere Preissteigerung zu verhindern, nichts anderes tun, als den Anspruch der Beamten auf Gewährung angemessener Unterkunft zu beseitigen und ihnen dafür eine

Wohnungsgeldentschädigung zu gewähren. Die Beamten haben nun mehr selber für ihre Unterkunft zu sorgen: die Folge ist, dass sie sich jetzt etwas mehr einschränken, billigere Wohnungen suchen und die teuren meiden, weil jede Ersparnis am Mietszins jetzt ihnen selbst zu gute kommt. Damit wird erreicht, dass die Mietpreise auf eine angemessene Höhe herabsinken und auf dieser Höhe gehalten werden können. Die ungesunde Wohnungsspekulation wird dadurch bekämpft.①

要之,就居住问题以观察增价税之效果,就其终局的观之,只有消极的,因为有此课税,使房租不大腾贵,居住难不大增加而已,不能积极地对于居住问题之解决有所裨益也。关于此点,亦足以观察增价税之在社会政策的效果矣。然而增价税之目的,实欲夺取由于土地自然增价发生之个人不劳所得之一部分,供作社会公共之用,而由于分配上之正义而来者,至于社会政策上之意义,则固在彼而不在此,故不能谓增价税既对于居住问题无有效果,即欲以此判断此税之效能如何。如欲求其根本解决,须知在分配政策上,又必立有极大之观察点而后可。

以上皆对于增价税之种种议论中,举示其最重要者。然不能谓反对增价税之声,即尽于此也。此外,更有可供研究之价值者,吾人兹试举其二三。

八、不劳所得在商工业亦有同样发生之见解

有谓若对于土地之自然增价而当课税,则对于由于同一原因而发生之商工业上之不劳所得,亦自应当课税。盖在商工业上,亦与土地同,有据投机,或单据偶然之事实,而收得不劳所得者,今仅以土地之自然增价为课税之目的,而对于商工业之有同种不劳所得者,则免除其课税,实无理由。是以若对于土地强课增价税,则是意在施行公平的课税政策者,反酿成不公平之结果也。

以上之反对论,盖以土地所有与商工业之经营同视者,然须先行认清问题,土地所有与商工企业之间,究有如何关系?其及于国民经济上之影响如何?由此发生之结果又如何?皆不可不加以考察也。以此皆与国民经济学上

① *Der Wertzuwachs an Grundstücken und seine Besteuerung in Preussen*, von Job. Victor Bredt. Berlin 1907, S.64 ff.

之根本问题，不能不有接触也。

顾吾思之，论者之说，以不合逻辑之故，故其考虑似缺精确。盖在商工业上，虽亦有不劳所得发生，然不能以此遂谓增价税有不当之理由存在也。使商工业上果有不劳所得发生，则亦当取之以为课税之目的，更不能因此而认为可以排除土地增价税之理由也。如论者之意见，并未议及土地增价税之不当，惟推奖自然增价税，而惜其未推广适用之范围，使加于商工业上之不劳所得耳。

今请少探索其根本而研究之，论者以土地之所有与商工业之不劳所得同视，前提业已错误。殊不知若以经济生活之实状，由客观地观察之，土地之所有与商工业之间，固大有区别在。即土地之所有，有一种独占的性质，土地之面积，有天然的限制，非能任意扩张者。反之，在商工业上，则绝对无此事，且此种土地所有之独占的性质，对于由土地发生之自然增价，既裨以一种之特性，又使土地所有者在一般社会之负担上，有垄断利益之力量，此不可不知也。

且依据商工业之发达，人口之增加，交通之频繁等事以致土地之增价，并不烦所有者有何意思，有何生产的劳作，而自然加重其增进之程度。即令所有者惟有消极地一无所事，而价格之增进，并不因之中止，甚至一起居一饮食之间，阅时无几，而价格之增加，乃不知有几许。纵令土地所有者亦有多少改良之活动，而其利益，往往有超过其劳力不知若干倍者，以故对于劳费而有出于相当之报酬以上者，皆其根据社会情形之进步发达以为其原因者也。

如此，则对此不劳所得而加以课税，又何奇异之有，不惟无所谓奇异而已，若不实行课税，则反为不当之尤者。兹事本不奇异，乃人心对此竟不了解，彼议此论，辄至刺刺不休，则真奇异矣。

九、谓增价税为财产没收说

更有对于增价税，而高唱下述反对论调者，其言曰：增价税者，实为一种之财产没收，而对于现今之法制加以侵害者，即以国家之权力，尚不能有此不法之财产没收也。

此种反对，惟根据曼彻斯特学派之社会观者，始有此论调耳。何则？若穷究此种见解，其结论之所至，必以为现今之法律制度，决不可有何变更，现行之法制，必当永远存续。如此，则必不能新造一种法律，苟新布一法律，即为变更现状,即为侵害现行法制也。然而曼彻斯特学派之人,又往往主张改善现状,欢迎制定新法,此亦互相矛盾,而莫名其妙者。使国家而果无变更法制之力,则根据人类之共同生活,所称为有目的有计划之活动,其果有可以实现之余地耶?

十、谓增价税为社会主义者说

反对论者又大声疾呼曰:凡主张或赞成土地增价税之人,皆社会主义者流,不足齿及也。

呜呼!是何言欤?顾吾思之,社会主义,在现今社会生活上,业已证实其占有颇重要之地位,此固不得而否定也。乃对于社会主义之根本教义毫无智识之人,一闻谈及社会主义,则以为危险万状,以为可惧,以为荒谬,以为无谋,要之皆不辨是非之言也。不知社会主义,实有不能一概抹杀者,与其付之不议不论,以致真相不明,毋宁谓社会主义者,对于现今之时势,固自有差强人意者在也。

其甚者且有对于一切社会政策或一般经济政策,绝不表示好意,凡事之与此有关者,即一概指为社会主义的而排斥之。近时之社会的及经济的立法上,表示此种事例者实多。例如铁路国有、劳动者保护法、劳动保险、消费合作等,苟有赞成或倡道之者,则一律指为社会主义者,或加以轻蔑,或加以摈斥,甚至加以嫉视与弹劾。指称彼辈,则曰彼讲坛社会主义者也,彼新教的社会主义者也,彼旧教的社会主义者也,彼农业的社会主义者也,彼公共团体的社会主义者也,彼国家的社会主义者也,彼伦理的社会主义者也,其所指摘,乃至不可究诘。如此,则不独社会主义之真意义因此汩没,而因有彼辈盲目的攻击,愈使社会主义之意义,迷离惝恍,几使人莫知其庐山真面。可悲哉!方今之状态也!学者论客,苟一度笔触社会主义,口谈社会主义学理,而指示其论据,则必被目为社会主义者,斥为国民所不齿,目为乱臣贼子,目为无知妄人,一律加以排斥,加以迫害,非使之缄口掷笔不止,甚至使之在社会无容身之地,噫,此非应为学问所可太息痛恨者耶?

值此时势,苟有主张土地增价税者,其亦必被指为社会主义的宣传者而受人排斥,实无足怪也。

惟有须牢记者，土地增价税与危险的社会主义，实无何等关系，而不过具有热心与诚意改良社会者，案出此种方策，亦不外改善现今社会组织之缺点，使人类之共同生活，得以圆满且增多幸福而已。

总之，社会主义，实欲打倒凡为生产要素之私有制度者，故对于私人的资本主义之法制及经济组织，皆在反对之列，而不问其孰为土地孰为商工业用之资本。因而地代之私的所得，固应否认，即利息及利润之私的所得，亦当否认。然在所谓土地增价税者，则仍区别土地所有与商工企业，由土地所有而出之自然增价，与由商工企业发生之利息及赢益，固皆极力为之区别而善为之处理者。

最后更有一言不可忘者，即土地增价税，虽具有一种社会政策之性质，然不过欲改善财政上之负担状态而已，并非能对于劳动问题之解决有所尽力也。

第六节　增价税之实施

一、促进增价税实施之动因

对于土地自然之增价，及主张特别课税者，由来已久，英国则首由詹姆士弥尔(James and J.S.Mill)及约翰司徒滑特弥尔倡道之。在德国则瓦格涅(Ad. Wagner)尤明确推奖之，以为凡土地之所有者，并无何等功劳，而得有不劳的所得之自然增价，不仅可为课税之目的，并主张凡属于 Konjunkturgewinn 者，皆当依据累进率之交易税，加以课税。迩来经济学者间，更有不少之热心研究者，即学者与学生间，亦各试其研究与讨论矣。然在实际之政策上，则尚未有若何之影响也。及至最近，始稍有实行者，其所以然之故，并非由于学说之正确，能适合其理想之道德观念，而迫之使然，实则地方团体之财政困难，为其主要之原因也。

自由放任之时代，既化为历史的事实，今也国家对于国民生活之一切方面皆有所注意，随文明之进步，而国家之任务乃愈益加重，几于不知所止。要之，此即方今之国家之所以成为文化国家也。国家不仅消极地当排除或防止对于人民之安宁幸福之侵害，必也更进而积极地讲究诸种之方策，以谋增进人民之福利，而努力以求国民生活之内容丰富。在多数国家任务之内，方今尤以财政及经济上之任务最为重大而复杂，而在此方面之国家任务，与文化之发展，尤层层增进而不知其所止者。

所谓国家任务之加重者，势不得不随国费增加之事实而俱来，而国费之增加，则方今宇内各国通有之现象也。在因循姑息，徒然墨守旧态与习惯，不知力谋进步之国，固不可知，苟欲对于世界之活舞台，一显其国家之活动者，殆未有不苦于国费之膨胀者。

如对于国费之增加，欲讲求支给之道，则必树立种种财政计划，或在私经济的收入，或在公经济的收入，努力增大国库之收入。其结果，即当案出种种新租税，并努力谋其实行，如土地增价税者，亦使国库（或地方团体）收入充实之一手段，而见诸实行者也。

是以对于土地增价税，不就经济学上或社会政策上之立场立论，而专就财政上之见地以树立其实际的意义之人，则以为都市人口急速增加，地方团体之经费亦必见增加，如欲求其财源，而又当力避直接税之新设或增征，即必选择一种新的而税源又丰富之租税，以谋其实施。盖所谓直接税者，方今无论在何都市，大抵皆已达于最高之顶点，无可复加，故必避免再行增征，尤其在工业都市，若再增征所得税，即难保不陷于将有资之人逐渐驱逐出境之结果，而课税更不得不增大。在此场合，认为最适当而收入额又多之新税目，最为繁盛都市所推奖者，即土地增价税也。

要之，土地增价税，与其谓在社会政策上有重要之意见，无宁谓其在财政收入上尤有重要之意义，故遂为一般人所热心推奖，而急急谋其实行也。无论其实行之动机何在，总之不能不认为可在课税上开一新例也。盖将生产要素分为土地、资本、及劳动三类之事，自古典派经济学者有此主张以来，虽已为世人所熟知，即在租税，亦复依此分类以立种别。对于劳动，有出于劳动所得之课税，即所得勤劳税等是也；对于资本，则亦将资本之意义，依照古典学派诸人所解释，认为生产之要素，而加以课税，亦为一般之通例，即各种建筑物、机械、器具，大抵皆为课税之物体，至对于土地，除以之从事耕作或供作建筑房屋之收益目的以外，只认土地仅具有土地之价值而处理之，并未充分加以课税也。

二、实施上之问题

然欲实施土地增价税，则与此关联之重要问题，即其征收时所当取之方法，形式，又当如何，此不能不一研究者。

关于此项，其议论虽亦颇不一致，然各论者之主张，则皆以为此项课税之实施必有多大之困难缘之而生，此则不约而同也。瓦格涅教授曰：关于土地增价税惟一之难题，即其实际执行之问题也。然而瓦格涅则相信可以打破此种困难者，吾人不能忽忘也。① 其实土地改良论者，亦以为土地增价税实施之困难，决非可以否认者。至于如何始能排除其困难，得以达到终局之目的，此则极复杂之问题也。

关于增价税征收形式之问题，包括有下列各种重要之点：

（一）土地增价税，当作为直接税征收，抑当作为间接税征收？

（二）增价税当作为国税，抑当作为地方税？

如以增价税作为直接税，则当划出时期征收之，如认为间接税，则必于有买卖移转时始征收之，关于此问题，论者之见解，又每不一致。惟是此一问题，本非有可以划一论定者，于比较考量两形式之利害长短，亦有不容易判定其是非者。

三、增价税当为直接税耶抑当为间接税耶

对于以增价税为间接税者，则有以下之异论。

如以增价税在土地所有移转时征收，倘土地在数十年间并一回亦不变更其所有主，久无买卖移转，则必非常困难。盖所有期间既长，而税率又低，反使长期持有土地之资本主，因自然增价太大，愈占有极大之不劳所得。要之，以增价税为间接税，因地价腾贵，使地主之不劳所得太大，较之直接增价税，或则其负担之税率较轻，或则有全不负担租税者。而此种现象，实以土地所有之移转完全不行，或期间过长者为最多也。

更有当考虑者，此种土地所有最少移转之事实，尤以该土地之属于地产公

---

① Ad.Wagner, *Finanzielle Mitbeteiligung*, S.52.

司或产业合作社者为最多。何则？对于此种法律上之拟制之法人，较之对于个人其所以促进土地所有移转者不甚有力，以公司股东与合作员，虽有新陈代谢，而其法人之公司或合作社，则依然存在，而长久不变更也。即就近时之公司及合作社发达之情状观之，属于此种所谓死手（die todte Hand）者之土地，尤为广大，实为不可否定之事实也。因而作为间接税之增价税。对于是种土地课税，极容易招致税额过轻之缺点，而关于土地自然增价之弊害，尤以地产公司之所有最为显著。

欲除却此种缺点，便不能不推奖定期征收之直接税矣。惜乎此种直接税之增价税，于实施上亦难免不有许多弊病。

若以增价税在比较的短期间征收，则在评定自然增价时，往往有不可避免之困难，此种困难，尤以对于未建筑地最为重大。如欲对之施行正当之课税与严密之监督，实不能不谓为至难之业。尤其对于土地，在一度征收增价税之后，忽然以何原因，致该土地之价格突然下落，则其课税，即难免陷于不当。故在定期征收之直接增价税，常使土地所有者尤其为未建筑地之所有者，动辄有负担偏重之课税之结果。

如此，则所谓增价税者，无论为直接税或间接税，均之各有利害长短，而有难于决定一方之苦，故为避免弊害计，即不得不就增价税，同时并用直接税与间接税之一法。是即混合直接税与间接税之两种性质之方法也。就此方法，大多数学者亦各自大发表其意见，就中尤以瓦格涅教授之说①，最有倾听之价值也。

四、增价税当作为国税耶抑当作为地方税耶

增价税究当定为国税，抑当定为地方税，此亦一重要问题也。对此问题，有谓最能达到增价税之目的者，与其作为国税，不如作为地方税者最为妥当。盖定为地方税，则欲详知各地方之实际状态便宜较多，确能使增价税有遍应增价之事实与程度之利益者。

然而瓦格涅教授，则主张宜定为国税者，氏之意见，以为一都市之繁盛，而

① Ad.Wagner.*Die Finanzielle Mitbeteiligung*，Jena 1904，S.52 ff.

使其地地价之腾贵者，非仅由于当该都市之原因，乃由于一国之政治的发达经济的发达之故。故既认定设有增价税，征收其增价之一部以供公用果为正当，即当以其增价之原因，归属于国家全体之利益。此说虽亦具有理由，究不如以都市自然增价之利益，仍使归属于都市国体之所有，其见解更为稳当也。

以上皆就增价税实施时相因而起之问题中，举示其最重要者。吾人兹更就施行土地增价税之实例，欲少有所研究。

五、增价税之实例

最初试办土地增价税者，为 1898 年 1 月德国在胶州湾所发布之土地营利条例（Verordnung betreffend Landerwerb im deutschen Kiautschou-Gebiete）。其第七条云：

§ 7. Bei Grundstücken, die innerhalb 25 Jahren den Eigentümer durch freiwilligen Verkauf nicht gewechselt haben, behält sich das Gouvernement die Auflage einer besonderen einmaligen Abgabe vor, welche den in § 6 bestimmten Gewinnanteil nicht übersteigen darf. Der Wert der Grundstücke ist zu diesem Zweck von der in § 6 bezeichneten Kommission zu schätzen.

此即可认为直接征收土地增价税之蓝本者，即涉及 25 年间之久，未见有依据自由买卖以变更所有者之土地，亦当根据第六条经委员会评定其价格，以不超过第六条所定之所得比例额，加以暂时的课税者。

其第六条系规定间接土地增价税者，凡购入土地者，若再行发卖，须按照其纯利益之三成三分三厘之一征税。

§ 6. Die Käufer verpflichten sich, bei einer Wiederveräusserung der von ihnen erstandenen Grundstücke $33\frac{1}{3}$ Proz. des dabei erzielten Reingewinns dem Gouvernement auszukehren.

德国帝国议会决议上项租税法案之理由书曰：

此规定之经济的理由，乃根据最初买卖所决定之土地价格，决非与日后土地之真实价格相当之正当价格也。

据此法案所规定者，则政府对于日后土地之价格腾贵，尚可按照其比例要求课税，然决非阻害个人之何等作为也。若涉及多年，土地之价格毫不腾贵，政府亦惟有不再加以何等之要求而已。

惟土地之价格，若非由于所有者之情事所发生而腾贵，而当归因于政府之设施或地方公共团体一般之活动，诱致其地之繁荣发展者，则政府及社会一般（与其财政上之利害一致者）对其腾贵价格，当按照其比例有所要求。然政府亦只要求其增价额之三分之一，其余三分之二，则仍听个人收得之，故其所取仍属极廉也。

此规定所据为根本理由者，即欲断绝其他亚细亚地方住民间流弊最甚之不健全的土地投机，再传染于此租借地，以为政府之利益并为其主眼者也。

而当时之德意志帝国议会，对于上项之税法，以为其税率不过$33\frac{2}{3}\%$，尚嫌太轻，有多数主张增加为50%者。要之，胶州湾之土地增价税，实为混合直接税与间接税者，亦即德国实行土地增价税之嚆矢也。

又有与胶州湾原无关系，而为瓦格涅教授所主张者，则以对于一般土地之自然增价，宜照增价额百分之九十课税者。①

即在德国本国，其后亦逐渐实施土地增价税，惟当时有认为应加以顾虑者，即征收增价税时，宜对于土地之投机的利益严加课税，对于永久无买卖之土地，则务从宽大，不能不有所斟酌耳。而对于耕地与非耕地，更不能不有所区别，即土地所有者之投资状态，亦有必须深加考虑者，是以就德国土地增价税之实例观之，亦皆包含有此种见解者。

德国最初实施土地增价税者，为美因河边之法兰克福（Frankfurt a.M）市，该市在1894年及1895年，即对于由土地发生之不劳所得，计划实行征税，然以查定不劳所得极为困难，终于未见实行。及1903年，因改良市街，建筑学校，建设救贫院及医院等事，财政极感穷迫，税制上实有施行一大改革之必要。遂于是年，以所得税之增征及土地增价税之新设为目的，而组织有一委员会。越1904年2月，始发表税制整理案。1906年，又加以多少修正而议决之，同年十月遂实施矣。

其所新设者，对于所有权之移转，亦区别为两种：（一）据最后之所有移

① Ad.Wagner, *Kommunale Steuerfragen*, S.30.

转，至少已经过 20 年者；（二）未经过 20 年者。

（一）最后之移转，已经过 20 年者，除征收普通之移转手续费 20%以外，当照下之税率课税。

所有之年限	建筑地	未建筑地（对于买卖价格之%）
20—30	1%	2%
30—40	$1\frac{1}{2}$	3
40 以上	2	1
40—50	——	4
50—60	——	5
60 以上	——	6

但此项课税，仅就土地价格腾贵至课税额以上者征收之。

（二）所有期间未满 20 年者，此场合之课税，虽在课税 2%之普通移转手续费外赋课，然其课税率，非如前项以买卖价格为标准者，乃专以增价额为标准而决定者，其率如下：

对于前价格之新价格腾贵比例（即增价比例）	课税率
15%止	不课税
15%—20%	2%
20%—25%	3%
25%—30%	4%
30%—35%	5%
35%—40%	6%
40%—45%	7%
45%—50%	8%
50%—55%	9%
55%—60%	10%

由此类推，价格腾贵之比例，每增加 5%，则课税率增加 1%，而以课税率增至 20%为止。

关于土地之永续的改良之费用，包含有道路建设费，水道工事费，而由价格中扣除之。即前项价格之5%,在获得土地者亦须将其费用(印花税登记费等)扣除。又对于所有者以之作为农耕用或自家工业用,尚未成为建筑地者,亦以其4%作为利息损失而计算之。

最后则所有之移转,若由于承继而发生,即不赋课增价税。

依据此种新的增价税,由该市所收得之收入实不少,其额略如下:

1905 年	353965 马克
1906 年	632082 马克
1907 年	295535 马克
1908 年	96663 马克

据该市阿第开斯(Adickes,O.)氏所声明,凡新设之租税,固无有如此种增价税之容易负担者,在实施时,并未有何困难,尤以呈报价格腾贵之实状以决定其价格时,更未见有何困难,由此可以证实,从前之反对此税者,曾大声疾呼,以为此种新税,适足阻害土地之买卖者,可谓全无意义,盖土地买卖,固一如从前而日见繁盛也。

次则为哥隆(Köln)市,即德国第二次实施土地增价税之大都市也。该市亦以此税为救济财政困难之惟一方法而见诸实施者,当时财政之不足额,实达于233万马克之巨,为救此困难计,乃设置新税调查委员会,终至有土地增价税之新设计划成立,于1905年实施。其重要之点如下:

土地最后之买卖未满5年者,对其所生之增价,依照次之税率课税。

增价比例	税　　率
10%—20%	10%
20%—30%	11%
110%—120%	20%
150%—160%	24%
160%	25%

若最后之买卖,经过5年乃至10年,则照以上所举之三分之二之税率课税,经过10年以上者,则赋课上之税率之三分之一。如为未建筑地,而照普通

价格移转其所有时,每 1 平方米突,不超过 60 白尼希者,则全不赋课增价税。盖土地自然增价,为最后之买卖与现行之买卖之间之差,其中有须扣除建筑费与利息损失者。

该市之增价税收入如下:

1906 年	287177 马克(此以 1905 年下半期收入加算者)
1907 年	385133
1908 年	67513

其次来比锡(Leipzig)市之增价税,为 1908 年 11 月 14 日所制定者,大致与哥隆市所规定者相似。移转手续费,建筑地为 1%,未建筑地为 2%,据下表加征增价税。

对于前价格之增价比例	对于增价额之课税率
0—5%	——%
5%—10%	5
10%—15%	6
15%—20%	7
30%—35%	10
80%—85%	20

上项税率,与哥隆市同,对于最后之移转未满 5 年之土地所有者课税,5 年以上接续所有土地者,则减轻税率。盖即根据所有年数之差异,对于上表之税率,以下表之比例课税者。

所有年数	建筑地	未建筑地
5 年以上	$\frac{2}{3}$	$\frac{5}{6}$
10 年以上	50%	$\frac{2}{3}$
15 年以上	$33\frac{1}{3}\%$	50%
20 年以上	$\frac{1}{6}$	——

次则汉堡(Hamburg)市之增价税,为1908年10月12日所制定者,不区别建筑地与未建筑地,税率如下表:

增价额	对于增价额之课税率
3000马克	1%
3001—4000马克	$1\frac{1}{2}$%
4001—6000马克	2%
6001—8000马克	$2\frac{1}{2}$%
8001—10000马克	3%
10001—20000马克	$3\frac{1}{2}$%
40000马克以上	5%

若增价额有超过买入额之10%以上者,则对于上项税率,更须按照比例增加。即对于自10%—100%之增价,应有自10%—100%之加税,例如增价为20%—30%,则加税20%是也。对于最后之买卖移转后,30年间所有土地者,则只就上表之税率,仅课税$\frac{3}{4}$%。反之,所有期间未满10年又再有买卖者,则对于上表各税率,更加税$\frac{1}{4}$%。总之,该市之增价税,对于所有年数之长短,均能深加顾虑,且扣除其土地改良之费用。若该地自买入以后,并不为何等利用者,则对其购入价格之利息不能计算。

又次,则为律伯克(Lübeck)市之增价税,大致亦与以上各市所规定者无异。惟对于增价额3000马克以下者,则课税3%,对于逐渐增价至10万马克以上者,则课10%。若增价额有超过买价一成以上者,则加税10%乃至100%,超过增价比例100%以上者再加税100%耳。

由购入时起算,未经过十年又再卖出者,除按照上项之加税外,更当照下项之税率加税。

经过年数	加税比例
1年未满	100%
1年以上2年未满	80%

续表

经过年数	加税比例
2 年以上 3 年未满	70%
3 年以上 4 年未满	60%
4 年以上 10 年未满	50%

若该土地于购入后，经过 30 年始行卖出，而在过去 15 年前，已成为建筑地者，则所应税之额，即按照上举之税额（加算加税额）课税其$\frac{3}{4}$。

复次，则为柏林（Berlin）市之增价税，亦系仿效汉堡律伯克法，而为 1910 年所制定者，其税率如下表：

增价额	课税比例
2000 马克以下	1%
2000 马克至 4000 马克	2%
4000 马克至 6000 马克	3%
6000 马克至 1 万马克	4%
1 万马克至 3 万马克	5%
3 万马克至 6 万马克	6%
6 万马克至 40 万马克	$7\frac{1}{3}$%
40 万马克以上	9%

增价额在上项定额以上更有增加，则更按照其比例之比例加税。若自购入以后，经过 5 年以上 10 年以下者，则按照上定各项税额，加征其$\frac{1}{4}$之税，未经过 3 年者，即恰应加征税额者。又有建筑企业者购入土地，建筑房屋，而未满 3 年者，若其增价额未超过 15000 马克，则不课以税额之增税，仅照其半额加税而已。若总课税比例，超过增价额之 25%，则只照 25%课税，其余免计。

此种税法，对于土地所有权之移转，有属于承继之财产者，或属于赠与者，皆不适用，以对此两场合，自有帝国承继税所应赋课者。复次，则为土地移转，有为公益行之者，在德意志帝国或普鲁士国之国库，为其经营当事者之场合，则其移转，不论为根据契约或公用征收，均不课税，又其移转之事实，若为土地所有者之后裔，以及其他二三场合，亦皆不赋课此税。

自以上各都市实施增价税以来，于是欲创设德意志帝国增价税之议大起，帝国议会即以之附托于28名之特别委员，遂有下项之议定。

课税之方法，凡对于购入价格之增价比例，不足10%者，则课5%，每增价10%，则课税率增加0.5%，以加至100%为止。即对于增价比例100%以上200%以下者，则赋课10%；201%以上400%以下，则赋课11%；400%以上，则赋课12%之类是也。

自购入土地至再卖出时，未经过30年者，每年数减短1年，则加征税率之7%。

此种税法，即用以赋课在德意志帝国内之有土地移转者，其纳税义务，则由于土地移转之登记而发生，其依据承继及赠与而有土地所有权之移转，或由于夫妇共有财产之设定，及其他二三场合而移转者，皆不课税。其增价额，虽根据购入价格与卖出价格之差算定，然必将卖出者取得土地之费用一并算入，又对于纳税义务发生时，以及发生现有利益之建筑及其改良费并在未建筑地时之每年利息损失，亦一并扣除之。

自有帝国增价税法实施，则各地方向行之增价税法即应废止，增价税收入中，由德意志帝国收入50%，各邦政府收入10%，其余之40%，若各地方无特别规定，则归属于发生增价事实之地方团体所有。

关于以增价税作为帝国之国税一事，在德国亦有人表示反对之意见，以为增价税之性质上，实有不能不作为地方税者。然而此问题之实际解决，与其专根据理论上之理由，无宁谓其有迫于财政收入上之实际的必要者。

要之，德国增价税之成绩，固当列为最上上等，然征诸实施此税之多数都市之当局者发表之意见，谓其成绩虽非不良，至少亦不至因此而有阻害土地之交易，使事业有萎缩之结果，尤为难争之事实，无论如何悲观，而能据此以增加多少之财政收入，则无疑也。兹试揭载二三有力当局者之意见，以供读者之参考，并载其原文如下：

Oberbürgermeister Dr.Adickes von Frankfurt a.M.(Die Deutsche Juristenzeitung Nr.5 vom 1.März 1906.S.281)：

“Was aber die praktische Handhabung (der neuen Umsatzsteuerordnung) anlangt, so haben sich bis jetzt erhebliche Schwierigkeiten nicht ergeben.Insbesondere haben die zur Feststellung des Wertzuwachses erforderlichen Ermittelungen meist unschwer auf Grund formularmässiger Anfragen erledigt werden können, soweit die Unterlagen nicht schon aus den Vorakten erhellten. Bemerkenswert ist aber vor allem, dass alle Prophezeiungen über verderbliche Einflüsse der neuen Steuerordnung auf die Umsätze in Grundstücken sich als verfehlt herausgestellt haben."

DerOberbürgermeister von Gelsenkirchen(1907):

"Ein Rückgang im Immobilienumsatz infolge der neuen Steuer ist nicht hervorgetreten, auch hat die Steuerordnung die von den Gegnern der Steuer prophezeiten Lahmlegung der Bautätigkeit nicht im Gefolge gehabt."

"……(Hieraus) ergibt sich, dass sich die Steuerordnung sehr gut gewahrt, ihre Bestimmungen von den Steuerpflichtigen als eine übermässige Harte nicht empfunden werden, und dass sie auch weiterhin eine wertvolle Ergänzung des kommunalen Steuersystems bilden werden."

DerOberbürgermeister von Essen:

"Die steuer hat sich im allgemeinen gut bewährt. Dauernde ungünstige Einwirkungen auf die Entwicklung des Grundstücksmarktes und auf die Bodenpreise sind nicht eingetreten."

Der Gemeindevorstand von Weissensee:

"Eine nachteilige Einwirkung der hiesigen Gemeinde haben wir nicht wahrgenommen."

Der Gemeindevorstand von Reinickendorf:

"Die Veranlagungen haben – entgegen den von einzelnen Seiten ausgesprochenen Befürchtungen–besondere Schwierigkeiten nicht bereitet."

"Dassdurch die Einführung der Steuer ein Nachlassen der Grundstücksumsätze eingetreten wäre, sei nicht anzunehmen, die Umsätze haben sich zweifellos verhältnismässig in demselben Umfange wie in anderen Gemeinden, in denen die Steuer nicht Besteht, vollzogen. Eine Ueberwälzung der Steuer auf die Käufer hat nach den Kaufvertragen durchweg nicht stattgefunden. Ob eine solche damit allerdings auch materielle–durch Erhöhung des Kaufpreises–nicht eingetreten sei, lasse sich naturgemäss mit Bestimmtheit nicht sagen, in dessen sie unter Berücksichtigung früher und gegenwärtig bezahlter Kaufpreise anzunehmen, dass der Verkäufer die Steuer in den meisten Fälle auch wirklich getragen habe."

Andere Aussagen lauten:

"Durch diese Steuer is tder ungesunden Bodenspekulation Einhalt geboten worden."

"Diese Art der Besteuerung wird hier auch von den Besteuerten als gerecht anerkannt."

"Die Steuer wird allenthalben als eine gerechte empfunden."

"Mit der Steuerhat man hier gute Erfahrungen gemacht."

"Hier hat man sich an diese gerechte Steuer-ausgenommen die wilde Spekulation-allgemein gewöhnt."

"Die Steuer stellt keine nennenswerte Belastung des Bodenbesitzes dar; zur ersten Zeit der Einführung dieser Steuer zeigte sich seitens einiger Grundbesitzer Widerstand, doch ist dieser jetzt fast völlig geschwunden und wird die Steuer als eine gerechte anerkannt. Auf die Veräusserung von Areal bzw. auf die Bautätigkeit ist die Steuer ohne jedweden Einfluss."

最后,更就英国之增价税略言之,英国于 1895 年,即早有设置土地改良税之计划,至 1899 年 2 月 10 日,对于该计划始得有 123 票,其后 5 年,即 1904 年 3 月 11 日,对于 135 票,遂占有 225 票之多数。

于是前首相坎柏尔巴拉满(Bannerman, C.)即建立增价税之计划,后继首相爱斯葵(Asquith)复蹈袭之,而地代税与地价税乃于 1909 年 11 月 5 日,以 329 票之对 140 票多数通过于下院,但无端惹起彼之有名的预算问题,几有被上院否决之形势。然至 1910 年 4 月 27 日,问题终归解决,英国遂有增价税之国税实行矣。然其税率,较之德国更高,对于不劳的自然增价,竟实行 20%之课税。

瑞士各都市,亦有实施增价税者。

要之,欧美之舆论,议论之时代已成过去,完全达于实施之时机,则为不可争之事实矣。

第八章　土地之所有

第一节　土地利益归私人取得之当否

吾人承研究地代地价之后，已论及土地自然增价之事实，及其不劳所得归个人所有而发生之社会的不平均，并论及矫正此不平均之方策之土地增价税矣。土地增价税，对于土地自然增价发生之社会的不平均，固具有几分可以矫正之功效，并含有社会政策的意义而确无可疑者。然既不过为一种租税，则其效果及范围，终不免有所局限，固不能铲除自然增价所以发生弊害之根蒂者也。

于是此议论，又当转而进于所谓根本的矣。然而惹起此弊之第一原因，又果何在乎？所谓地代者，究具有可为个人所得之性质乎？若地代之个人所得，系随土地所有之事实与制度而发生之自然的结果，则所谓土地所有之真意义究如何，又当成为开宗明义之问题矣。苟此第一义之问题不能解决，则虽有百种方策，千种设施，而社会及经济组织之缺点，终难补救。盖根本问题既未解决，专就枝叶问题纠缠，虽有万千议论，毕竟毫无意味，故非先就地代所得之正否，与土地所有之真意义，加以考察论究不为功也。

吾人兹就此等根本问题少加研究，而先自土地地代之正当与否之问题入手。

一、社会主义者之见地

世固多有相信地代之为私人所得为不正当者。而在信奉社会主义之人，大抵皆欲否认地代之为私人所得。盖社会主义，以为除劳动者得有所得以外，凡由于租费(die Rente 广义的解释)而来之所得，皆为不法，则谓其教义之根柢，全在乎此，亦无不可。是以否认租费所得之论文著书，于社会主义之文字中，固往往见之。

据社会主义者之所见，以为一切货物之交换价值，皆依据其生产时所必要的社会的劳动而定，故价值之单位，必属于货物生产时所必要的社会的劳动时间。此种劳动价值说，大体虽无错误，然一考诸实际，则货物之交换价值，非仅根据生产时所必要之社会的劳动之量所能定者，除此以外，必加入许多要素，始有此价值之决定也。然若以此打破劳动价值说，则社会主义之教义，其根本即当发生不少之动摇。

总之，若据社会主义者之所信，则所谓租费者，实为应支付劳动之代价而不支付，由于社会某一部分之人，根据无偿以垄断劳动所生之利益而成立者。彼有名的马克思之《赢余价值论》，即由此而发生也。彼意以为现今之状态，只社会一小部分之人，握有生产手段，而其他大多数之人则仅有劳动，为其惟一之财货耳。然欲从事生产，即必要生产手段，故劳动者常不能不被生产手段之所有者之所使役。且生产手段之所有者即资本主等，当雇入劳动时，仅对其一部分之工资支付代价，其他之部分，则全然不付代价，而以其利益归诸自己所垄断。此种被垄断之部分，即为赢余价值，租费亦即据此而成立者（参照地代论第四章第五节）。

故从社会主义者之见解，则租费全为垄断劳动之利益，资本主对于劳动者，不过一种公然之盗贼耳。其成立之根本既为不法，则彻上彻下，自应无租费存立之余地，若再进而议论其存立之正当与否，尤为毫无理由。惟有一言当声明者，所谓租费者，既不外乎资本主窃盗劳动者之劳动利益之部分。是即社会主义者始终否认租费之存立者也。

二、分配上之根本问题

如上所述，乃社会主义者之见解之一斑。顾吾思之，凡承认现今国民经济上之所谓分配法则为正当之人，则以为方今之土地、资本、劳动、企业四者，皆参与生产价值之分配，而能各各获得有地代、利息、工资、利润者，实以是等既皆参与生产，或则为劳动之提供，或则许其所有物之供用，而足以帮助生产者。故既参与生产，即能参与生产之结果之分配，此分配之所以正当也。

然而此种理论，是否正当，颇不能不有疑问。即取例于地代观之，地代之发生，业如《地代论》之所详述，决非基于土地之使用之事实而发生者，无宁就其反对，以其生产力较优之土地，而存在量有限，又因其不许自由任意使用，以致其使用之范围遂被局限，乃不得已始使用生产力较劣位置又不便之土地，因此始有发生地代之余地也。假令地味肥沃位置便利之土地，如有无限存在，而其使用与其效用之发露，又绝无限制，则地代决无自而发生。故谓地代之发生，为由于土地之使用及其效用之发露者，可谓大误。须知地代决非对于土地之有用性之报酬，而实具有一种独占的性质之差益也。

即就地代以外之租费思之，其理论亦复与此无异。

再让一步，而谓参与生产者，当依据其在生产上之功劳，以参与生产结果之分配，然此亦不足以说明地代应归地主所得之为正当也。何则？参与生产，于生产上有功劳，因而不能不参与生产结果之分配者，实为土地之自体，决不能以之归功于土地之所有者。故既说明须以地代归属于土地之为正当，而又谓土地之所有者收归于自己之怀中为正当，实苦无法说明。然则地代归属之问题，为吾人所急欲了解而又为现今之大问题者，固不在前者而实在于后者耳。

要之，论者如以参与生产及于生产有功劳之事实，为承认现今分配方法之理由，实误解地代之本性者也。且因此而知主张土地所有者以地代攘为自己所得为正当，皆无法为之说明者也。

惟分配论上所谓之正义观念，其归结固以为当使各人应其功劳而参与其分配（Jedem nach seiner Leistung）者，然而所谓自己之功劳云者，必不能不在其处确有行为，其行为虽有积极的行为与消极的行为（即不作为）之分，总之必要有行为，则毫无可疑。有行为，则必因此而有意思之发动，诸种动机相战，一有力之动机，能发生反于其反对之诸动机之决意，始表现为行为。故多少必要有心身之努力，而于意思之上，有所牺牲而后可。乃今之生产结果之分配，若对此行为而为报偿，则其报偿，必不可不认为对此牺牲之报偿也。

论者固有以对此牺牲之报偿，而说明租费所得之为正当者。然而如上所论，地代发生之原因，本完全离开人的关系，而由于土地所固有的某性能，与对于农产物及房屋之需给关系所发生者,实无容纳所谓行为及牺牲之余地也。若更欲据此以说明地代所得之正当,实可谓强词夺理之尤者。

无论就何方面观之,若以使各人应其功劳参与分配(Jedem nach seiner Leistung)为分配上之理想,使分配上之正义得以据此贯彻,则租费所得,实苦无法调和,此所以终于不能认其主张之为正当也。故 Jedem nach seiner Leistung 之旗帜既不彻底,则以地代归于土地所有者之所取得,终不正当。

夫经济学理之研究盛行,而使经济学得成为一种科学,业已二百余年于兹。至其根本理论,则昔日与今日,固仍无甚悬殊,其间之学理之进步,可谓并不显著。然一返观于经济实际之情况,则实有惊天动地之大变革,尤以欧美各国经济界之发展,实有极大之隐忧存在。然则对此实际之大变革,经济学之学理,果能墨守昔日之原状而毫不一动耶。

若昔日所树立之经济学上之许多学理,果为千古不变之大法则,则当放诸古今而皆准,放诸东西而皆准,无论经济实际之状态如何变动,而学理仍可不变。但经济学上既设定之学理,果可认为千古之大法则否耶?

尤以关于所得之所谓分配法则者,果可认为贯彻古今东西而不误之法则耶?按照现今之实际,使工资利息利润地代互相对立,果能认为合理的否耶?吾人终不能无疑也。

余以为欲解释此问题,必须分为两方面研究之:其一为使地代成立之事实之理论的说明;其二则为在如何的自然的前提之下,又以如何的力量为基础,使地代之现象有如方今之意义之说明也。吾人兹就地代为个人所得之正当,已达到不能以理论的说明之域,此实万万无可避者。惟有请读者诸君,就《地代论》中论述地代之理论,加以十分考察而已。

三、土地国有论

然吾人如不能证明地主取得地代之为正当,斯不能不请求完全废止之方法,使入于正当之轨道。若任地代发生仍得维持现状,而仅实行增价税,取其利得之一部分作为租税,以供社会公众之用,仍不能达到此种目的。除祸固必须除其祸根也。

于是社会主义者及其一派论者,遂欲断行土地国有,悉举土地之生产物,归于国家所有焉。然而土地国有即令实行，而地代亦非全然停止其发生者，所谓地代者，既为对于以同样之资本劳动，投于同一面积之土地上，依据其生产价值之差额而成立者，则土地之沃度苟不均一，地代即依然可以存续。且地代如由于土地具有之位置之优劣便否而自然发生，则位置便否一事，即具有自然而不可排除之性质，其结果，即令施行土地国有，而地代依然可以发生。然而此种理由，与吾人于此所欲论者决无妨碍也。地代虽依然存续，然既不若现今之地主可以取得其不当者，而悉举其全额流入国库，使供国民全体之利益之用，亦未始非使地代克就正当之道者。

于是吾人为准备论究土地国有之根本理论计，拟于以下二节，先就土地所有之意义，及土地所有之历史的发展，加以观察与讨论。盖土地国有论者之所主张，皆于此建筑其基础也。又吾人因欲稍得有关于论究此事之补充的智识，故又于后节研究土地所有之现状焉。

第二节　土地所有制

一、土地生产上之法则

欲攻究土地私有之必要，且于社会的视为正当，莫若就农业经营上二三当面之事实考察之。学者总称此等事实，曰土地生产上之法则（Das Gesetz der Bodenproduktion）。盖土地之为物，不待言，不仅其面积有自然的局限，即其生产力亦非无尽，此就《地代论》第四章所述而可证明者。是以在农业生产上，虽于一地之上投施资本劳动，而因其集约之程度不同，遂因之而使收益逐渐减少，即再多投施资本劳动，而收益尤不免有比较的减少。假令无此法则，而土地之生产力又无限，则土地之存在量，虽于面积之上被有局限，亦当不感困难。苟对于一定面积之土地，益多投施资本与劳动，则对于农产物之需要，无论如何增加，而其供给仍绰绰然有余裕也。然而此种理想，既已绝对无望，而因土地之生产力有限，遂使人对于一地，必加重资本劳动，同时又必扩张耕作之面积，尽其能力使其土地成为集约的，且必普遍地使用之。然在不同之各地，又因其生产能力之各异，虽同样投施资本与劳动，而两者间之生产效果，固仍不相同也。

方今科学进步，技术发达，对于上述土地生产上之法则，固有多少可以和缓其势力者，文明一般进步，则对于土地生产上之法则，愈增加反对之势力，固无可疑。故农业经营上若有改善，则农业生产力之逐渐增加，亦为不可否定之事实。然此究不过相对的有其增加而已，生产力之增加，愈以有困难之条件为必要，必愈益多有所牺牲始能表现，此亦不可否定者。故土地生产上之自然的法则，虽多少藉以和缓，而犹依然存续，依然不失为有力之根源，则仍不得而否定也。

人必自食其力之训言，无论何种产业，罔不如此，而尤以农业为最显著，此亦根据实验所可证明者。即在农业生产上，欲谋生产之增加，则所要之努力，必须愈益加重，而且即加重诸多之努力，亦不过得有比较的少额之生产增加而已。学者称此曰收获递减法则（Law of diminishing returns）。

收获递减法则之意义，吾人已于《地代论》评论之，兹无赘述之必要。惟既有此自然的法则畅行，则在土地利用上，尤有不得不行集约法之必要，此亦使土地成为私有权之根据之一端也。

据前所述，人口增加，则对于食料品之需要增加，如欲应之以增加供给，须知只有两法：其一为由于既经耕作之土地，更对于劣等的（沃度及位置劣者）土地，扩张其耕作之范围也。其他，则为对于现正耕作之土地，更加重其资本与劳动，愈益集约其经营也。然在前者，则以既垦耕地之面积，比较地既极狭隘，如未垦地之存在量尚多，则耕地范围之扩张或许可行，然亦有无论如何而决不能行者。按诸土地开垦之历史，古来所谓土地者之土地，业已开垦殆尽，如在业无扩张耕作之余地之国或地方，则对于农产物需要增加之势，无论如何强盛，亦终不能据此方法以增加其供给，而应其增加之需要也。尤以依据都市膨胀而有食料品需要增加之场合，即欲设法应付，而就全国加以观察，姑无论其耕作范围，已陷于无可扩张之余地，即令可以设法，而又因交通之不便，或某种农产物不堪远路之运搬，或虽能向远路运搬，而以价格太低，又须加入运费，则收益殊难适合，因此对于都市之供给，其范围极被局限，而终有无法扩张者。

情势既已如此，则欲以适应需要增加之方法，谋耕作范围之扩张，而又终被局限，在原有古农业之旧国，殆有无可推行之余地者。

二、土地集约经营之必要

于是欲适应农产物需要增加之道，惟有适用第二方法矣。即对于既耕作之土地，更新投多大之资本与劳动，以集约其经营，或于耕作技术之上，或于施肥除草之上，或于经营组织之上，以计划改良进步而已。盖农业生产增加之方法，惟有此集约经营法之一点耳。然如方今之交通机关发达，即世界偏僻之处，亦有价廉而迅速之交通运输，则一国一地方，纵有农产物之需要增加，亦可由人少而农业生产丰富之地方，得为充分之供给。在某意味，亦有可认为扩张耕作之范围（质言之，即供给范围）者，然在情形不然之时代，则此扩张耕作范围之事实，到底无由实现，故究其所极，只剩有集约其农法之一法耳。又有其国民之常食品，若限于某种谷物（例如日本之米），则交通机关，任有如何发达，而其特殊谷物之生产地，只限于地球上比较的狭范围内，则扩张耕作范围与扩张供给范围之事实，亦终于不可行。故在此状态之下者，其增加供给之道，亦惟有使其农法愈益趋于集约的而已。

于此有不可忘者，所以适应人口增加农产物需要增加之道，使此粗放农法渐次化为集约农法，若已达于顶点，此外再无有可以增加供给之事实，则对于土地之私有权，即由此发生朕兆。而土地私有权亦即以此事实为基础而渐次确立矣。

盖人口尚少而土地有余，则其农业经营，必皆为粗放的，人人皆在随其所欲，得以利用肥沃而位置又便利之土地之状态下，以经营其农业，则对于土地，并无有确定私有权之必要，土地私有权之概念，亦无自而构成。此时之土地，既有同一之生产力，又同一可以自由利用，其利用之方法，又皆同一而为粗放的，因而即在收获期，生产之结果，各地又皆在无可轩轾之状态下，实无有规定土地私有制之必要者。即令有某特定之人，对于某特定之土地，有结合特别紧密关系之必要，任听何人，使用何地，亦于全体之利害，丝毫不关痛痒，则在社会一般，对于所谓土地私有云云，殆不能看出有何等之利益，即在个人，亦不感觉土地私有，究有何等之利益也。

三、集约经营有私有制之必要

然对于土地，竟迫于有施行集约的经营之必要，则其情形，即与上述者大异。盖农业既愈益增加集约之度，则土地私有制度，即益感有必要，逐渐更成为必要不可缺之制度。集约农业本与粗放农业有异，对于土地，能愈益投施多大之资本者，方能愈益增大其生产量，故苟有人焉，能较他人多投资本，能较他人勉力劳作，自能超过他人，而获得多大之生产利益。然而同是人也，果有谁愿较之他人肯供多大之牺牲者，又谁愿较之他人而异常出力者，而又谁不愿于获得生产时，不欲人人平等分配，而以自己特别所生产者，由自己一人专占有之者。而最能适合此种希望者，莫如土地私有制度，若有此种制度，则据之而为土地所有者。即可排斥他人，而由自己一人独占有土地生产之利益。又自社会一般之利益言之，农产物之需要既已增加不止，而应之之方法，又不能出乎集约农业以外，使各人能进而集约其农法，益加奋勉，益增大生产之结果，亦即社会一般之利益也。土地私有，既能适合于行此集约法之条件，则谓私有制能与社会之一般之利益一致亦无不可。故在集约农法之下，既有土地①有制之必要，则土地私有制，实迫于农法集约之必要而起，可谓应运而生。同时因有土地私有制确立，更使农法愈得趋于集约的也。

凡对于土地之投资，非一经投资即能收回其利益者，其所投之资本，依其投下，即与土地合体，化而为不可分离之性能。故对于投资之利益，必在数年乃至数十年之后，始能逐渐收回，又其增加土地之生产力者，今年所投之资本，非在今年之收获期即能表现其利益者。尤以所谓土地改良（如疏水、排水、筑堤，及其他耕地整理等）者，其利益必在长久岁月之后，始行逐渐表现，终非业务年度中可以计数的得而知之者。因而土地改良及其他一般对于土地之投资，即身当投资之特定人，非树立有经年累月，以其土地，安全置诸自己之支配下，得以徐徐收回其投资之利益，则其事终不可行。则谓土地私有制，实迫于此种必要，即对于投资者有保证其收回投资利益之必要亦无不可。即谓根据私有权，而使所有者对于土地能收得排他的利益，始有投资，始能实行土地改良，亦无不可也。

总之，土地因施行集约农法，乃逐渐和缓其天然的性质，而又因投资之结果，与土地成为合体，而有固结不可分离之关系，则土地渐与人为的个性相合，

---

① 此处疑排印掉字。——编者注

为不可否定之事实。因而就土地本来之性质言之，虽本属于天与者，乃自迫于集约农法之必要，则土地渐渐带有个性，且亦不能谓之纯然的天惠物，土地之性状，在经济的意义上，已有多少变化，尤为难于否定之事实也。

四、文明史上之事实

即征之文明史上之事实，当世人尚未脱离狩猎渔牧之俗，或以牧畜为生业之时代，则对于土地之个别的所有权尚未确立，土地不过为一种公有物，各个人各于其上，惟有其使用权而已。及至文化渐进，国家的组织稍稍成功，人人有经营定住的生活之必要，对于土地而投下资本与劳动者，必希望将该土地置诸自己个人私有之下，得以排斥他人而独占有土地之利益，于是个别的私有权，乃由此而成立。是以所有权必由于资本劳动之投施而俱来，观于此而益明也。故谓土地所有权发生之起源，由于人之以其资本劳动投施于天与物之土地之上，为其一种之印证，亦无有不可者。

所有权之承认，固必先起于动产，然必完全由于当该动产系依据某特殊个人之劳动而成，而后该个人始对此主张独占的利益，以排斥他人共享其利益。对于土地所有权之成立，其观念大抵亦与此无异，人若以其劳动加于土地，或以依据劳力所成之资本投下之，以产出不能与土地分离之一种价值，则其价值，毕竟为彼之自身之劳动资本之结果。故既使劳动资本之动物性质，化而为不动的性质，则对于动产既承认有所有权，对于不动产，亦当然承认其有所有权。

惟土地利用之道，有必不能不由于土地之具有以下三种之性质而出者。即

（一）土地变化物质之性能，即生产力之具有者。

（二）土地为既存在之物质之所持者。

（三）土地为人之生存及活动之场所之载受者。

土地变化物质之力（自经济上言之，即其生产能力），以表现于农业上使用土地者为主，而又为其最重要的性质，惟因土地具有此种性能，而后农业生产方得成立也。此种性能，虽为土地所固有，但依据人为而投施资本劳动，亦可以谋其增加，且能使之达到某程度，农业生产上之种种技术，即专为最多增

加此种生产力而发也。故具有此种性质之土地，其面积虽为天然的所局限，若自生产能力之具有者一点言之，则谓随其能力之增加，即为土地之增加，亦无不可。

复次，为具有第二性质之土地，例如为石材矿物等之包容者，若论其存在量，固亦为天然的所局限，人苟欲占有之，必要投施资本与劳动，然既有可以占取之余裕，故自经济的言之，即与制造业无异，苟能多投施资本与劳动，则亦任到若何程度，得以增加其生产量与其占取量者。

至于最后之第三性质，则为人类之生存及活动之载受者之土地，亦即人类居于其上以施展其活动之地盘，而使用为修筑道路铁路之用地，或建筑房屋之建筑地者。此种用地，如专据土地之自然状态，必不合同，必也加以资本劳动，始能达到使用之目的。然一度投施资本与劳动，为谋其合用而使用该土地，则该土地已非复原来之土地，其使用之范围，乃随增加资本劳动之投施而亦得以扩大，此亦无可疑者。

要之，在以上任何场合，苟欲利用土地，使成为满足人类欲望之具，即欲使之成为经济上之所谓财，则必要投施资本与劳动，既一度投以资本加以劳动，则其结果，必化而为与土地固结不可分离之一体，其土地已非复原来之自然的土地，即资本劳动之结果，亦不复能照原形存在，乃由于两者合体，而成为一种新的性状化。于是人之所认为所有权之目的之土地，并不在乎未经投施资本劳动之自然不动的土地，而实在乎因施劳投资之结果而结合为一体之土地，方可认为所有权之基础也。

吾人今兹固非欲就土地之经济上之性质有所论究者，故对于土地之此种性质，实无深加研究其性能之必要。惟有不可忘者，即对于土地所由承认有私人的所有权者，实以人类对于土地，既逐渐被迫于有利用集约的必要，而不得不投施资本与劳动耳。而其事实，又恰能与社会一般之利益一致，此土地私有制度所由得以确立也。是以即谓成立土地私有制度之基础者，确为社会的必要与社会的利益，殆亦非过。

五、土地支配之三形式

善哉，萨焚宜（Savigne）所举之土地支配之三形式也！氏以为土地有为公有财产而为公共的利用(Gemeingut und Gemeingenuss)者,有为公有财产而为私人的利用(Gemeingut und Privatgenuss)者,有为私有财产而为私人的利用(Privatgut und Privatgenuss)者;此皆由于时代之必要发生而出者也。即此三种形式,必根据科学的并历史的始能发生,因而必不可不具有其经济的并历史的条件。是以在上述三种形式中,究以适用何者为有利,必完全根据历史的必要与经济的必要,始能加以判断。故自历史的观之,在各时代中之经济发展之状态,应取何一方式,即于上述三形式中,决定采用其中之何一方式,亦即暗示其背后,实有迫之使然之历史的并经济的必要潜伏者。而此理且不仅关于土地所有为然,即社会一切制度,亦罔不如此。因而即就社会制度加以批判,固无绝对的可认为真,可主张为正当者,必也就其所谓历史的并经济的必要,有所顾虑,有所玩味而后可。

六、私有制度非神圣不可侵者

要之,所谓土地私有之制度,非绝对的不可动者,非神圣不可侵者。是实不外乎经济的必要所生出者,故经济的必要若有变动,不仅所根据之土地私有制难于维持,今转有因之而不免有所毁伤,则土地私有制,即失其存在之理由,其成立之基础,亦不得不感动摇矣。盖于施行集约农业之必要上,故承认土地私有制之有用,又因既有土地私有制,更能施行集约的农业,于是社会一般之利益,乃得以维持,得以增进。今则不然,因有人口之增加,致对于土地之需要,增加不止,而又因其供给量为天然的所局限,终不能满足对于土地之全体的需要,于是土地之价格腾贵不止,凡人之欲获得土地之所有权者,乃不得不出以多大之牺牲,其幸而获得土地之所有权者,惟欲根据掌握土地所有权之事实,以获得不劳的自然增价之利益。此则实因有土地私有制存在,反伤害社会一般之利益也,故不能不谓土地私有制之基础,已发生极大之动摇也。

吾人于以上,曾列举土地性能之三点,其中之一,为土地具有一定之生产力,具有变化物质之力,故在利用上,遂认有土地私有制之必要,今则土地在其第三性质上,愈益加重,凡可为人类之存在及活动之场所者,尤感有利用之必要者加多,则希望获得土地此种性能之所持者亦因之愈多。然以土地之面积,既被天然的所局限,在供给上具有独占性,于是土地之价格,遂至法外高贵,尤使所有者获得不劳的利得，故事实上即动辄有欲以此土地由私人手中取出，委之于社会一般之公共的利用，以供作社会之利益者。

即就农地观之，因有人口之多数增加，对于农产物之需要，亦复有加无已，而又因土地之生产量，比较地既有限度，以致需要供给终不相合，其结果，遂使农产物之价格，愈益腾贵。因之地代愈益增加，更使地价有腾贵不止之实状，故今日反因有土地私有制之存在，致使由于社会的原因发生之利益，不能归属于社会，而专归于所有者之私人，为人人之所侧目，故昔之认为合于社会一般利益之土地私有制，今则变为与社会一般之利益处处相冲突，既与社会一般之利益抵触，则土地私有制度，非由此失其根据而何。

至于都市之宅地，本无就其生产力有所谓作为之性质者，不过对于人之存在及其活动之场所，有其意义而已。因而在都市宅地，所谓有为土地私有权之基础的集约经营之必要，自始即不成立，则其私有权，又果据何基础而存在者。既无成立之基础，又何能谓为正当耶？然而都市之宅地，则每因都市发达，人口增加，其对之之需要增加不止，而其地价，则更突飞进步，腾贵无已，其自然增价之显著的事实，尤为掩之无可掩者。

然则都市宅地，私有权之基础既已缺如，而又使由于私有制发生之社会的不利益，极为著大，则行于其上之私有制度，实可谓无意义已极，不当已极者。

由此观之，则土地私有之制度，仅为一种社会制度，因而对于社会一般之利益，若能有所裨益，在与社会利益一致之范围内，不妨认为正当而已。

Das Privateigentum ist auch nur eine gesellschaftliche Institution, die dem Wohl der Gesamtheit dienen soll und nur innerhalb dieses Rahmens gerecht fertigt werden kann, niemals anders.①

即土地私有制，决非论理的或绝对的必要制度，而不过由于历史的有存在之理由而已，因而不能谓其任在何种状态之下，为有其必要者，既有不过被限于历史的之意义，则情形一有变更，即不能不以他种制度取代而之。

Das private Grundeigenthum ist keine logisch absolut nothwendige, sondern nur eine historische Kategorie, die Institution also nicht unter allen Umständen

① Ad.Wagner, *Wohnungsnot und städtische Bodenfrage*, Berlin, S.10.

geboten, sondern nur historisch bedingt, an ihrer Stelle kann sehr wohl eine andere Einrichtung stehen.——Lassalle

要之,所谓土地私有制度者,实不过由于历史的必要所发生之便宜制度,决非永久不变之正当的制度也。

第三节　土地所有之沿革

当今之世,无论何国,对于土地之个人所有权,固已确立安固,即任何国之法律,亦无不明确承认个人对于土地之所有权,几乎认定所谓土地私有,为不可动之现实的事实,而对之制定法规,明确规定其权利及范围,使土地私有之事实,化而为法律的关系,而所谓土地所有权,亦遂于此确立矣。

一、土地私有制无有原始的起源

然所以致此者,究不过当今之观念使之然耳。若回溯原始的以观其决定土地所有之关系,则确立对于土地之个人之所有权者,特在最晚近之时代为然耳。在原始的法律状态之下,一般固未尝承认土地私有之制度也。盖在文化幼稚经济尚未发达之时代,人类之生活,大抵为团体的,决非如方今之意味全为个人的。故无论为所谓狩猎渔捞民族、牧畜民族,或劣等农业民族,其所有之生活,殆无一而非团体的,其团体之所在,实有一个不可分之存在,为一个共同生活体,凡个人生活上之一切任务,皆以团体之名,团体之手行之,个人之意义,皆完全埋没于团体之意义中。是以若自法律的言之,在原始或未开时代,个人并非法律上之主体,法律上之主体,只有团体而已。

Bei primitiver Rechtskultur ist nur dieGruppe Rechtssubjekt; bei fortgeschrittener Rechtskultur erwacht die Rechtssubjektivität der Einzelnen.①

团体既为法律主体,又有为共同生活体之活动,则对于所谓土地者,以其为重要的生存上之要件,自应不存在于个人之手,而当存在于团体之手也明矣。即参照各种民族之实状,其土地大抵皆属于部落或民族团体所有,而不属

---

① Fr. Berolzheimer, *Philosophie des Vermögens*, S.41.

于个人所私有，而且在此场合之所有关系，非各个人之所共有，而为一个法律主体之共同团体，认为一个单独之权利而所有之者。因而与社会主义者或共产主义者之所信者，稍稍异其说明。如彼等所谓在原始及未开时代之共产的社会，以土地为其他生存之必要条件之共有云云，实稍欠正确之观念也。至少就法律上之观念言，其认定以当时之土地所有，实为各个人之所共有云云，究不免有错误也。

总之，在原始或未开状态中，各个人不能私有土地，惟团体以团体之名义而有之耳。即如狩猎渔捞民族，其生存之必要上，虽不重视土地，然亦尚有猎区，大抵亦属于部落团体之所有，至于牧畜民族，则需要土地，比诸狩猎民族较广，其牧场牧区，大抵亦为部落所有。及至劣等农耕民族出现，必更要极大之土地，惟其耕地，大抵非为部落所有，即为氏族团体所有，绝无有为个人所私有者。然在该团体中，若有特别勤奋之个人，于部落之共同耕作以外，利用余暇，以开垦荒芜之地者，则对其开垦之地，普通多有认为当该个人之私有者。特此种状态，不过其例外耳，至于一般之观念，则依然不失为团体之所有也。即在日本，自神代以来，以至氏族制度时代，亦可认为其土地全属于氏族团体之所有者。

然而生活状态进步，经济上社会上政治上等更形发达，则共同生活体之大团体，殊感不便，于是氏族制度瓦解，而有大家族制度之确立，被统一于家长权之下之大家族，遂成为生活组织上之原则，通例皆以从前大团体所有之土地，分而归于家族之所有。然而有其所有权者，仍为家族团体而非个人，家长为家族之代表而管理之，其土地即为所谓“家”之财产，个人不得擅自处分，只以家族之名义所有之，委之于家族之共同管理而已。是以虽为家长，即以家长之资格，非为一家，亦不得擅自处分土地，盖其所有之土地，非能听家长一人随心所欲，所得而处分者也。因而在此场合之法律主体，为家族团体而非个人。即如日本，自武家时代以来之制度，正为表现此种状态者，所谓家之观念，实为生活组织上之单位，户主为一家之管理者，对于其所有土地，并得而处分之，骤观之，亦若承认为个人的所有者，而抑知其实不然。盖除其家长之资格以外，在其一个人之资格，固不能为所有权之主体也。

其后世运进步，大家族制度亦从而瓦解，于是近世之个人主义的社会组织得以成立，而个人始得为法律主体，对于土地之所有，亦承认各个人得而有之，而所谓家之财产之观念从此遂废。然在日本，则昔时之家族制度，至今尚得保其残喘，国民生活之大部分，仍以家族主义为基础，所有之关系，亦依然存有所谓家之财产之观念。即观于民法所规定，尚承认户主制度，维持家督承继制度，建立“遗留分”制度等，足知一家尚为权利主体，可保有所有权，昔时之观念，固未完全泯灭者。惟据日本民法所规定，同时又承认个人之特有财产，则又有并用个人主义的制度与家族主义的制度之实情者，惟一般之观念，则对于土地，固以个人之所有为原则也。

二、土地私有制之确立为比较的新的事实

由此观之，则对于土地而有个人所有权之确立，实为比较的最新的事实，即谓自有近世的国家成立，始承认有个人自由权，法律上确立有个人之平等以后，所有权方始成功，亦未有不可者。至于上古、中世，以及近世初期，即在欧洲各国，团体所有之观念，固未尽泯灭也。在日本，则以土地为个人所有之观念确立，固尚在维新以后也。

以上仅论及土地之所有耳，至于其他之财产，尤以衣服，器具等，则早已承认有个别的所有权，其源远在原始时代，惟以其与本论无关，兹故略而不论。

于此有当注意者，即以上之关系，与土地公有私有之关系，当稍稍异其观念是也。不能以上项之说明，谓其团体所有之关系，即为已实行土地公有也。何则？其土地虽为团体所有，而仍不失为私有者居多，至于土地公有，殆含有日本大化革新之际。曾通令缴还向来私有（即氏族团体所有）之土地，举归于国家所公有者之意味，然其所有，必不限于国家所有，实为一个政治团体内，不认个个之土地私有，必以政治主体为一整个之团体，而独占有整个之土地所有权者，始得谓之公有也。然而政治主体，当以国家之组织始能表现，故土地公有之事实，亦以国有之场合最为显著。

三、日本之土地制度

盖日本之大化革新，为依据向有之氏族制度，改革其行政，由郡县制成为中央集权，以个人代替氏族制度，使成为国家组织之单位者，向有之大氏族团

体，私有广大的土地，以致其权力渐强，公私权互相混合，动辄有违抗朝旨之余弊，此所以有一大改革之必要也。欲全然废止私有地、私有民之制度，对于向有之氏族团体所有之田庄，而新赐为食封之地，即藉以抑压大氏族之权势者。又知如以地方之土地，使属于人民之私有，则其后必以领有许多土地，更因此伸张权势，故必先立有全然不许私领之原则，计算人口之多寡而贷与之，每六年更换一次，即所谓班田收授法也。

然日本之土地所有关系，本以团体之私有为原则者，而在古代，则尤以所谓氏族团体之私领者为基础，有牢不可拔之势力，故模仿唐制以实行大化革新，究克奏有若何程度之实效，殊有不能无疑者。其后无几，氏族制度仍得恢复其实力，土地团体私有又因之再兴。降及武家时代，庄园制度更又俨然存在矣。而当时所谓地方之"住人"或武士者，多为乡村之大地主，多自庄园起家，即号称执干戈以卫社稷者，至镰仓室町时代之地方豪族，以及战国时代割据地方之群雄，皆凭藉自身为大地主或利用其他之大地主之势力作为基础者。质言之，即其势力皆由于土地而发生者。然而一至足利氏全盛时代，则社会组织之状态又一变，地主之政治的势力渐衰，诸侯之政治的势力，即离开土地亦依然可以成立。降及德川时代，则全国之诸侯，已早失坠其凭藉土地之大地主之面目及实质，凡所谓诸侯者，不过所谓中央政府者德川幕府之地方长官耳，中央政府即欲对之有所兴废黜陟，自能随心所欲，无不如意。是以此时之诸侯，对于土地之关系，与现今之国家对于土地所有之关系，大抵无异，惟不过有其公法的关系耳，于其私有地以外，对于一般之土地，并无私法的关系也。其大部分，皆由于人民以家族团体之名义私有之。可知自有德川幕府之树立，则诸侯之大地主的实质，早因之消灭殆尽，遂成立有中央集权的一种独特之封建制度者。

惟土地之团体私有制，亦不仅日本古代为然，其广行于各国间之私有之基础，自古即已存在，实有难于否定者。在上古氏族制度强固，而又无立于氏族之上以统一多数氏族之团体之时代或地方，其氏族团体，恒以氏族之名义，独占其土地所有，故土地虽为一种公有之状态，然以多数氏族团体相集，化而为一个国家之组织，而有一立于氏族团体之上之一种政治组织之形成，于是其各氏族团体，以氏族名义所有之土地，在其观念上，即不得不化而为氏族团体所私有。于是根据此种关系，而土地私有之基础因以确立，其后，纵因氏族制度瓦解而成为家族制度，复因家族制度瓦解而成为个人主义制度，而土地私有之关系，则仍相沿存在，而确乎其不可拔也。

四、土地团体有个人有之区别与公有私有之区别

由此观之，则知土地之为团体所有与个人所有之区别，与土地公有私有之区别，非必常有同样之意义者。尤其不可忘者，谓既为团体有即为公有者，实属错误，须知即为团体所有，而仍不失为私有者尚复不少。盖必最上之团体，独占土地所有，然后土地公有之观念随之而起，又必最上之团体，不独占有其土地，而任听在其下之下级团体或个人所有之，然后乃有土地私有之观念缘之而生也。

此种意义之区别，必须充分了解。由来有忘却此区别者，每对于确为土地私有制而无可疑者，亦以其所有既在团体之手，遂误解为实行土地公有者，此大误也。吾人承拉甫雷（Laveleye，M.Emile de）及其他诸氏土地改良论之后，非敢谓凡欲主张土地公有者，于其论据之确实的必要上，须求之于历史的事实，而指私有的土地之团体所有，一概认为实行土地公有，而其结论，更指一切人类原始及未开状态，其土地皆可为公有之法则者。须知吾人对于土地公有论者之所主张，虽于理论上大体可以赞同，然对于须以土地所有关系之历史的发展为基础，以主张公有论者，则始终不能不认为尚有错误。盖史实之为史实，自有确实之存在，究不能因欲主张其主义，而遂指黑为白者。据吾人之所思考，土地公有论者之所主张，固应于其他之理论并伦理的根据有所树立，而又确有可以树立者，惟不当曲解史实，以为其公有论之根据耳。

尤有当注意者，不仅土地之制度为然。凡属一般文化，在各国各民族之间，有遂其特殊之发达者，必依据各地方之民俗而不同，非可一概而论者。若先设立一种文化发达之法则，谓各民族悉可以此规律之，实属错误。即如土地所有，在某地方某民族，虽有自古即行公有的制度者，然不能即以土地公有制，为人类文化发展之状态，一切皆如此者，即私有之制度亦然。

土地公有论者，尤其为显理佐治（George，Henry），每藉拉甫雷之说，谓土地公有制度，为人类文化发达之原始的状态（如后论所述），并援引俄罗斯、南

斯拉夫人国、爪哇、希腊、罗马等土地共有制度，为其例证，此种颇著明之例，每为人乐于援用，当议论土地所有之发达时，几无不涉笔及之。吾人于本节本欲有所详论，惟又以让诸后章议论土地公有论之反对论时，或更便利，故此不多赘，惟有希望读者，细心参照比读而已。

第四节　土地所有之分配

本节为吾人对于现今之状态，有土地私有制之确立的问题，即所有分配之情状，及其利害得失，欲有所论究者。惟所谓土地问题，现今已有只为都市问题之问题之观，对于农地，似乎少有所谓土地问题者，然就其经营组织思之，则就农地分配之情状，即其所有地之大小及大农地、小农地加以考察，亦决非可置诸不论者。盖农民经济之安危，关系于此者殊不少也。

土地所有之大小之利害得失，在昔颇有论争。18 世纪之重商主义论者，恒喜人口增加，以其便宜之故，极欢迎小农地主义，而孜孜讲求与之适合之方策，其为主者，即由经营上之方面，而努力励行小农法，及重农主义者出，则又由生产费之低廉着想，而欢迎大农地主义。然一至古典派经济学者，尤以李嘉图之见解出现，则以为大农地之优点最大，惟大农为能占得最大之纯利益。而德国之经济学者，更力避赞成英国学派之见解，于其研究之结果，又以为大农法非能赍得最大之纯利益者，必有最大之生产，始能坐致最大之总利益也。然若就大多数者观之，如退尔（Albert Thaer）则又欢迎英国之大农地主义，且努力为之宣传。而马克思（Marx.K.）恩格尔（Engels，Fr.）考茨基（Kautsky，K.）等社会主义者，则以土地之公有为可实现之阶段，亦极喜大农地主义。然而伯仑斯太恩（Bernstein，Ed.）达微德（David，Ed.）等之修正派，则考虑自前世纪 80 年代以来，农产物价格之下落所及于土地所有关系之影响，又再置重于小农地主义。

一、土地大小之区别

惟据土地所有之关系以区别其大小，不仅在农业经济上，有颇重要之意义而已，即在社会的政治的关系上，亦由此发生种种之事情。所谓土地之大小者，固当先以其面积之广狭为标准以为区别，同时更须斟酌其土地具有之沃度、位置，及其利用之为粗放的或集约的等情形，就其土地发生之收益，对其所谓所有，并给与所有者之社会的地位等，均不能不有所顾虑。若仅以面积之大小，从地理上区别土地之大小，而不顾及以上各种情形，则于研究农业经济上，并于讲求由此而来之经济上、政治上、社会上之诸问题时，亦不免使此区别，终于毫无意义者。

以上述各种事实为标准，普通学者，大抵以土地所有之大小，分之为四：（一）大农地（Latifundium），为属于所谓大地主之所有者，在此大农地上，所有者之所管理，只能从事指导而止，其余则非其力所能及。通例在其所有者之下，必有担任管理许多事务之事务员以赞助之，至于农耕之实际劳务，大抵依赖佃户或雇佣劳动者行之。（二）即中农地，其地主自任管理上之事务，如有余暇，则亦躬亲农耕实际之劳务，并切实为之指导。然而普通之情状，则以实际之劳务，委任佃户或雇佣劳动者，如其土地之收益确有余裕，自能使一家经济充裕，因而其社会的生活，亦复坚实可恃。（三）即小农地，地主举其管理上并实际劳动上之一切业务，一手行之，多与其家族及（一二使用人）共任耕作，对于所有地之大小及所需之劳动，与家族之劳动力略相适合，其地主之生活，总之皆依赖其所有地行之。普通所称为自作农者，大抵即指此小地主而言也。最后，则为（四）即可称为过小农地（Parzelle）者，其土地过小，所有者举其一家之劳动力经营之，终觉劳力有余，而土地不足，因而其所有者，同时必兼为佃户或农业劳动者，否则必兼为手工业者、小商人或工场劳动者，若并无别项为其本业，则必不足以充满其生活。

惟有当注意者，上列之大小农地之区别，决非可以一概断定者，例如以有几许以上之土地者为大地主，以有几许之农地为中农地或小农地，降至几许以下，则为过小农地，固非有一定之标准也。盖必依据土地自然具有之沃度，位置等之性质，及耕作上集约之程度，又就所有土地者之人在社会的地位等，加以考察而后可。即令为同一面积，亦不一定能发生同一之收益，即对其所有者，亦未必能具有同一之经济效果也。以故吾人在决定所有地之大小之前，必须斟酌上列之情形，作为论据，而后适应其国其地方之许多情形，方知即属同一面积之土地，有在此可称为小农地者，在彼又当称为过小农地矣。

惟就概括的言之，若地味肥沃，或对于市场之位置良好，或于耕作时，可充分施行集约法，而其生产物，又为比较地高价，则土地之面积，比较地可以狭小，然在其不然之地方，比较其同一面积之地，则又以农地较大为便。是以若以欧美各国与日本互相比较，则以同一面积之地，于所谓农地者之大小，即不免大有参差，即在同一国内，亦因地方不同，而有其相异者。故就实际观之，以欧美较之日本，虽属同一面积之农地，在彼以为小者，在此则觉为甚大。即以日本关西地方较之东北地方，亦以关西之土地为农地者较大，至于北海道之农地，自又以土地较大者为最小矣。又以都市附近与远隔之乡村地方之土地相较，任在何国，皆以都市附近之土地，虽以同一面积之土地为农地，亦觉其比较乡村为大，此无他，皆就其作物之如何，与其经营法之集约程度如何而立言耳。

由此观察，吾人即知所谓农地之大小，便宜上有可就其所有关系上与经营上分为两样观察者。自所有关系而加以研究者，即为土地分配问题。由此问题，更发生种种重要的经济上社会上的诸多问题。由于土地所有关系发生之一种阶级，并于其间而有推移之倾向，延而至于社会生活一般上之影响等，皆为极有趣味，且又为重要之问题者。尤以就此关系更得以探知农业及农民一般之变化状态，颇有注目之价值也。且又对于土地有应许可私人所有与否，又于土地国有或地方团体有之主义之可否根本问题，皆不失为颇紧切之研究问题者。故由土地所有之大小以论及其相随而来之诸般关系，则研究愈深，愈有非研究到此最后之问题不可者。

以下，吾人姑从简单，就其自经营上所见之土地大小，与自其所有关系所见之土地大小，有所研究。

二、经营上农地之大小

自经营上所见之农地大小。在地广人稀而农耕所需要之劳动常感不足之状态下，一般皆为大农组织，其所谓农地者，普通皆为大农地，此固极易睹者。然而人口渐密，劳动从而润泽，又以国民经济一般之状态渐次进步，因此农业经营，亦渐进于集约的，从前本在广大之地面施行粗放之农法者，必渐次缩小其地面，而施行集约农法。此种情状，一则为农耕技术进步，集约经营法利益较多等所促成，一则人人皆渴望获得土地，对于土地之需要渐次强大，而以先存在于少数者手中之广大地面,渐次分割于多数者之手,此与后段所述,由于所有关系上之土地分配问题,可以互相证明者。

总之,自有农业经营法之渐次成为集约的,因而土地之面积亦渐小分,固为无可疑之事实,亦可谓追随集约农法之必然的结果也。盖所谓集约农法者,固以在比较的狭小面积之上,投施多大之劳动资本为其本质者也。然而集约农法,亦非绝对的以土地面积狭小为其必要者。即在广大的地面之上,固未有不可施行集约的经营之理。惟然,则因实际之情形,有不许以资本劳动由于集约的投下于广大的土地之上。其结果,遂有集约农法足使农地有渐次成为狭小之实例耳。而吾人以此倾向,在都市附近尤为显著。然若就农业经营之顺序言之,则粗放农法先行,集约农法乃渐起而代之,农地亦先以大农地居多,随着经济之进步,始有小农地起而代之。然而经济进步之程度,达于某点以上,则集约经营,又复退归于粗放经营,而其所谓集约者,又由劳动之集约,渐趋于资本之集约,即在经营组织之上,亦有于小农组织之后,复为大农组织所推翻者。如英国之农业,现今有退归于大农组织之粗放经营牧畜业,即其例也。然若就进化之退化言之,原则上固有由大农组织渐次分化而为小农组织,大农地分化而为小农地之倾向者。

然而土地过于小分,所谓过小农地者竟占多数,则亦不能谓为健全的状态也。必也土地所有之面积,适足以赡养农民之一家,使其劳力得以充分利用,方可谓为万全之策,然在农地过小者,则以其土地之生产物,不足赡养农民一家之人口。若其农家别无本业或副业,即此外别无适当之业务,则其一家之劳动力,必将归于无用,自人的关系言之,已觉坐食之徒太多,不仅使国民经济上损失太大而已,即在社会生活,亦不能不发生有极危险之状态者。

在一般经济尚幼稚,工业未发达,地方农民之劳动力虽有余,欲为工场劳动者而又无可以活动之机会,则人人必皆互相竞争而渴望获得土地,因而其土地遂不得不出于小分。因此,更使土地之租借价格买卖价格皆大腾贵,农民益不得不陷于穷困。日本向来之状态,即表现有此倾向者。经济情形与土地自然之状况相因而来,益使日本小农增加,经济组织,大部分皆成为小农组织,地价愈涨,农地愈小,遂见有过小农之存在,益使农民之多数,有成为5段百姓2段百姓者(段为日地亩名,1段等于日亩10亩。日亩1亩,约当我国之0.1614

公亩。百姓,即农民也,5段2段,极言其地之小耳)。更不得不陷于极困难之状态也。而且日本之耕地过于小分,其形式又极不规则,以致畦畔、道路、堤防等归于不用之面积过于巨大,此近时倡道耕地整理之声甚炽,非无所见也。尤以日本之耕地,大部分皆为水田,在必要上固不能不有此余地,然而日本耕地之状态与其经营之组织,其规模偏于太小,则为不可否定之事实也。土地过于小分之结果,其经营状态,于必要以上施行劳动集约,农业人口不少之部分,必有过剩之人口,全国劳动力过多之部分,必将归于无用,此亦难于否定者也。今吾人既明知日本之实状,欲确立大农组织,既不可能,而现状又趋于过小农而莫可制,救济之法,惟有谋过剩之农业劳动,使得有适当的劳动之活用地耳。如工业能大发达,工业劳动者之需要增加,则以农业上过剩之人口,渐次移入工业、农业组织,亦即因此而可改革其过小之状态。要之,此等问题,皆当参酌农工商并其他遍及于国民经济上一般情形,有加以充分考虑之必要者。

于此有当注意者,凡以上所述大小农组织之利害,皆就具备有前提要件者而立论耳。盖无论为大农组织或小农组织,总之皆必有善良之管理者管理之,其所谓大农者,则以资本富裕,又确知利用之道,且能以机械中之新机械得为有效地使用等为前提者。同时在小农,亦以能深加注意,劳动不怠,善知土地利用之道,一家能勤勉担任劳务等为前提者。倘此前提要件而阙然不备,则以上之议论,毕竟皆成无谓之空论,然而一观于实际之状态,则此种前提要件,殊有种种不同,殆有难于猝然判断其利害者。

若专凭理想判断,自以有大农与小农混合存在,能在两者之间,有适当之分业状态,始为最健全之状态也。此不仅农业技术上为然,即自国民经济上言之,亦有不得不如此者。试先就农作言之,以概括两者之分业,如为耕作,尤其为旱田之栽种谷菽类者,自以大农组织为有利,如培养蔬菜、花卉、果实之类,则又以小农组织为有利。盖旱田之耕作,比较地需要广大之面积,故可以大规模地经营,而有使用机械之余地。反之,若栽培蔬菜、花卉、果实之类,则颇要集约的经营,其成绩如何,全视劳动之润泽,技俩之娴熟等为主。然而花卉等之栽培,固亦有用大农组织而成功者,故欲以上述概论而概论之,亦不足为一般之定论也。又如日本之耕地,大部分皆为水田,尤应加以特别之考虑,而一般之土地，又皆富于倾斜，而狭隘之谷地较多，亦有不能不同时虑到者。而对于作物之需要点，尤不可不加以充分之考察也。

惟以上所述各事项，似已深入农业经济学之范围，与吾人所欲于此议论之主旨，相离太远，故不必再加细论。要之，由于经营组织上之惯习或必要等，其影响于土地所有之关系者至多，则欲详知土地分配之实状者，即应知先就经营上之大小区别，有当加以考察之一点耳。以上之说明，惟在此种意义上与本论有关系耳。

三、所有关系上之土地之大小

土地所有之分配。大农组织与小农组织，在经济上之利害，亦有不可一概论定者。两者能适应土地自然之状态与国俗民情等适宜混合并存，固为最健全之状态，倘在土地所有关系上，而有大所有地与小所有地，在现在土地私有制之下，一有所偏，即决非健全之状态也，总之须使两者适宜分配而后可。然而在此关系，尤以立于此两者中间之中所有地，足以连结两者之农地实居多数故土地分配之状态，即当以此中所有地为中坚，以农民之大部分置之于中农所有之下，方为最健全之状态也。然此所谓中所有地者，其面积究当以若何为限度，此亦不能一概论定，而必参酌一国农业之各方面而适应各国之国情以决定之。如以抽象地言之，必也其农民以自己之家族及一二雇佣劳动者之劳动，耕作自己之所有地，并不觉其劳动之有余或不足，能确立一家之生计，而有可以适合得此程度之收获之相当土地，方得谓之为中所有地。由此观之，则又当知必依据国民之生活程度，农耕技术及经营组织方式如何，而国与国间固有大不同者。

若土地分配之状态，太偏于一方，例如只有少数之大地主，领有一国或一地方之土地之大部分，其余大多数之农民，皆不能所有土地，而不能不身为雇佣劳动者，以供大地主之使役，则在此状态之下，是等多数农业劳动者，对于土地，既无何等亲善之关系，土地亦无有可以羁縻彼等之效力，于是其生活常不安定，毫无着落，纵令其生活较之都市之工场劳动者稍稍低廉，而以土地之羁縻彼等之利害已缺如，则每因稍有引诱，即容易离开土地以遂其漂泊之生活，喜向都市试其流入，而化而为工业劳动者。是以土地所有之关系，若太集中于少数者，而有大地主制出现，则乡村人口必有渐次减少者，此恒例也。[①] 由此而都市之工业劳动者渐告过剩，所谓无业游民，遍地皆是，其贫苦之状况，几于莫可救药，而乡村之间，则农业劳动者反告不足，大地主对其所有地，亦不能达到十分有利之程度，施行其集约的经营，乃不得不改为粗放的经营。久而久之，不仅不能收得相当之利益，终必有不能作为农地经营，甚至非放弃之，使成为猎场不可者。英国之前事，其先例也。如此，则无论在土地所有者与劳动者，均之为重大之损失，而在国民经济全体上，则所受之损失尤大矣。

In Grossbritannien kamen 1851 auf je 100 männliche Einwohner über 20 Jahre nur 36 Landwirtschaftteibende; in Belgien dagegen waren 1846 über 51 Prozent der Bevolkerung mit Ackerbau beschäftigt; in Rhein – preussen 1858 über 46%. Alles drei hochkultivierte Länder mit sehr intensiven Ackerbau; aber das erste mit einem durchschnittlichen Umfange der Landwirtschaftsguter von 69 Hekt., das zweite von etwa 5, das dritte von etwa 14. Die Anzahl der Stadtbewohner in Grossbritannien (1851) betrug 50% der Gesamtbevolkerung, in Belgien (1846) 25%, in Rhein-preussen (1858) 32.8%.[②]

方今社会问题之当事者，即无产者阶级（Das Proletariat），其数愈益加多，于经济上政治上并社会上有重大之意义，其所有之一种特色，即为“无有故乡”，而一究其真因，则以丧失对于土地之利害关系，实阶之厉也。农民因丧失土地，遂化而为农业劳动者，而又因不堪经济界之压迫，更离开乡村而流入都会，化而为工业劳动者，又为所谓市面者之所播弄，终至使其一身及其家族与子孙，成为无家可归之人，而随着市面之好坏如何，有任其漂泊于地角天涯，并其自身亦有不知其税驾何所者。孟子所谓“无恒产者无恒心”，即属于此种状态，实有不得不为之注意者。无产者阶级之发生，固不尽以丧失土地为其惟一之原因，然而因有大地主制度之盛行，则彼此互为因果，使两者互相助成其势力，则为难于否定之事实也。盖既实行大地主制度，则农民脱离土地而化为农业劳动者，或更脱离乡村而化为工业劳动者，遂因此而愈益助长土地所有集

---

① 土地之所有太大，而又加以实行大农组织，则必有乡村人口减少，都市人口过多之倾向也。

② *Roscher Ackerbau*, S.232.

中之势，皆其万万无可免者。

然则所谓大地主者，又果全无存在之必要耶？在方今实状之下，如谓其绝对地不必要，则又不能一概断定，惟太偏于大地主制，即不免有如上述之不利倾向耳。然若在适宜之范围，而得有大地主之存在，则于代表农民全体在社会上并政治经济上之利害，亦未始全无利益。尤以方今之情状，农村日形其寂寞，都市日见其繁华，都市之势力愈强，农村之势力愈弱。当此之时，对于都会之利害，若有代表农村利害之有力者存在，亦为必要而又最可喜之现象也。而且方今政治界经济界一般之状势，动辄即趋于急进的。政治经济过于急进，必使此状势益增强大，则对之而有可以代表反对之势力以趋于保守的倾向者存在，亦未始非不必要也。盖所谓农民者，本富于保守性，而大地主，则尤为具有保守性之最大者，若使彼等成为社会进步上之一种制调机，又有何不可者。且所号称为大地主之辈，资本素称充裕，经济亦颇富有，故在农业生产上，能输入新规的技术，使用崭新有效的机械，适于作成先行试验之模范。此亦为经济上不可闲却之利益也，如中小农，固有赖于彼等之指导而追随其进步者不少。

然反观于土地之过于十分者，则又何如？若所有地域而有过于小分之状态，亦有非可喜之现象者。何则？土地过于小分，则其经营组织，亦必随之而成为小农法，前已言之，其所有者之农民，欲举其一家之劳动力从事耕作，则以土地不足，而不得不以其劳动力之一部分委之于无用。若利用其有余之劳动力之工业又不发达，或并无利用之机会，则持有是等过小农地之所有者，必不足以维持其农民之生存，而不得不化而为劳动者，于是其土地遂不得不辗转而仍入于少数大地主之手。尤其为工业尚未十分发达，工业劳动者需要甚少之处，是等过小农民，即欲化而为工业劳动者亦苦无路，而农村则又因劳动力有余，竟无可化为农业劳动者以营生计之余地，则农民之生计，必极困苦。是以若有此种状态，使此过小农民占去全国土地之一大部分，则农村之疲弊不堪，大致即可想见。而方今日本之实情，乃不幸而有与此相类似者。

过小农充满于乡村，以致农业劳动过剩，又绝无使之流出都会以就工业劳动者之机会，则较之出农村入都会即得为工业劳动者之辈，其困苦当尤甚。有人以为农民趋入都会非好现象，误也，苟能入都会而得有职业，则趋入都会也何害。要之，此种问题，非向各方面加以细密之考察，固有不容易判断其是非者。惟土地之所有过于小分，固非可喜之现象，然若于适当之范围内，有过小农民存在，亦决非无益者。对于农村必要之雇佣劳动，而得有供给适当的农业劳动之程度，则因有彼等存在，一方有使大中农满足其需要劳动之利益，同时亦使农业劳动者，以所有土地之故，得以安定其生活之基础，有涵养其恒心之利益。盖现今之国民心理，实相信土地之所有，为安定人民之生活之具也。

由上所述观之，则知吾人对于以保持土地私有制度为前提之问题，极主张土地所有分配之情状，宜不偏于大地主制，又不分裂为过小农地，而使所谓中农地者，占有一国之大部分，以中农为一国农民之中坚，使大地主与过小农立于适当之程度，始为最健全之状态，而其理由又极充分者。盖能以自家之劳动力，耕作自己之所有地，尚有余裕，而得以经营其独立之经济，即所谓中农者，占农民之大多数，则彼等之生活安定，不随经济界市面之好坏发生动摇，而于安全的地盘之上，营其健全之生活者，为国民之中坚，则所谓中等社会之坚强，即国民全体之风气与实质，皆极纯良之表现者。原来中等社会，为国民元气之所归宿，而中农又最为富于元气者，以此健全之中农，形成有元气之中等社会，在国民组织之上，固不能不认为最可喜之现象也。

然而如前所言，持有若干地面，方为中农，此种具体的标准，固有非可以一概断定者。欧美各国，有土地耕作法比较的粗放，土地所有并未小分，而持有稍稍的大面积者，尚可称为中农，则在情形相反，土地既已小分，经营法又渐趋于集约的，国民生活之标准，又比较地稍低之日本，即令仅有稍狭之地面，亦仍可称为中农。总之，区别之标准，全在于以所有地之收获，与其一家经济之必要，得有一致之关系，为其最要之一点而已。吾人对于日本土地分配之状态，固相信此所谓中农者太少，而所谓过小农者实太多耳。惟有当注意者，无论欧美各国及日本，某地方之土地，虽已过于小分，而在某地方之土地，则仍过于广大，而未达到经营至有利的程度，以施行集约的农法者，固不乏其例也。如日本之北海道，固地广而人不足者，于此场合，即当有取过剩之人口，以移于人口不足之场所之必要，此即所谓国内殖民（Die innere Kolonisation），并有诸多问题缘之而发生也。

四、土地所有分配之实状

今就诸国考察其土地所有分配之实状，略如统计所示，惟有关于经营之大小者，其表示所有关系上之分配状态，则付缺如，不无遗憾。若就经营之上观之，人口增加，对于农产物之需要增加，且常需要精良品，则经营法必渐趋于集约的，因而经营之面积，亦渐次趋于狭小。然反观之于土地所有之关系，亦不必与上之经营法上之推移倾向同趣，而土地反有渐次归于少数者之手者。若就概括地言之，经营法之大规模所在，土地亦自然成为大地主的，经营组织之小规模之所在，则土地所有亦必小分，自可信为大致不误者。盖一则既为大地主的，其经营法自为大规模，既为小地主的，其经营法亦自为小农的，两者固循环而互为因果者，由此可知大农法必与大地主制并存，小农法必与小地主制携手存在者。例如实行大地主制之英国，则其经营不能适用过小农的，经营法亦不适用集约的，而在日本之实行小农的者，观其土地所有之小分，亦足以推知其一般之状态也。

试举统计所表示者，以表现欧洲各国经营地积大小之比例如下（统计似太旧，然此种统计，不以最新者为必要，故仍之）。

德意志（1895 年）	
过小经营（2 赫克特以下）	5.56
小农的经营（2—5 赫克特）	10.11
中农的经营（5—10 赫克特）	29.90
大农的经营（20—100 赫克特）	30.35
大经营（100 赫克特以上）	20.08

英吉利	1885 年	1895 年
1—5 爱克	—— %	1.13%
5—20 爱克	5.15%	5.12%
20—50 爱克	8.78%	8.79%
50—100 爱克	14.76%	15.00%

续表

英吉利	1885 年	1895 年
100—300 爱克	42.47%	42.59%
300 爱克以上	29.84%	27.37%

法兰西(1892 年)	对于经营之比例	对于面积之比例
1 赫克特以下	38.2%	2.20%
1—10 赫克特	46.5%	22.90%
10—40 赫克特	12.8%	29.90%
40 赫克特以上	2.5%	45.0%

比利时	1846 年	1866 年	1880 年
1 赫克特以下	55.5%	56.5%	65.3%
1—5 赫克特	28.9%	29.5%	24.8%
5—30 赫克特	13.7%	12.5%	9.02%
30—40 赫克特	0.68%	0.54%	0.33%
40—50 赫克特	0.36%	0.29%	0.16%
50 赫克特以上	0.76%	0.74%	0.37%

(以上据 Grunzel, Agarpolitik, S.41.fg.)

荷　兰

经营地积	1884 年	1893 年	增减	比例
1—5 赫克特	66843	77767(+)	10925(+)	16.2%
5—10 赫克特	31552	34199(+)	1647(+)	8.4%
10—50 赫克特	48278	51940(+)	3662(+)	7.6%
50 赫克特以上	3554	3510(-)	44(-)	1.2%

德　意　志

经营地积	1885 年	1895 年	增减	比例
2—20 赫克特	232955	235481(+)	2256(+)	1.0%
20—40 赫克特	64715	66625(+)	1910(+)	2.9%
40—120 赫克特	79573	81245(+)	1670(+)	2.1%

续表

经营地积	1885 年	1895 年	增减	比例
120—200 赫克特	13875	13568(－)	307(－)	2.2%
200 赫克特以上	5489	5219(－)	271(－)	4.9%

(以上据 Ed.Bernstein,Voraussetzungen des Socialismus)

以土地小分于多数小地主间,与大分于少数之大地主,究以何者最为健全状态,此固不能一概论定也。然而小分土地,较之集中于少数者之手者,可谓近于健全之状态。盖以多数小地主组成之国家之基础,与以少数大地主与多数无土地者,即与土地全失联络者组成之国家之基础,互相比较,则前者极形坚固。故就此点立说,如法兰西,如比利时,如日本,若可谓在安定之状态者,如英吉利,则不免含有危殆之情形者。然若就人民生活之上观之,如日本之土地过于小分,则农民必非常节俭,甚至有认极低之生活程度为满足者。即欧洲大陆诸国,亦因土地之比较地小分,故其人民之生活标准,亦较之英国稍有逊色。此虽非完全由于土地小分之事实而来之结果,然既有此事实,则与决定国民生活之标准之一般物质的进步有不可离的关系,实为不可否定之事实也。人人所以只知希望保有土地者,实因商工业方面,无可以增进大福利之机会,故人人渴望获得土地之结果,必致土地分裂,地价腾贵,其幸而得有土地者,苟非力行节约的经济,必将无以维持其生活。而在英国则不然,其土地虽集中于少数者之手,其国民虽多数离开土地,然而商工业极其发达,人人皆讲究就职之方法,较之耕作土地者所得特多,数十年来,益趋重于商工方面之发达,因此国民一般之所得大为增加,而其福利之增进,亦实有其极可惊者。

是以因论者观察点之不同,有谓大地主主义为宜者,有谓小地主主义为宜者。其置重于国家之风气,与中等社会之健全,国家基础之稳固者,则必以小地主制度为可喜,此就有防止国家颓废之保障着想者也。然在以物质的福利之增进,与人民各个之生活上进为着眼点者,则必希望所得平均,所得增大,又颇欢迎大地主主义。其所以欢迎之故,盖欲促进集中之势,藉以达到所谓土地国有之理想境界耳。故持有后者之见解者,多为遵奉社会主义之人,即土地国有论者中,亦有据此见地以发挥其议论者。故其欢迎大地主制者,并非欢迎大地主制之本体,大地主制虽为人人所视为蛇蝎,而彼辈特喜其能根据大地主制以促进其集中之势,更欲因势利导以达到自己之目的者也。

要之,论者既各各异其所见,而有关于土地所有之不同的见解,有以为当如上述,土地所有之关系,不宜失之过大,亦不宜陷于太小,能得其中庸,以安排大小土地之适宜,为一般原则的状态,以中地主为社会之中坚者;或更有以土地所有关系过于复杂,必成为分配上不平均之主因,而主张不如以土地作为生产之主的要素,而实行公有者。既各各向其理想,努力树立政策,于是土地分配上种种问题与实际方策,乃不得不随之而起矣。就中尤有研究之价值者,莫如努力防止土地之过于集中或过于小分,而希望实现土地国有者。

综括以上所述,皆就尊重或欲维持方今所谓土地私有之制度,以议论在其制度下之土地分配上之问题也。因而今之根本的就土地私有之制度试其批评,并主张土地国有者之类,自与本节所论,既异其议论之基础,又异其研究之立场,此皆不可不注意者。然而即就本节所论者观之,其于将入土地国有论等之前,先给以预备的智识,则其所贡献者为不少矣。

五、国家之土地所有

吾人于本节将结束时,顺笔欲就现行制度下之国家所有土地,稍稍有所论述。

"坎美拉利斯特"(die Kameralisten)派诸人,大抵皆以国家所有土地为不当,竟有欲排斥国有地(die Domainen)者。其所据为理由者,谓国家所有土地,必感有私的利害,与仅以公的利害为利害之国家的性质,极相矛盾。而拉乌(Rau)则又主张国有地应行卖却,氏以为以国家为土地之经营管理者,殊不适当,不如卖却之以充作偿还公债等之用,其议论原由财政上之见地而来者。然氏在他方,则又欲维持国有地,以为能保持王侯之尊严,不使人民发生痛苦疾怨之情,且以之作为财政收入之源,而价值亦颇大者,又谓若以国有之私有地,作为农业耕作之模范地,亦极有价值者(Rau, Finanzwissenschaft, 1821)。然而洛瑟(Roscher)则反对之,以为谓国有地非人民经济之负担,而可为财政收入之源者,是只知其一而不知其二者之说也。国有地虽于私人经济无关,若自国家全体之经济利益观之,则其关系甚大,其由于管理不充分而来者,则影响于国民经济上之不利益者尤大。而所谓可为模范地之含有行政的意味者,决非可置重者,惟仅以极狭小之地面为国有地者或不妨耳(Roscher,Finanzwissenschaft,1886)。

然而关于国有地之科学的见解,实以有瓦格涅(Wagner,Ad.)之议论出,始见其扩大而充实也。氏虽以国有地看作国家之私经济的收入财源,然其问题,仅限于私经济的方面,氏反对以国有地在生产的为不利的见解,谓即令为国有地,亦当付之于有效的有期租种,在其生产虽不必即优于私有地,而亦未必过劣。与其卖却之,而使其购买者须以其资本之大部分支付买价,不如作为租种地,使该佃户能以其资本之大部分,有克任经营国有地之利益。是以卖出国有地所得之资金之利息,与付之租种所得之租费一为比较,其利益亦似更大。然而租费亦与地代相同,有渐次腾贵之倾向,此亦为不可忘者。且不仅生产上、财政上之利害而已,即就社会政策上之利害考之,国有地亦以小分之,而分租于多数人为有利。若在卖出之场合,则通例必系一趸卖出,于是土地即归于少数富者之手,更有使大地主制愈益助长其气馅之流弊。然若以之分租于多数之佃户,则其利益,必归于多数人,即克奏维持农民阶级之功者(Ad.Wagner,Finanzwissenschaft,1877)。

然而斯泰因(Stein,Lorenz v.)则又反对之,以为不仅国有地,凡一切国有财产,除以之作为国有,确具备有国家所必要不可缺之条件者以外,其他则皆以移归私有为正当。何则?国家若仅据此以谋得有多少地代收入,而所有土地之场合,则不能谓于国家,确有其必要不可缺者。盖国家既不能以此作为基础,以编成其预算,又不能以之充任偿还国债,并不能以之作为募集国债之担保品也。故国家虽可以将其卖出,惟在卖出之前,须先付之长期租种,而后徐徐卖却,则依其卖出,可形成中等社会,可造成中级农民,此则亟应注意者(Lorenz v.Stein,Finanzwissenschaft,1885)。

凡此议论,皆属于财政学上之议论,吾人于此,更认为无再详加研究之必要。惟有不可忘者,凡此所谓国家之土地所有,与欲举全国之土地为国有,并废止一切土地之私有制,如所谓土地国有论者,其理论之根柢,完全不同,此则不可不注意者耳。

第五节　对于土地所有之限制

前节所述,对于现今私有制度下之土地所有状态,大抵皆以大小交错能得中庸为理想者,因此对于土地所有,遂有欲加以种种限制,以努力实现此种理想的状态者,至少亦欲努力于土地合并,不使发生极端的土地分裂之状态者。然而土地合并分裂之状态,总不外由于承继或买卖让渡之场合而发生,故对于处分土地能设限制,其为最有效之方法,自不待言。设以土地之处分,完全放任于所有者之自由,则土地必随所有者之便宜,而有渐次小分之倾向。小分之结果,又必为有大资力者渐次收买其小分之土地,以造成其合并之势。同时,其已被小分之土地,又必随其小分,以增加过小农地之数,皆势之所不免者。在此场合,皆为酿成中等社会衰弱之结果的原因,决非可喜之状态也明矣。然而若绝对地禁止土地之自由分割(Freiteilbarkeit),则在欲新获得土地者,又不免大感困难,且有助成农民逐渐离开土地之势。又在防止土地之合并而呈有分裂之势者,则能行土地改良之机会太少,决不能增加全体之生产力。凡此种种,皆于实际建立政策时,所最感困难者。

一、土地自由分割主义方今之原则也

方今之实状,无论何国,其法律经济,固皆可谓以自由为基础者,法律上固承认自由契约之一般原则,即在经济上亦以所谓自由竞争者,为一切经济活动之本则。是以任在何国,关于土地之处分,均以任听所有者之自由意思为原则,若对之而加以多少限制,即不能不认为对于原则之例外。且此自由处分之原则,既为一般所公认。其结果,即使土地分裂之大势,散见于大多数之国家。然而此种自由处分之原则与土地分裂之间,亦有不能认为有必然的因果关系者。何则?土地小分与否,有关于承继者,即根据该国古来之习惯,乃至依据其家族制度之发达状态如何而受其影响者居多,尤以根据其国之一般产业,尤其为工业发达之程度及其发达之情势如何,所受之影响特大,要之必因国民生活上之风俗习惯,国民经济一般之组织发达等,既有交互错综的许多情形,始成为土地之合并或分割也。是以在承继上,纵有分割承继,而国民经济一般发

达之程度尚不甚高，工业亦未隆盛之国，则土地必有小分之倾向，反之农业以外，商工方面之活动，大有进步，其所获得之利益，终非农业之所可比拟，而且因其商工业之隆盛，尚可容纳国民之大多数，使之各有职业，尚觉有劳动不足者，则于不知不识之间，必渐与土地疏远，而促成集中于少数者之手之势，亦避之无可避者。

是以不能专就土地之小分与否，以判断其利害得失，而当就其相因而至之许多情形如何，乃能判定者。因而即令土地分裂，过小农之数甚多，苟其国土地肥沃，气候中和。一般农产物之价格又高，且能产出极良质者，则亦不必即酿成大害也。即推之于一国内，所谓大都市附近，其农生产物，全以园艺的产物为主，颇要集约的经营，则土地小分之弊亦少。即在土地分裂之势极显著之国或地方，苟其他之商工业颇为隆盛，则其农家，虽因其所有耕作地过小，而以家族之劳动力有余，却可以之作为副业，而得加入商工业之一端，则其流弊亦少，反使农民之生活得以安定，商工业欲得劳动力亦不困难，尤其在家内工业，更有易得劳动力之便宜，因此使一般生产业，容易有较大之发达者。

然就概括地言之，任令商工业如何发达，其农业亦必与之俱盛，断无放弃其土地而不顾者，农民有适当之数散在乡村，各各所有相当之地面，土地之兼并既不能行，即应有中农多数存在，此亦一国最可喜之现象也。例如英国，若其农业不如方今之衰落，无有土地之兼并，农民亦能与商工民呈有国家组织之中坚之状态，则不仅使国家之基础，更形健全而已，即其商工业，亦不仅专以海外之市场为对手。都会之背后，尚有购买力充分之乡村存在，则其工业生产品，即有不少之部分，为本国内乡村之所需要，英国之商工业，或较今更为安泰，亦未可知。盖必如此，则商工业即无专心顾虑海外市场之状况之必要，使本国之商工业，全视海外各国贸易政策如何而受之影响，亦决不如今日之著大。故若以此观察方今之英国，不仅商工政策上之困难问题，因此得以解除其几部分，即在劳动问题，或者亦不致有如今日之紧急者。

惟英国之土地虽集中于少数者之手，而以他方有商工业颇为隆盛，以故在其间之经济上，尚未感有特别可忌之弊害发生。假令商工业之隆盛不如英国，而土地之兼并，则又酷似英国，则酿成该国经济上之不利益，并延及其他各方面者，其弊害必然极大。再就其反面观之，若该国虽无土地之兼并，却有土地之分裂，而以该国之商工业颇为发达，国民生活之本据，全在商工业，农业不过为其可有可无之事业，则在此情形之下者，纵令土地小有分裂，亦不致于经济上发生特别可忌之弊害。总之，苟有商工业发达，则无论土地兼并与土地分裂，皆于国民生活上，无有大利害者。

然就其反面观之，若有一国，于农业以外，他方并无著大隆盛的商工业存在，则无论为土地合并或土地分裂，均之于国民生活上，不能不谓有密接紧要之关系也。更质言之，即谓国家之基础由此而定，国民生活之安危全系乎此，亦无不可者。因而在此种国家，若欲谋土地不大分裂，又不偏于集中与合并，则有待于国家之设施者必多。关于土地所有之限制——详言之，即关于土地处分之限制，——即在种种方面，均有其必要，而施行之方法，亦不得不有种种也。即法律上之自由契约，虽为不可动之原则，而于国家公共之必要上，必对之有几分之限制，即例外之限制，固有避之无可避者。而在是种限制之内，极有研究之主要的价值者，其一，为关于承继之问题，又其一，则为关于家产及世袭财产之问题也。

此种限制以外，更有防止土地分裂，或防止于分裂之后，使资本较强者得以集中之方法，其方法之最著者，莫如奖励海外移住或国内移住。如意大利人之海外移住，即含有关于此点之重大意义者。然而移住海外，恒不免有许多困难缘之而生，即国内移住，亦当视其国土之广狭如何，与其人口分布之状况如何，有可行者，亦有不可行者。即在可行之国，其移住亦有限制，其限制点，比较地当早达到，此亦不得而否定者。

于移住方法以外，欲求救济农民由于土地分裂而来之困难，莫如普及家内工业，此由吾人以前所论推之而可明者。然而亦因国情不同，有可行者，亦有不可行者，即在一地方，亦有可行者，有不可行者。如日本之麦秆真田（案，即草帽辫），在其普及之点，虽颇有望，然而农民所收得之所得，为数甚少，不过利用妇女小儿辈之劳动力，以弥补几分之生计而已。如欲巩固农民生活之基础，以为其必要的家内工业，即当选择其收益较多者。

二、关于相续之限制

今再进而研究关于承继之限制，凡在订有分割承继制度之国，每有一次承继,土地即渐被分割,此不免之事也。因而欲适用防止土地分裂之方法,则在此等国,对于承继上之分割,即不能不有所限制。如德国之 Anerbenrecht 即是。其所据为目的者,本不外乎维持家族之制度,防止土地之分裂而已。盖 Anerbenrecht 者,系规定承继人如为二人以上,则其中之一人,对于其他,应行提供与其应得之承继之财产相当之代偿,使不为承继财产之分割,而以一手承继全部财产之制度也。在以分割承继为原则之国,用此方法,以防止土地分割,其为有效之手段,自无可疑,然究能维持此种制度与否,学者间仍不免有议论也。若就日本之承继制度观之,则事实与此稍异,根据承继以分割土地者,较之欧美各国,其事绝少。即日本之家族制度,尚未改变旧有之状态,所谓家之观念,关系于国民生活上者至深,即在民法上,亦对于欲维持所谓家者,尚复多所顾虑,如亲族法,承继法之所规定,亦必竭力讲求如何维持家族制度之方法,此事实之无可掩者。观于所谓家督承继制度,即不难推知其于维持所谓家者之组织上,有必要而不可缺者,承继制度虽采单一制,以直系相传为原则,然而根据家督承继,欲谋家之经济的基础不至灭亡,于是又另设有遗留分之制度,至少亦欲以家之财产之一定部分,传之于家督承继人,以谋家与家财之得以永久维持者。

按诸有家族制度存在之国或时代,家族团体,必有为法律上之主体的实质。如家产,即为家之财产,而与其家共存亡者,其家长若户主,只能从事管理,不能以其家长权任意处分,此皆其本则也。因而在承继之场合,承继为单一的,其家财亦与其家永存,家长亦有世世相传而管理之之例,因而如欲完全维持此种制度,则不仅谓关于承继既采取单一制,即可认为满足也。在亲族法上,关于一家之财产之规定,亦当防止其将家财分割,而以其一部分移归于他,而必设有家长不得自由处分之限制而后可。是以在日本之民法上,若欲维持家族制度以谋家财之永久存续,纵令承继上既立有家督相续之制度,又设有遗留分之规定,必更进而对于户主之家财处分权,加以严格之限制。对此设立限制可否如何,虽不免尚待讨论,然自是别一问题,若假定有维持家族制度之必要,则亦有巩固其财产上之基础之必要,既欲巩固其基础,即当使其家财有永久存续之可能,既欲使其可能,则又有限制户主对于家财之处分权之必要,均不待烦言而解者。关于此点,后尚有所详论。

三、家族世袭财产制

一国若欲谋家财之永久存续，以助成家族之维持，同时并以防止土地分裂之势，则必设立家族世袭财产制(Familienfideicommis)，定为世袭财产之财产，不得买卖让渡而后可，即在承继上，亦必设有单一的长子承继制度，乃为使家之财产永续之方法中最安全者。故在日本，亦必设有家族世袭财产法，对于世袭财产，户主只有管理之权，而无处分之权，其于欲达到维持家族制度之目的，可谓极其有效者。乃现今在承继之际，虽设有遗留分之规定，而对于户主之家财处分权，并未设有何等限制，以故户主若故意或依据不得已之情形以处分一切家财，或其一大部分，则于一家之财产上之基础，即难免不被其破坏矣。惟家族世袭财产法，是否应行设立，实为最大疑问，大多数之意见，则以为不合于当今之时世，故凡有此制度之国，皆有渐次废止之倾向。法国，早于 1792 年，全然废止世袭财产法，德国亦于 1848 年革命以来，曾经废止，其后无几，又见复活，究之虽未实行废止，而在其新民法上，则已设有自由处分自由分割之制度矣。奥大利亚，则自 1868 年以来，对于欲设立世袭财产者颇多限制，以故方今德奥两国之世袭财产，已不过有其少数而已。顾吾思之，如世袭财产制者，其意本欲谋家财之永存，兼以防止土地之分裂者，而不知其结果，却助长土地兼并之势，故此制度之在今后，终必归于灭亡，殆无可致疑者。

四、家产法

创始于美国，近复推行于法国者，莫如所谓家产法(Heimstättengesetzgebung, Homestead Law)，是亦与上述者相似，关于家产处分之一种限制也。吾人今欲就此制度有所研究，当先就关于家族制度之问题，稍稍有所议论。

现时各国之家庭制度，被渐次瓦解之气运所压迫，已为显著之事实，在个人主义的风气甚炽之欧美各国，所谓小家族者，不待言，已使其原有之地盘大感动摇。即如日本，现虽正在过渡时期，而亦既感有维持家族制度之困难矣。既有文明之进步与经济之发展，必有此当然之结果，此固无可如何者，然而对此大势，亦须有讲求慎重之研究与周到之方策者。

虽一概谓之家族制度，然上自欧美文明各国以及亚细亚半开各国，下至阿非利加以及南洋群岛之未开野蛮种族间，凡各国所现有之家族制度，实具有诸种之形态者，即谓可藉此以参考人类原始以来所有家族制度之发达，固亦无不可也。因而现在欧美各国，其发达既已达于顶点，今却遭遇瓦解之气运，而在澳洲及其他野蛮民族间，则尚有不足称为家族制度者之原始的状态存在，如日本者，若自家族制度之发达上言之，为正出大家族制而入于小家族制者，然一观于一般文化之情势，则又殊觉其大有变态。乡村地方，则有国民之过半数，仍不脱大家族制度之旧套，都会地方及其他位于社会之上中流者，则又已进于欧美式小家族之域，与欧美各国相等，有个人主义的倾向，而为家族瓦解之气运所压迫者。

开明国之家族制度，所以酿成瓦解之气运者，一则由于 18 世纪中叶以来，精神上酿成有个人主义的倾向，有欲扑灭昔日之封建的风气，使昔日之主从观念，忠节孝养之观念，一变其意义者；一则由于经济上之物质的关系，在所谓自由竞争之下，又有促进其个人的发展者。以故在欧洲并日本之封建时代，其立于家长的大家族制度之下者，上有一家之首长，对于其家属并一家之财产，有绝对的支配权，对于一家之运命，掌握有生杀与夺之权，而所谓家政之统辖云者，尤为责无旁贷，而对于子女之教读婚配，对于家属全体之劳动安排，一家财产之管理，甚至对于家属之施刑处罚，无一不任之家长一人之所担荷，几乎举一家成为一宛然之小国家的共同生活体。然而一至近世的国家成立，产业革命成就，现代文明之面目完全整备，则举家长所曾享有之权力之大部分，尽移交于国家之手，而向之以一家族为共同生活体者，今则由于经济的占来之生产分配上之任务，无一不追随他人而离开家族，故当今之所谓国民经济者，全立于个人主义的基础之上，依据个人的企业之组织，以实行其个人的分配之方法，而使与家属连结之家族关系，与个人连结之经济关系，完全分离，几如风马牛之不相及，此亦事势之无可如何者。

由此观之，则当今之所谓家族制度者，一方则已将精神的基础，即主从的观念，甚至并崇拜祖先之情义而亦丧亡；他方，则又丧失其可为根据之经济的基础，几乎有无论精神的，无论物质的，均已完全丧失其生命，仅留有残骸之观。此固现在文明进步，与经济发达之当然的结果，所应有之现象也。然而其结论，则对于家族制度之将来，终不能不趋入于悲观也。

现今之家族制度,所由尚得保存其残喘者,一则由于有夫妇亲子之情,一则在消费方面,须有经济的共同而已。详言之,即人生而有所谓亲子之先天爱情。又有所谓夫妇之特别关系,故以此相集相结,而成为所谓小家族之生活者,实为欲获得精神上之安慰所必要不可缺者,同时又以尚有年幼之子女,未有经济的独立能力,而所谓妻者,则于精神上肉体上,皆不能为充分的精神的活动,而又不能完全独立,势非依赖具有充分经济的能力者即其父亲或良人,不能获得衣食之道。且在夫妇之间,又因可实行一种之分业,夫则专在外界,对于经济企业以谋收益的活动,妻则专在家中,亲当所谓经济消费整理之任,于相互之生活方始觉其便宜。因为有此必要,乃得对于当今之家族制度,看出其尚能存在之理由也。

然若详察气运之所向,则在个人主义的发展自己之愿望愈益强大之现代,又值经济活动之分野大开,即属妇人及年幼者,亦必出入工场或其他,始能糊口,而在比较地容易赢得工资之现代,凡为人妻及子女者,亦往往欲脱离其夫父之束缚,以希望享有精神的、经济的充分之自由,而为避无可避之趋势,于是夫妇亲子之爱情由此而冷淡,即为家族根据之消费的共同,亦不免渐渐减少其必要与便利。尤以主张妇女解放者,谓妇女须觉悟人格的独立,一方又有公共食堂,公共宿泊所,及其他居住一切之公共的设备愈益完成,更使所谓家族者,顿失坠其精神的并经济上之要度,而家族制度瓦解之气运,乃愈益因之成熟而避无可避矣。

至于日本之家族制度,则如前所言,现正在发达上之一过渡期中,位于社会上中流之人,其家庭仅以夫妇及未婚子女组成,即所谓小家族制也。而在他方,则乡村地方之大多数,尚保存有所谓父权的大家族制(Patriarchal-Grossfamilie)者之形态与实质,一家之中,有父母夫妇,本身夫妇,及子媳夫妇,而涉及三四代之家属者,其户主,则握有统辖一家之权,经营一家之共同生产行为,以维持其共同生活体之命脉者。且此亦不仅为日本特有之现象而已,即欧洲之旧国,在其乡村地方,亦复尚存有此大家族制之遗骸者,不过日本以有两种制度混在之状态,最为不调和而又极呈混乱之状态已耳。

日本之家族制度,既如上述,都会中占有上中流之位置者,其家庭既有所谓小家族式,而在其故乡,则又有祖父母、父母、兄弟姊妹等组成之大家族,可谓一身而兼有新旧二家族制之状态者，因而其间所发生之利害抵触，与感情冲突者盖必不少。

然在支配国民大多数之家族观念，尚依然为封建的大家族主义，因而其所要求者，一则曰对于户主权之绝对地服从，再则曰崇拜祖先，三则曰孝顺。乃在少数（尤其为智识者）阶级，一方已为新式的小家族之人物，所以支配其道德性者，全以个人性之发展与独立自主之精神为主，于是对于家族制度的时代精神，混沌相战，有表面虽为极平稳之家庭生活，若一解剖其里面，或不无成为修罗之巷者。此实日本现时之状态，而由于家族制度之矛盾所发生之最深刻之悲剧也。

返观于日本民法上关于家族制度之规定，则又太偏于大家族制的色彩，尤为难争之事实，因而若据其所规定，如全国国民仍相安于大家族制之状态下，则对于大多数之家族，比较地尚无所谓不便，然在立于社会之表面而组织有小家族制者，则极不合理，极不便利，则是因有民法之规定，竟使此等进步之阶级受侮不少也。

如前所言，日本民法之精神，似含有欲维持拥护家族制度之成分居多，即如对于从来所谓“家”之观念，为民法之所极端尊重者，自不待辩。例如所谓户主制度，所谓亲族会制度，所谓家督相续制度，皆无不然。日本民法之所以维持家族制度之可否，兹不必论。要之，其所规定者既不完全，不仅不能达其维持之目的，且不免有使家族制度陷于瓦解之运命者。

日本民法所以承认户主制度，规定其权利义务者，全由于从来所谓“家”之观念，即大家族的观念而来，固无可疑。然据吾人所见，对于财产之处分，则在户主权，并未设有何等限制，几乎可以随其所欲以处分财产，法律对之，又不能为何等之直接干涉者，是果为维持家族制度，谋一家财产之安固，使所谓“家”者是以永续乎？一家之财产，即为家之财产，欲保证其永久的存在，使户主仅有其管理权，不得擅自处分，此固古来各民族间欲实行大家族制度所恒见者。乃日本现今之法制，对于户主之权利，可否应有此种限制，虽尚在疑似之间，然在立法之精神，既以家之永续为前提，而竟未设有保护其家产之规定，终不能谓为完全之立法也。倘前代之户主任意挥霍，生前已将家财荡尽，则其承继而为户主者，一方既负有扶养家属之重大义务，一方就其可以承继之财产，又不能得有法律之保障，则非极奇妙之立法而何。

惟如前所述，日本民法，对于承继之场合，固设有遗留分之制度者，因而在承继时，家督承继人即可据此以保护其几分之利益，然既只以承继时为限，则对于前户主之生前行为，又将如何，家督承继之制度而如此，亦可谓太无实质也。

如真以维持家族制度之目的，而订立户主制度及家督承继制度，同时即必订立使“家”之财产得以永续之方法，因而欲设立此种方法，则对于户主之家财处分权，即必要设有一定之限制而后可。

日本民法，果具有维持家族制度之目的与否，固有难于明言者。然如日本之家族制度可以维持者，而有设立法律规定以维持之之必要，则吾人以上所述之意见，固有值得一注意者。按照方今之民法所规定，所谓户主者，只依据向有之道德的习惯，尊重家财，不敢任意荡尽，而有其道德的预期而已，非于法律上有何等之要求也。然一详察时会之所趋，则日本对于昔日崇拜祖先之观念，与所谓家族制度之一种神圣的观念，似已渐渐衰退而为不可掩之事实，务希识者对于以上诸点，为之一熟思也。

盖方今日本大多数之家族，真能传其家长的大家族制度之衣钵者，多在其可根据之物质上之基础，即财产也。故欲使此家族制度，能保其永久之寿命，则必应讲究谋其财产之安固，与保障其永续之方策，同时又须使其精神的基础不至发生动摇，然而社会凡百之制度，苟其物质的基础过于薄弱，则必容易覆亡，此不可不知者。

日本现时之大多数家族，含有家长的大家族制之臭味者，即所谓旧式家族制度，果应维持与否，至少即在应维持时，究有应加研究方策之价值与否，均之不能无疑也。此在有识者与经世家之间，固必有议论之分歧者。若据吾人一己之见解，则深信于其维持必应研究，且有努力确立维持方法之必要也。何则？如前所述，凡号称智识阶级者，大抵已脱离此种制度而入于欧美式之小家族制度，或者并对此小家族制度，已感有多少之动摇，则吾人对之只有随势所趋，听其自由放任而已。

然对于乡村地方之农民，则不能如此直截了当，随势所趋已也，对于乡村地方之农民，究应仍保存现今之稍稍旧式之家族制度，抑应更进而采择小家族制度,两者之中究何所择,总之应有维持一种坚固的家族制度之必要则无可疑。因此,则国家在今日,即应进而为倾向之向导者,一则依据立法之力,一则依据精神的指导,又其一,则当依据产业组合及其他之方策,皆不能不对之有所设施,此则毫无可疑者。

欲使农民能维持其家族制度,不待言,即当有先使农民能安居能乐业之必要,而同时可认为最有效果者,即在于能遮断彼等离开土地流入都会之倾向耳。如能使彼等永住于乡村,能保守一定之家产,以经营其家族的生活,即可保障国民元气所钟之中等阶级之存在,或防止其衰亡,此固不失为经世治国之一大要诀者。

然欲使农民保持其家族的生活,拥有一定之财产,以成为中等社会之中坚,其方法虽不一而足,而要以发布有所谓家产法之家产(Heimstätte,Homestead)制度,为其最有效的方法之一也。

所谓家产法者,即以一定之土地面积,或一定之价格(通例连建筑物家畜算入),作为家族之财产,由法律允许以一种不可侵权,以为其家族之恒产者。此种法律,不仅保护农业,即工业劳动者,亦因此受惠不浅。现在最初规定此种法律之美国,劳动者因此而得益者盖不少也。

据美国之家产法,凡21岁以上者,如声明其已为国民或愿为国民,则给以80爱克乃至160爱克(根据地方之有无铁路而不同)之公有地,但对于其地面,须宣誓归其本人自种或居住,决不以其利益移转他人,受地后经过5年,则此土地即归本人所有,又对此土地,不能以其所有权订立契约或其他债务之拘束,并不得以之供作担保或差押。

原来美国之规定家产法,其所为主眼者,盖欲就其土地之比例,自人口众多之东部及外国,诱致人口至地广人稀之西部,以谋该地之开拓,同时并使移住者得有安居之地也,然其家产法直接所规定者,只在使农民对于所有之一定地面与房屋克保安全,不致破坏其家族的结合与生活之困难耳。然而禁止以此家产作为担保之目的物,则使移住者殊感不便,盖农民于调达资金时,而以土地房屋担保,实有所不得已而又为较便利之方法也。以故美国各州,各各对于家产法设有例外的规定亦承认以之担保或差押,且可付之竞卖,惟一家之主人,若欲订立契约以供作担保,须以得有主妇之同意为条件。盖不如此,则家产法之目的无由达到也。至于详细之规定，则各州多不一律，不能一一为之引例也。

美国自家产法实施以来，其表现之成绩最可注目者，即每于经济界发生恐慌或被有抑压时，凡欲逃出工业地而脱离其压迫者，恒多隐身于家产法庇护之下，而入于平安的农民的生活者加多是也。故既有此事实，则所谓家产法者，不仅使农民之生活安全，大有助于维持其家族制度，即对于工业劳动者，亦复可证其受福不浅。试举一实例证明之，如 1877 年，美国家产之总面积，为 2698770 爱克，后以工业恐慌，其次年即一跃而为 628 万余爱克之类是也。

即在欧洲，亦因 1870 年前后农业之恐慌过甚，极惹起政治家之注意，以为土地之负担债务过重，后至 1880 年前后，路特夫买因，斯泰因诸氏，极倡道美国家产法之有效，突然唤起一般之兴味，于是德意志澳大利亚瑞士等国，均各有制定家产法之运动，至最近，则法国之家产法竟得首先告成。

法国元老院于 1909 年 7 月 12 日，对于前在 1906 年时，由特别委员会移送到院之家产法案，加以多大之修正，即行可决，其所据为主眼之见解有三：

（一）保持各地方之小地主制；

（二）其保持方法，凡经法律编入家产者，禁止差押；

（三）在承继之场合，当以一定之条件，避免家产之分割。

先就第一点观之，凡成为家产者之价格，连附属之建筑物合算，不得超过 8000 法郎，若在此价格以下时，虽可依据收益填补满额，但在家产设定以后，其价格即超过 8000 法郎，亦只作为家产之利益，仍以此额为限度。其可作为家产者，可包括有房屋或其一部分或与其房屋毗连或邻近之土地，惟其房屋须由其家族居住，其土地须由其家族管理而已。

可设定家产者：（一）夫之自有财产，夫妇之共有财产，及得有妻之同意之妻之特有财产，而属于夫所管理者；（二）妻虽未得夫之同意，而以自己之特有财产自行保有其管理权者；（三）鳏夫寡妇及离婚之配偶者，而携带有未成年子女者，亦得以自己之财产为之。其他关于祖父母等，尚有数项规定。

欲就第二点观之，凡业经登记者，其家产及果实不得差押。破产及裁判上之清算时亦然。惟认有一个例外耳。

复次,则为对于家产禁止差押之结果,其家产不得为抵当权之目的物,又不得以买回之条件卖却。家产之所有者,不得禁止差押之利益,然所有者得以家产之全部或一部让渡,并得废止其家产之设定。惟所有者若为既婚者,则必其妻亲至治安裁判所,同意于其让渡或废止,若有未成年之子女,必要亲族会之同意。

最后则为第三点,若家产之全部或一部之所有者死亡,则因承继之故,难免不发生家产之分割。然所以设定家产之目的,既在于完了子女之教养,若其父母在未达此目的以前死亡,则当有使其意思存续于死后之必要。于是家产法中,即有一项规定,谓非俟最幼之子女达于成年,不得以家产分割承继,必俟承继人均达于成年始得行之。而此非分割主义,根据利害关系人或亲族会之请求,由治安裁判所宣告之。同时又为防止已达成年之子女由于非分割而受有不利益者设立方法,即当该人不利用家产之住所者,得讲求相当之补偿是也。①

故一征诸法国家产法之精神,可知家产法之第一目的,即在于维持小地主制,其价格为 8000 法郎。以日本之国情较之,似不无稍嫌过高,然能因此以维持中产社会之存在,又能使其可根据之经济的基础确实,则值方今正在研究中产社会日益加急之时,其为值得注目而又为有力之方法,固不得而否定者。即法国之家产法中,禁止家产之差押,而对其让渡废止等,保护其妻及未成年之子女之利益,皆家产法之维持家族制度之方法所应置重者,盖必有此规定,而后家族制度,乃得以防止其物质的基础之动摇也。

复次,法国之家产法,关于承继之场合,更设有不可分之规定,在以分割承继为原则者,固为必不可少之规定也。然而其非分割,必以其幼子达于成年为期限,而不必要家产永续,则关于此点,尚复有应行研究之余地。若以家产法为维持家族之一方法,有如日本之希望"家"之永久存在者,如欲家产法具有充分之效力,则有与彼之 Anerbenrecht 并行之必要,盖必有两者同时并进,方能使两者完全得以达其目的也。然日本既有家督承继制度,则仅就此点观之,

① Hans L.Rudolf, Gesetz von 12.Juli 1909 über die Einrichtung der Heimstätte in Frankreich, im Jahrbuch für die Nationalökonomie und Statistik.III Folge, 38.Bd.4.Heft, Okt.1909.

似觉其尤为便利，若一度制定家产法，则如吾人以前所述，既可补民法之缺，据此以为户主权对于家财之限制，即足以巩固家族制度之财产的基础，故以此为维持家族制度之方法，固可深信其确实有效者。

吾人对于日本维持家族制度之方法而论及当制定家产法，盖即所以拥护农民之利益也。然同时有当虑及者，即家产之非担保主义，可否绝对厉行之问题是也。日本方今之时弊，在农民间最缺乏金融机关，以故农民调达资金之惟一方法，惟有以其所有之土地或房屋作为抵当而已。在此情形之下，若家产法中而绝对禁止抵当，恐难保不发生极大之不便。故关于此点，或当仿照美国某州设有特别之规定，同时一方或更速谋信用组合之普及与发达，根据人的信用以开辟调达资金之道路，更就其他金融各般事项，而加以特别之考虑，此皆必不可少者。

要之，家产法之目的，如美国之招致移住民使之成为土著，或如法国之抱有维持小农之目的，总之皆为对于"家"之财产之处分权设有限制，因此遂使土地所有权被其局限者不少。故既含有此种意义，此在本节所以有详论之必要也。

五、其他之限制

此外，更有防止土地分裂之方法，1868 年，曾于奥大利亚行之，即 Bestiftungszwang 是也。此种方法，略与德国之 Anerbenrecht 相似，凡属于农民财产之一切土地，皆为不可分离或不可分割者，又在德国之某邦(例如撒克逊巴丁等)，定有土地分割之最低限度，不得在其以下更行分割，即其例也。

要之，此种限制法，虽根据一国之情形而认为必要，且又有效，然亦当视其情形如何，非任在何时代皆有限制之必要者。而按诸方今各国一般之倾向，对此限制，多欲设法废除之，即曾有此限制者，亦必努力废止之。总之，在方今土地私有制度之下，土地分裂之势与土地集中之势，既均属不可欢迎，则对此限制，亦有不可一概决定其可否者。吾人相信土地之分裂与集中，皆由其国之诸般情事综合使然，故以为若有趋于某一方面之事实表现，似以暂时放任之于自然，庶几可无大过。若欲铲绝其祸根，则终有非正其本清其源不可者。

第六节　都市土地政策

前节所述，皆以限制农地之所有权为主者。盖在方今之时势，决不可以此付之等闲也，若既以土地私有制为原则，则欲使所有权之行使与社会之利益得以一致，即有多少加以限制之必要。在农地既然，即在都市之宅地，亦何莫不然，而在目今之问题，则后者较之前者，尤含有重要之意义，以方今之土地问题，几有全以都市问题为主之观也。吾人今更进而就都市及其附近村落，有关联于限制土地所有之问题者，以攻究都市土地政策。

一、都市土地政策之必要

在现代之社会生活中，最显著之事实，即所谓都市生活之发达也。政治之重心、经济之重心、文化之重心，无一不集中于都市，则谓社会的生活，大部分皆在都市，殆亦非过。

当此之时，都市行政上之问题，其意义更形加重，在一切方面之都市政策，必要慎重之讲究，亦时势之要求使然者，然其实际政策之当否巧拙如何，实为社会大多数祸福之所分歧。而在多数之都市政策中，其关于土地政策者，若论其意义之深刻，范围之广大，确具有应行研究之价值也。

都市之土地政策，所由起因之根源，固为追随都市发达之事实，因而有卫生上、交通上、美观上、文化上，许多要求随之而来，又有社会及经济问题上所不能不顾虑之许多问题缘之而生者。然若就其里面加以观察，则尤因有都市人口之增加，与乡村人口流入都市之事实存在，此为不可忘者。

而在方今之都市中，社会问题愈加迫切，为保护社会下层之利益与增进其幸福计，都市政策，即不得不对此而尽其力之所能及，以讲究其方策，此即由都市之土地政策中，而渐次育成有居住政策，且日日增加其任务也。此即整理居住供给上之不平均，同时欲谋适应公众卫生之要求，凡由于居住关系而来之社会政策上之政策，皆必须应付得宜者。

又在方今之都市土地政策中，有所谓都市企业者，尤有最重大之意义，而且都市企业，不仅在财政上有其重要之意义，即在经济政策上及社会政策上，其意义固尤为重要者。

如此，则都市对于土地应行之政策，既成为重要问题，则对于土地所有，若仍以都市向来所采之消极的政策应付之，其不足从事维持也明矣。于是都市当局，即不得不讲求积极的对付政策焉，然以方今都市之发达，人口之增加，经济之进步等，对于土地之需要愈加激增，而地代之发生与增加愈加急速，地价之腾贵愈甚，则由于自然增价而为土地所有者之不劳利得，必益增多，苟都市不变更向来所采之消极的政策，必终有不能保持一般之利益，克尽都市行政之任务者。尤其为都市自投公费以从事市区之整理，上水下水之设备，点灯防火之设备，其他交通机关之普及等种种设施，愈益随其完成，而使地代地价之增加愈促进其势力，因此在使用土地者，必愈趋于集约的，建筑则务求增加层数，房屋以外，则几无尺地剩余，居住状态，备极恶劣，而房租则异常高贵，遂使所得甚少之下级社会之人，竟不得不有苦于居住难之状态，此今之都市，覩此实状，终有不能袖手旁观者。

盖都市之地价，即有可惊之增加，因此遂使经济上并社会上发生极大之弊害，有非藉都市之公的权力试其干涉，加以铲除不可者，于是都市行政之任务，因此遂益加重，为维持增进都市住民之福利起见，都市公共团体所应尽力者，其意义亦遂愈重而愈深，若欲求其归宿，则全在都市之土地政策应付得宜也。

由此增加而来之都市土地政策上之任务，无论其党派的利害如何，均无有特别加以实行之妨害者，都市亦惟有就其克举实效之方面努力耳。然而都市土地政策入手之目的，固在据此以改善居住状态，为都市住民之家庭生活，延而至于一般经济生活、社会生活谋其健全，而其最大之目的，则必在对于现社会阶级间有先已存在今更强烈之不平均，与由此而来之反目嫉视等为之谋其和缓或加以铲除，此则不可忘者。

以下吾人试就土地政策之实际，稍稍摅其所见。

二、都市周围村落之都市编入

近时都市之发达，全由于都市人口之增加，此固为都市住民繁殖力之强大之原因，而当归属于由乡村人口之流入之原因为尤大。乡村人士盛向都市流入，固为无可致疑之事实，然所以能引诱彼等流入都市者，毕竟为一入都市，则营利及就职之范围既广，而工资之所得又比较稍高，而又因在都市，则社会生活经济生活一般皆较发达，能使其在物质上及精神上，丰富其生活之内容也。

是以都市之有人口流入，毕竟因其为社会生活及经济生活之中心，有足以吸收人心者，然不论其原因如何，总之根据流入都市之势，即使都市人口膨胀，更以两种之形态，唤起对于居住及土地之需要者。其一，即对于向有之市街地，有增加对于住宅之需要也。因此遂致市街内所谓余地之余地，必悉以之用于建筑，建筑既愈趋于密集，且尽其力所能及，而增加房屋之层数及室数。又其一，则向毗连市街地周围之村落，而有新住民之增加也。不仅新来之流入者，群向此方栖止，以希望加入都市生活而已，即向之居住市街内者，亦因市街内人烟稠密，不堪其湫隘嚣尘，而欲移居于村落，以营其所谓郊外生活。然而此等人士，身虽住于村部，而仍欲享有都市生活之利益与愉快，故其村落即随着此等住民之增加，渐备有都市之面目，实质则几与都市无异，由此而与向有之都市联为一体，此都市之所以有地域的膨胀也。

此种村落，即有化而为都市之势，于是其地域之地代，遂一日增加一日，其土地所有者，纵令一事不为，且又不负担都市行政之诸般费用，而竟徐徐获得地代增加之利益。加之此等人士，依据都市之膨胀，其农业生产之利益，亦因之愈益增大，而于营业就职皆极有利，且又能均沾都市诸般之公共的利益。因而此等人士，对于都市之膨胀，若举向来之村落编入于都市区域内，自应有多大之利害关系，然而彼等虽极希望都市膨胀，使村落部更加繁荣，却不愿以其村落编入都市区域，盖彼等明知必因此而须负担由于都市行政之重税也。其反面，又即彼等之不欲负担重税，而又欲利用都市之设备，以均沾其利益也。至于居住村落之劳动者，则多为不负担租税者，故对于以村落编入都市，彼等常十分表示欢迎之意，尤其为彼等因有市街交通机关之延长，使彼等往来于市街内之工场或工作场，能得有迅速而又便宜之利益也。

然而若自都市行政上观之，则对此市街化之村落，实感有急切编入都市区域内之必要。何则？都市内部，无论为卫生，为交通，为公安，凡有所设施，必要有充分之设备，必要投多大之经费，而在是种村落，则是种设备几无一可认为完全者，则都会之所有设施，必因之而减杀其效果，且往往妨害其活动。例如都市上虽有上水下水之设备，对于其他传染病预防等虽投有不少之经费，而以是等村落之设备不周，或竟有培养传染病毒之实状，则都市之卫生，即不得不因之而受胁迫，而使其投资设施，必将等于无用，此其不便者一也。即再就交通机关普及之点言之，或增进都市美观之点言之，亦有将是等市街化之村部，编入都市区域，以施行都市的行政之必要，苟其不然，则其不便者二也。而且都市中所有之屠兽场、市场、公园、图书馆等，皆由于都市住民所负担而设备者，村部之人，乃竟无偿而得与都市住民同等利用，亦决非公平的都市行政所能置诸不理者，此其不便者三也。

然而此等事实，其所以促进市街化之村落编入都市之动机，实不在于第一位者，而在于第二位者。盖在第一位之动机者，实不能认为都市之土地政策。即都市在其土地政策上，尤其为住宅供给上，既于向有之市街区域内，不能看出充分之余地，而不健全之投机者，又伸其爪牙于此等村落之土地，以垄断其利益，而供给恶劣之住宅，其他一般与此同样之村落，以不属于都市行政区域内之故，遂使有计划之土地政策发生阻碍，于是都市遂不得不迫于有以村落编入都市之必要也。

是以此种村部编入都市之意义，即不能不认为实在于都市之地域的扩张。或于宅地供给之必要上见之，或于交通机关延长之必要上见之，而即因此使都市得以行其自由且有效的土地政策者，都市既必以此等村落编入行政区域内，始能讲究预料将来之有计划的发展市街之道，即卫生、公安、交通、教育，及其他百般经济的社会的并文化的设施，亦能使都市有适合其面目，而又有效地以整顿其行政者。即都市对于此种村落，有土地之乱暴小分者、恶劣房屋之滥造者、市区之无秩序的建设者、道路其他设备之不整顿，与不周到者，皆可据此以防止之也，并可据此以防止房租之突飞的腾贵，因而亦即可以和缓地代地价之激增也。

三、土地收用法

如上所述，皆都市对其周围村落所应行之土地政策也。然其对于都市内部之土地政策则又何如？第一，对于土地及房屋，宜不使私人之所有权，有伤及都市住民之经济的并社会的生活及其他一般的利益，并不得对于一般的利益增进有所妨害。既已有此顾虑，则对于向来之土地所有者，必有邻地权之限制，又必有卫生及火灾及其他治安警察上之限制，不许私人以其所有权，绝对的自由处分，必在与公益一致之程度内，方能行使其私权。然而近时社会政策上之要求至大，即关系于居住状态，亦有限制私权之必要矣。

在有新的计划之下之新建设之都市，所计划市区之状态、房屋之构造，固能适合都市政策之所要求。即在治安、卫生、交通，及其他全般之点，亦能维持住民一般之利益。然在旧都市，则因近时虽日益趋于发达，而所谓市区，所谓房屋，全以无计划无秩序之旧态为基础，而自然发展者，对于都市政策之所要求，几无一项能认为满足者。因而在此状态之下，则都市必当依据其公的权力，以干涉住民之私权，或则为道路之扩张改造，或则为市区之改正，往往有反于私人之意思，以断行其政策之所要求者。或又对于建筑新屋或改造旧屋者，必以建筑条令之力加以限制，必使私人选择与都市一般利益合致之建筑法而后可。

盖都市之建筑政策，必对于火灾其他天灾之预防上，或于空气之流通、光线之射入，其他关于上水下水之卫生诸般之必要上，或于市街美观保持之必要上，或于交通机关布设之必要上，往往有对于私人之土地所有权，设有多大之限制，至少亦当对于建筑房屋，不许私人对其自己之所有地，任意建筑房屋，而有或为或不为其他设备者，关于此点，皆都市之用意深刻，以限制私人所有权者。尤以人人所知者，在所谓市区改正、市街改造之场合，任令私人如何厌恶，亦当使之服从都市之计划，时或完全收用私人之所有，而另以他之场所之土地给与之，或完全收买之而给与以代价者，无论该私人抱有如何反对之意思，而都市则以为一般公共利益之故，虽行使其公权力亦所不惜，而必有强制私人，使服从公权力之所命令者。

此虽有似乎不尊重私权之专制的政策，然而国家对于所谓所有权及其他一般所谓私权者，必以其与社会一般公共之利益不抵触，而又能与之一致调和者，始容认之。今都市于公益之必要上，欲施行土地政策，时或限制其所有权，时或完全收归公用，皆属于有所不得已者，故不能对之而谓其敢于蹂躏私权也。

复次，都市若根据其计划，以实行土地政策，而认有必要之场合，或对于一定区域之土地，有完全禁止建筑房屋者。此在该区域之土地所有者之所有权，即不能不受有极大的限制，盖在彼既被禁止建筑房屋，已丧失利用土地或充分发挥其效用之道，虽仍持有土地，竟不能随意利用。而土地之价值，原以收益为基础而定者，今既禁止在土地之上建筑房屋，则必不能有宅地之收益，而得以收得房租（以地代为主），其土地，必减少收益价格，因而更不得不减少买卖价格。在此场合，大抵多由都市给以一定之损害赔偿，然其所给与者，必不能如愿相偿，此亦无可如何者。即令所有者，以为与其一时的得有损害赔偿，无宁以之建筑房屋，收得房租收益为有利，而无如亦有不能随心所欲者。因而就该私人言之，固不能不谓受有极重大之所有权之限制也。

复次，都市在土地政策实行之必要上，或有对于某地域，认为有速行建筑房屋之必要者，即当使该地域之所有者速行建筑，所有者如不愿从事建筑，则亦惟有卖却其土地而已，或即勉强建筑，亦必准据都市所设之一定之建筑上之限制及其命令规定，以从事于建筑也。此种场合，以对于农地之必当变为宅地，即都市周围之区域居多，此亦对于土地所有，不能不认为有最大之限制者。惟在此场合，与以上之情形不同，土地所有者通常必皆因此而获得利益，纵令不能因此获得消极的利益，亦不至因此而受有积极的损失。然而使所有者不能随心所欲以使用其土地之点，则两者皆受有不轻的私权之限制者。

要之，都市当立有一定计划以实行土地政策居住政策之时，即令与此个人的利益有抵触，都市为社会一般之公共的利益计，终必有牺牲个人之利益以断行其计划者，实皆出于有所不得已也。既认都市为公共团体而付与以公的权力，则都市据此以行使其权能，亦为理所当然，如所谓土地收用法者，虽非仅关于都市之法规，而都市亦非据此以实行或断行其土地政策不可者，此尤显而易见之理也。即现时之经济政策，尤其为社会政策，既高唱保护公共的利益，则纵有多少侵入私权或加以限制，而以私人之利益供其牺牲，亦实有不能顾及者。然而都市如为土地政策而施行收用法，纵欲尊重个人之私权，亦实爱莫能助也。惟不可忘者，所谓私权之容认，私权之尊重云云。只以不与公共之利益相抵触，能在调和之范围与限度内为限耳。

盖土地收用法，为现代之卫生交通及社会政策上，在欲实行其远大之眼光与远大之计划时，所不可缺少之前提条件。必赖有此条件，而后都市乃能不妨害多数个人利己的欲求，而克尽都市之所以为都市之任务。倘使无此条件，则无论卫生,无论交通,无论文化的设备,乃至对于居住及其他社会政策上之设施,必终无完全实行之希望,由于个人利己心之发达,必有使都市任到何处,不能省出有可下手之余地者。是以既有土地收用法俨然存在,则在实际运用之场合,必使个人明知若对于都市之要求,不为好意的交涉,其结局必有不免于适用收用法,而不能不俯首听命。以应都市之要求,或使都市所定之土地政策,有陷于进退维谷之状态者。且土地收用法,不仅对于现今已有必要之土地可以行之,即对于都市计划之设施,早晚有非着手实行土地政策不可之地域,亦有由于都市,与现今之必要,同时并举,而预先收用者不少。有先见之都市政策苟能有此高瞻远瞩必能因此增加都市之不少利益,自无须乎絮说也。盖此种地域,其地代地价,既日益增加而不知其所止,则都市能早一日着手,即可早一日收得其利益,必能举将来当归于私人之自然增价之不劳所得,使归于都市之所有也。此固社会的最大利益也。

人或以为若涉及此广泛之范围,而许容土地收用法有此权力,倘都市滥用之,难免不有伤害社会一般之利害者。尤其以都市为自治团体,含有专为党派的谋利益之危机甚大,则滥用之弊,亦难免不愈出而愈大也。然此虽属所应虑及者,但在施行土地收用法之实际上,如此滥用其权力者究少,即令有欲滥用者,而在未曾实现以前,而已有社会一般人之监督,尤其为新闻纸及其他舆论之监督极为严重,故能滥用土地收用法者甚少。即征之于实状,往往有本可适用收用法者,尚不容易实行,而必须尊重私人之所有权与私人之意思,则是正可适用收用法者,尚不免有迟迟不行之嫌,则对于滥用之危险,又何必鳃鳃过虑为也。此实以都市团体既为自治团体,因而对于市民之声与舆论之力,其所受之赐盖不少也。

四、都市之土地所有

既赖有土地收用法,于是都市在欲实行其土地政策之际,即可在有统一的计划之下,以从事于都市建筑或整理固已。然而依据收用法所征收之土地,亦不无再归于其他私人之手者,不过在普通之都市,苟无特别理由,固未有随意使之归于他人者。本来都市之土地政策,虽因都市不同,或土地状况不同,不能一概断定,然其因为公用所收用之土地,每以照其原状留为都市之用者居多,此都市之以都市之资格而所有土地及房屋者,至近时尤为数见不鲜也。

都市固须努力所有土地,然有向来并未所有土地,或曾所有土地,而以无甚大之理由,仍由其都市卖出者亦复不少。如欧洲大陆尤其为德国之诸都市,自中世以来,虽多所有土地,乃因一时为自由主义之经济学说所风靡,同时又因各国均悉实行自由主义之政策,于是多以都市所有土地为不当,遂断然卖却之,此即其前例也。惟其后此等都市,一至近时,又以于土地政策上有其必要,复促起一般的倾向,而重新取得土地者。

盖都市能自所有土地,则对于市区之改善、居住之供给,及其他诸般文化的设备,其便实多,而能切实实行其所定之计划,为私人所有者之利己心以妨害其计划之遂行者甚少。而在都市之所有土地者,不仅由于土地发生之自然增价之利益,举可归于都市所有,而得以看出正当之归属者而已,且可据此以和缓地代激增地价腾贵之势,此皆其功之不可没者。而亦都市之所有土地,为近时一般之趋向也。且不仅大城市为然,即中等都市亦复有之。

兹试就德国曼亥谟(Mannheim)市统计局所调查,以表示德国各都市土地所有之状态如下。

都市名	对于人口一人之都市所有地每平方米突		对于都市全地之都市所有地之比例	
	1890 年	1900 年	1890 年	1900 年
柏林 Berlin(1901)	53.3	7.08	7.05	8.12
闵行 München	30.0	87.0	14.87	18.47
来比锡 Leipzig(1899)	——	78.4	——	33.15
北勒斯劳 Breslau(1902)	124.8	121.2	13.51	19.28
德勒斯登 Dresden(1899)	4.4	11.9	3.26	4.92
哥隆 Köln (1901)	9.0	98.1	2.40	11.24
法兰克福 Frankfurt a.M.(1902)	——	153.4	——	52.68
律泊克 Lübeck(1899)	16.4	19.2	5.91	2.49
汉诺威 Hannover(1899)	100.1	89.1	53.31	37.29
马德堡 Magdeburg	118.2	116.1	22.70	24.20
杜塞尔多夫 Düsseldorf(1902)	——	26.2	——	10.22
瑟谟尼次 Schemnitz(1901)	8.7	42.5	5.72	17.21

续表

都市名	对于人口一人之都市所有地每平方米突		对于都市全地之都市所有地之比例	
	1890 年	1900 年	1890 年	1900 年
斯德丁 Stettin	——	231.2	——	2.87
沙罗腾堡 Charlottenburg(1901)	52.7	22.7	2.06	3.29
厄森 Essen(1904)	13.6	25.9	6.12	6.27
司徒嘉德 Stuttgart(1902)	61.8	60.2	2.48	33.09
易北菲尔 Elberfeld(1902)	——	19.5	——	2.07
亚尔多纳 Altona(1902)	17.1	20.6	11.01	12.40
哈勒 Halle	——	67.9	——	8.49
巴门 Barmen	5.8	9.0	1.66	1.9
斯拉纳斯堡 Strassburg	——	304.6	——	0.28
曼亥谟 Mannheim(1902)	69.0	145.0	1.91	30.56
多特蒙德 Dortmund(1902)	——	114.7	——	14.70
亚亨 Aachen(1902)	115.0	200.2	3.01	41.50
但泽 Dantzic	——	216.4	——	10.68
波森 Posen	10.9	8.4	7.53	7.85
基尔 Kiel	80.5	73.5	29.15	27.26
克累斐尔 Krefeld	6.1	12.5	2.99	4.13
加塞尔 Cassel	38.9	28.7	13.78	14.13
瑟斯堡 Schassburg	94.5	68.0	14.97	16.81
卡内斯黑 Carlsruhe(1901)	——	41.2	——	11.08

据上表观之，如法兰克福市，在全市中，属于都市之所有地，已占去其52%强，则已超过半数矣。如来比锡、汉诺威、司徒嘉德，曼亥谟诸市，则其都市所有地，已达于全土三分之一以上，皆极可注意之事实也。

更就 1890 年至 1900 年凡 10 年间，都市所有地增加之比例表示之则如下：

都　　市	增加比例
哥隆 Köln	1268.54%
瑟谟尼次 Schemnitz	604.80%
闵行 München	334.33%

续表

都　市	增加比例
德勒斯登 Dresden	290.08%
曼亥谟 Mannheim	254.56%
厄森 Essen	159.81%
亚亨 Aachen	136.92%
克累斐尔 Krefeld	109.38%
巴门 Barmen	92.54%
律伯克 Lübeck	61.97%
柏林 Berlin	58.97%
亚尔多纳 Altona	37.55%
波森 Posen	28.95%
基尔 Kiel	28.73%
北勒斯劳 Breslau	22.52%
汉诺威 Hannover	20.63%
司徒嘉德 Stuttgart	13.93%
瑟斯堡 Schassburg	12.28%
加塞尔 Cassel	7.79%
沙罗腾堡 Charlottenburg	6.17%
马德堡 Magdeburg	5.95%

上列之统计，为 1900 年所调查者，其后以迄于今，则各都市之所有地，较此必大增加无疑。要之，十数年来，都市之对于土地政策，足知其已从根本上发生变化，不仅以实用土地收用法及其他对于私人土地，能行使法的限制，便即认为满足也。更复加以深入，而极力讲求对于土地施行其政策之方法，今则更进而自行所有土地，并扩大其所有地之面积，几有尽其能力所及，即举其全市之土地，以归于都市所有而不辞者，要知此即为土地改良论所极力主张者，或即因此实现，而为极可注目之现象也。诚以土地所有，仅能限制私人之所有权，而不能适应公共的利益之要求，故不能不再进而以从事于实行土地之公有者。是即时势之所要求也。

欲除去都市中之土地由于个人私有制度而来之种种弊害，并欲解决关于住宅问题之种种难问，遂有谓不若以都市之宅地归于都市所有者，然而对于此种议论与政策，其赞否亦颇极喧嚣也。往古以来，已如前所言，固有都市及其他公共团体多实行所有土地者，及至自由主义之学说风靡于世界，遂认公共团体而所有土地为太不当，盖以其束缚个人之所有权，而又缩少个人活动之余地也。且在公共团体之性质上，并无有握有所有土地之必要，即令所有土地，而在管理上，亦决不如私人所有者之有利，故既具此见解，亦遂有将此种公有地卖出者。然而主张此种公有制度之议论者，大抵皆由于财政上之见地而出发，故当时公共团体而所有土地，与方今由于社会问题上之议论，而主张土地之归都市所有者，颇异其本质与目的。盖一则以财政上之见地为基础，一则以社会政策之见地为基础也。

方今之都市，其以宅地为都市所有者，并非都市据此，而以财政收入（以地代收入为主）为主眼者，乃以都市既经所有土地，即可以充分扩张市街区域，对于市民有充分之房屋供给，而又据此以防止土地之地代地价及房租增加其腾贵之势力，更可根据统一的建筑条令，诱致房屋建筑之健实的发达，以防止无计划的房屋之滥造，遮断建筑地之过于小分，要之皆使都市得遂其健全的发达，同时又得以除去都市住民之社会的不平均，育成住民各阶级间有调和的共同生活者。

是以即征之于实际，若如土地改良论者之所主张，欲一举而将都市之宅地，完全归诸都市所有，亦颇难行，即令欲谋其实行，亦只能就以上之见解，在都市行政上，有其机会与手段，以渐次收买土地，扩大其都市有地而已。而在实行时，尤当根据自由契约之方法，又所不待言者。

如此，则都市之所以扩大都市所有地，大抵为料定将来之土地需要，尤其为欲据此以施行有计划的都市扩张，而由都市具有自行供给建造劳动者及市民之住宅之目的，始着手从事耳。而都市并可据此，有防止土地投机之作用，对于不健全投机者之跋扈，或使土地之地代价格发生变态，以助长其暴腾之势者，必须将其种种弊害权陷而廓清之，务使地代地价进展之势，得以保持其常轨也。

即专以居住问题之见地为主观之，如都市所有宅地，则其宅地已确实为都市之所有，至少亦可使对于住宅之供给，得有安全之基础。都市既依据自行建筑住宅以为供给，从事于居住状态之改善；而得有解决居住问题之确实的事实，则宅地纵为都市所有，同时亦可认为正当而有用的政策，故即可据此以防止关于宅地及住宅之高利贷的投机，扫除关于居住供给之私人的掠夺之余弊，其为健全之政策，而具有理论上正当之根据，亦不得而否定也。

关于都市之地代及地价之经济理论，固以都市公有其土地为最正当，同时即就行政上之观察点言之，其利害得失，亦有不可不顾及者。盖都市既为一个地方团体，而对其地域握有行政权，如欲使其行政权之行使确实有效，自宜充分保全都市全体之行政的利益，以努力增进住民之安宁幸福，如其认有必要而又为便宜之事项，自有不能不任其实行者。以故今之都市，其所以所有土地者，无论自建筑统一上观之，或自火灾及其他保安警察上之事项考之，不仅使行政权得以有效且有利，即卫生上诸般之设备，及关于其取缔之警察上之职分，亦得据此而最有效，即自交通机关普及之点观之亦然，此已业如前所述者。要之，若令土地私有，使所有者得以任意操纵，则不若在有统一的土地政策之下，以施行其有统一的计划的设施也。

要之，都市土地政策之根柢上，固包括有关于地代及土地之价格之理论者，在近时之倾向，则于此三种观察点上，尤可以见其必然。盖都市之地代及地价，颇具有独占的性质。于是土地改良论者，以为欲防止私人占有此独占的地位以垄断一般之利益之弊，莫如对于都市之地代及地价之利益加以课税，此即以关于地代及地价之根本理论而立论者。既知都市地代增加之原因及化而为地价之理论的径路，故即主张此种实际之政策也。复次，虽亦有主张都市之土地应归都市自身所有，而有其见解与努力，特又以为若关于土地公有之理论，与其作为公有之任务，非在学理的见地有确切不可移者，则又有觉其不容易表现者。最后，则为由于社会政策的见解，有欲矫正关于居住及房租之弊害者，亦以为关于地代及地价之经济理论，若未能十分了解，而对于所谓土地所有者，有如何的力量，及于居住状态与房租构成之上，非十分透彻，亦终有不可行者。苟其理论既明，而后居住改善之问题，始得有理论的指导也。有此三种关系，此都市土地政策所由能与一般经济学及社会政策之理论得以接近也。

第七节　关于土地所有之种种见解

关于土地所有而有社会的议论甚嚣尘上者，此由于近时对于财货分配之状态认为不满，乃对之而有欲以学理的建设其见解以后之事实也。其可认为最先发难者，实为 1846 年，马克思在国际劳动协会之就任演说，其演词中，有由国际社会民主党之立场，而揭有近于所谓土地所有问题之表题。而此问题，至 1869 年，竟在巴塞尔（Basel）之社会民主党协议会有所讨论，即照马克思之所主张而议决之。而李普克尼希（Liebknecht）更有加以注释之著书公表于世。①

一、科学的社会主义者之见解

然而社会主义者对于土地私有之见解，则马克思自身于其所著《资本论》第三卷中，已有十分痛快之叙述。氏之见解，虽系指摘资本主义的生产组织之理论，然而其组织，既具有现今之支配的势力，即可以之看作一般普通之理论。若从其见解，则谓农业亦不外乎资本的企业，亦被资本所指导者。惟与他业所不同者，仅在于以资本及劳动之投施的要素与他业有不同者之一点耳。原来所谓土地之所有者，本为一种独占之势力，而欲使用其势力，又不能完全脱离所有者之意思，使从属于某种经济上之条件。彼资本主义的生产方法，固以农业投入资本之支配下，因此更使农业先由于经验的未开状态，而进入于科学的利用之域，同时土地之所有，又先自主从关系，命令服从之关系脱离，而以土地为劳动之条件，全从土地所有及土地所有者脱离者。

在土地上之真实的农民，今已成为被资本主（Pächter）所役使之工资劳动者。此种资本主，固皆以其土地看作一种特别的资本的掠夺物者。而此资本主的佃户，因欲以其资本，在此特别的资本使用场，得有可以使用之承诺，遂不得不对于土地所有者，依据契约，以支付一定的货币额。而此货币额，即通常所名为地代者，至其土地，则不同其或为农地，或为宅地，或为矿山、渔场与山林也。而因有此资本之投下，并因之而有根据劳动之土地之改善，遂附着于土地而不可离，故其行为虽出自佃户，而其利益，则仍归于土地所有者。于是而土地之价格腾贵，地代膨胀。而土地之所有者，乃以附着于其土地之资本的利息，得以附加于真正的地代也。

① *Grund und Bobenfrage*, 2. Aufl. 1876.

对此见解有当注意者,如该土地接续有资本投下,亦自然具有一种之资本的性质,因而其地代(即真正的地代与资本利息之合体),亦可获得资本利息的性质,而为支配利息之法则所支配。惟利息在现时一般之倾向,既已渐次下落,故土地之价格乃不论其生产物之价格如何,其地代如何,反有渐次腾贵之倾向。然此亦因在旧国,有以土地所有较为诸种所有,最为安全,而以购入土地最为安全之放资法者,故以地代可买得之利率,较之其他永续的放资常低。而此究不外乎土地价格高贵之意味,并非地代薄少之意味也。

马克思之见解,既如《地代论》之所述,大体上虽亦蹈袭亚丹斯密之见解,然实欲以关于赢余价值之一般理论,构成《地代论》,以为地代亦不外乎一种赢余价值者。其意以为土地之沃度既不同,即投以同样之资本劳动,而因为土地不同,其收益亦有伙多之差额,依此差额而使土地所有者得占有普通利益以上之特别利益,其利益即地代也。毕竟在土地生产所表现者,实不外乎对其用费之收益之赢余也。而其赢余,又为附随土地之生产而起者,非依据土地所有而生者,即令废止土地私有制,亦依然可以发生。因而既实行土地所有权,则不成为发生此种赢余之原因,而不外乎变为地代之形式之原因也。

马克思对于所谓绝对地代,尚复有所详说,惟吾人于《地代论》中已详言之,兹不复赘。

凡马克思派诸人,其所述之《地代论》,均遵奉马克思之说为金科玉律,如考茨基者,虽有详细的说明,然其根本的见解,则仍不出乎马克思流之所见也。惟考氏则主张以土地看作资本者为非,为两者之相异点耳。(一)一般以为利率低落,则土地之价格必腾贵,然此非货币资本之价格腾贵也。(二)货币资本在当时之价格,乃根据资本市场之利息如何为标准而决定者,然而土地之价格,则依据其地代而测定者。(三)依据人为造成之资本,早晚必有消灭,而常以新的补充之,然而土地,则为永久不可坏者。惟考氏对于土地之含有资本性之问题,亦与马克思同,极缺乏彻底的见解者。

1848 年之共产结社(der Kommunistenbund, K. Max und F. Engels)之纲要中,包含有大农地之国有及抵当之国营者,其后 30 年,则更有主张谷物交易之国营者,乃至于今,则社会主义之中,对于此等主张,亦有大倡其反对论者不少矣。

二、土地改良论者之见解

非社会主义者，虽不赞成社会主义之理论，而极热心主张土地国有，以努力于其政策或学理的者，即一派之土地改良论者也。此主张者中之卓卓有名者，莫如显理佐治及其名著《进步与贫困》(Henry George，The Progress and Poverty)，而在英国之后起者，则有瓦莱斯陶逊(Dawson，W.)，德法两国学者中附和之者亦不少。

惟对于欲实行土地公有，以为必先纠正由于私有制度所起之弊害与缺点者，则在上列之诸氏以前，已先有人唱道之。尤以英国之斯盆斯(Stein，Spence，Th.，1575)德国之高森(Gossen，H.H.，1852)斯坦孟(Stamm，R.Th.，1871)及萨孟他(Samter，A.，1877)等，其所说多有可倾听者，惟以不发生反响而终，殊可惜耳。及显理佐治出，遂以土地国有之议论，在国民经济学史上，占有确不可拔之地位，后起者虽努力敷衍补充氏之所说，而大旨仍不能出于氏之所说之范围以外。然而一考究显理佐治土地改良论之出发点，固亦李嘉图杜能一流之《地代论》也。据氏之见解，以为土地之价值，实存在于其天然含有之沃度与在国民经济上所占之交通关系，而此二要素者，并非由于人为之劳动之结果所成就者，因而不能认为私有权之目的，以此要素为原因所发生之地代为私人所收得，即为不劳所得，盖不外乎为天然或社会一般所造出者。是以以此地代，使之正当归属于国家社会，由国家收得之，使非由于社会的结果，得以随之灭亡，而又使向之因此而为他人所掠夺之所得而身受痛苦者，得以主张其正当之权利，此即其议论之根据也。

然而土地改良论者之《地代论》，又与社会主义者之见解，欲举一切生产手段归于全社会有者，有极相反之点，且极有重要之意义也。是以社会民主党对于土地改良论者之所主张，认为极不满足，彼等以为所谓土地国有者，必使国家过于用其精力，反不克尽其他的社会的任务，而且如土地改良论者之《地代论》，太偏于局部的，而不外乎专挹彼之《赢余价值论》之余波者。尤其为根据土地之国有，独以资本横行天下，窃恐益将横暴掠夺劳动之利益，是以与其专行土地国有，莫若举一切生产手段，悉数归诸公有之为愈也。

社会民主党之见解，与土地改良论者之见解，彼此相异，而又互相指摘其弱点，诚极波谲云涌之壮观矣。然而土地改良论者之所唱导者，其及于实际上之影响盖不为少，如国家地方体团之所有土地，并因此使得正当之归属，又由土地所有之事实所表现，而将种种权力关系，及其他社会的诸种弊害，得以由此消除，国家公共团体，能利用由此发生之权力，以供作公共一般之利益，而使公有土地扩大，并使土地自然增价税，有诱致实施于各国之气运，皆其成绩之表表者。尤其为自然增价税，为土地改良论者倾注全力所主张者，业如前述，而彼等之所贡献于此方面者，盖不少也。

三、历史派经济学者之见解

复次，则为历史派学者对于土地所有及地代之理论，亦颇有所贡献也。就中最有注目之价值者，为麦雅斯考维斯启、西摩勒耳、瓦格涅（Wagner，Ad.）诸氏，而瓦格涅关于此点，颇类似历史派。

麦雅斯考维斯启以土地私有制度在现今之状态上，为最善之制度，主张当十分尽力以保持之。而西摩勒耳教授，则以为土地私有制度，在某一定之条件下表现者，终久不能维持，然尚以为是等条件，仍有可以排除者，彼盖以为若根据农政上之种种方策手段，固可使土地私有制依然可以继续。其所列为条件者，即大众所有地之所有者，每闲却随其所有之公的义务，惟根据大地主制以汲汲贪得地代，使不健全的租种制及过重的土地负债得以畅行而已。凡土地所有者，对其使用固应使之多受有法律的限制，然亦因此而得以确立其所有之基础。若国家及社会之法制，于私人的所有之上，更发布有一种社会公共的所有与一定之公共的权利，则土地所有之制度，即当因此而益趋于复杂。然其所持之说，固非欲使之复归于古昔之国家公共团体所有之状态者。

氏又以为地代发生之原因，本不待于人为，因为土地存在量之有限，又因有一种独占性附着于土地也。故其所有者乃能在普通利息以上，占得其多余之利得，为不可否定之事实。然氏又以为若以此独占的地代归于国家所有，则此种政策，不仅有害土地所有之安全，设地代有时而下落，反使所有者不能以归于国家之负担者要求其补偿，则又未免于理反有不合。

四、斯泰因与瓦格涅两氏之见解

然而斯泰因及瓦格涅二氏之意见，则又自西摩勒耳之见解不一，而对于土地所有及土地政策，颇有似乎建设的而又为合理的，然其见解，则实出于法学哲学的根据也。惟氏等之态度，太偏于历史的，每欲依据法制史及经济史的眼光，以解决此问题，其为倾向于演绎的，固有不得而否定者。

（一）斯泰因之见解

斯泰因于其所著《土地所有之三大问题及其将来》（L. v. Stein, Die drei Fragen des Grundbesitzes und seiner Zukunft, 1881），对于土地所有，指示在法制史及经济史上，有按照方今之情势，不能不使之得有占有的地位者，至于土地所有之自由云云，虽为土地所有，究为不能不被经济学之法则所支配者。据此，则土地所有，实为一种资本化，然而国民的社会组织，对其国民，自应置之于同样被容许之一切法则及反对法则之列中。而土地所有者，根据自由资本的地位，先以农业在经营上之人的资本及智识与以解放，而使其价值产出力得以尽量发挥，且据此而指土地所有曰富，且达于未曾有之状态，因而一国国内之富，即由此大有增进。盖既以土地所有为资本，即可获得所谓租费构成（Rentenbildung）者之资本第二之职分也。是皆不外含有使土地能应其收益而成为动产化（mobilisieren）者，又以使用于土地生产之资本成为利息化（verzinsen）者，又能在投于农业之用费以上，获得有某种之剩余之意味者。且因发生地代而有土地所有，而欲使之成为一切之资本，其本体所增殖者，即所以成为Kapitalisation 者。且既有地代，则土地所有与土地管理，即由此可以分离（付之租种），而又根据地代为资本化，则土地所有与对其价值之法律上之处分权亦可分离（以土地供作抵当）。然同时对于农业，必有两大危险随之发生，一即土地所有者掠夺佃户而垄断其由于资本与劳动所发生之利益也；一即土地所有者依据其货币资本而有所掠夺也。因含有此两大危险，于是货物价值及资本价值本不能增加资本者，乃竟在法律保护之下，使有发生可能之形势。其性质之显然者，即不投何项劳动之资本，及不费何项劳动之所得，竟可以支配无有资本之劳动也。

真正的资本之性质，与土地所有之性质，其间显有此甚深之差异者，以根据现行之法制，固有使之可能也。现行之法制，关于租种及抵当贷借，既承认自由契约，则必使货币资本，由于土地所有以驱逐无有资本之劳动也。而斯泰因所欲用以防止土地所有者掠夺佃户之法，谓惟有根据法律，以规定租种地之最小面积，与租种期限之最小限度，始能达其目的耳。氏又以为既有土地抵当贷借，即为根据货币资本以施行其土地所有之掠夺者，若由地方团体作成地主之组合，以实行抵当放款，则原属于个人贷借者，不如以公共的贷借代之，较为得策。至于其余之贷借，则本为对人的，与土地原无关系，自可根据信用组合制度以完成之。

（二）瓦格涅之见解

关于土地及地代之问题，自有瓦格涅（Ad. Wagner, Grundlegung der allgemeinen oder theoretischen Volkswirtschaftslehre, 1879）出，始有极精细深远之论究，氏之对此问题，其见解确有合于科学的且又为改革的者。氏之见解，影响于过去半世纪间之土地论者至大，故谓自有瓦氏，始创有关于土地之纯粹的经济理论，殆亦非过也。

据氏之所考究，以为关于土地法制之问题，总之当分歧且归着而成为公有与私有之二大问题者。然而此问题，实与历史的情形与地方的情形有密接的关系，又于土地之种类亦有关联者，个人主义的经济学者以为应归私有固失矣，同时社会主义的经济学者，以为不应归于私有而应归于公有者亦未为得也。总之，一方当思及生产上之利益，同时亦当思及分配上之利益，若下以轻率之论断，固有不可不慎者。盖土地虽为自然天与之恩惠，而必有人焉巧于利用之，始能有利，多少总应有人为之必要，故关于土地之法律，即不可不就此人为的加以顾虑。质言之，即当讲究如何乃能使人人护得其利用之道也。

然而关于土地之法制，其形式虽应为单一的，其精神则必包括一国之全地而统辖之。如关于土地之价值及地代之问题，固对于任何土地必一样发生者，然而利用土地之目的，与其利用之方法，以及关于经营管理之技术的经济的方面，则实千差万别，不能强同，法制对之，自非一一加以顾虑不可。

瓦格涅就其利用土地之目的方法不同，而区别为六种：

（一）居住地（der Standsorts-oder wohnungsboden）——对于居住地之所有权，虽为往古以来所承认，然而随着社会之进步与共同生活之发展，逐渐渐有所限制，至近时，则其倾向尤为显著。且就居住地之位置关系言之，较之其他种类之土地，尤有重大之意义，至对于土地之生产的成分如何，几乎毫无意味，由此可知都市中之居住地，其独占的性质最为显著。然细思之，则所谓位置之良否者，完全为自然的，人力无如之何，而又随着一般经济生活之发展，更发生位置优良者与不然者之差异。以故既于其上而承认有所有权，则必使土地所有者全然不劳，而收得巨大之利益，为其不可否定之事实，而都市宅地之价格，全不外乎以其利息（租费）所得还原为资本额之土地（房屋）价格，而在都市之不能所有土地之住民，以土地既有此独占性，乃不得不向此土地所有者支付租费，既被迫于一种强制的情形，始不得已而造成此种独占的价格以给与之。此种关系，尤以尚未建筑之都市宅地，更有应行注目之价值。盖既未加以何项劳动，惟随着都市一般经济生活状态之进步，而使其价格腾贵，以将来所预期之地代为标准，而据之以为资本化，以决定其价格。瓦格涅教授就此关于立法行政之问题，虽颇与土地改良论者之所主张接近，然仍以为若以此种土地归于公有，则不免有种种困难，故欲设立一定之限制以容认私有制也。

（二）矿业地——此项土地之性质，实有特殊之意义。盖以此种土地含有矿物，而矿地又比较稀少，且其经营技术，又需要特别技能，困难而危险又多，其产出物对于一般之消费，又颇有重要的意义，故在法制史上恒与其他之普通土地分离，完全加以特别之处理。因而即就经济上之观察点言之，对于其所有者，亦应加以种种制限。尤以其地代发生之条件，与普通之土地异趣，矿山所有者系以天然有限而终必销尽之矿脉为对手，又对于矿产物之需要变动无常，需给关系之变动实难预计，故其地代的利益，颇难测定，惟以矿山稀少之故，其地代往往高贵，同时又对于其矿山及其销路之地理的关系，尤其为交通机关之发达等，更使其地代变幻无定，且矿产物中之煤，为一般消费上所必要不可缺者，故以其有种种特异的情形，因而亦承认是种土地为有一种独特之性质也。究其实际，矿山之不适于为私有权之目的物，实难否认也。是以瓦格涅亦以为对于煤与食盐产出地之矿山，应行收归国有与国营，至对于其他之矿山，虽认为私有物，但希望加以限制，而由国家与以充分之监督焉。

（三）自然的森林牧场猎场及其他类此之土地——此种土地，在欧洲历史上多为公有，否则亦多置诸国家的监视之下，故其理论上之性质，亦自应归归于公有。

（四）农业用耕地——关于此项，在过去150年间，凡倡导维持农民之理论，亦使瓦格涅有所感动，氏以为对于小农地，当无条件地归于私有，对于大农地，则以其所有归于家族之所有，惟其条件则应以其经营管理操诸所有者本人之手，故即归诸私有亦可。至于以耕地归于国有或地方团体所有之事，不仅实行有不可能，即其特有之地代，亦因其独占性薄弱，其额又容易变动，且只能获得极少之地代，凡此种种事由，皆归于公有之不可能者。

反之，如造林地（Kulturforstboden），则其生产条件及对于市场并消费之关系、颇与农地异趣。即如德国，向来即有归于国家或地方团体所有之旧例，而森林又于降雨、灌溉，及其他国民经济上之公共的利害颇有密接之关系，其造林之生产的利益，归于国有与归于私有，其情形又迥乎不同，故必应归于公有也。且在植林地之地代，所需于公共的手段之投施者至大，又随一般社会经济生活之上进而增加，故与其任其归于私有，而使其自然增价为私人所垄断，不如归诸国有之为愈也。

（五）道路用地——此项之应归于公有，毋俟多言，即实际上亦多有归于公有者。尤其为交通用路，必应归于公有，实行其公共的充分之监督，始能发挥其交通之效果。又如铁路，若自其普及改善之点言之，或自交通之集约，运费之低减等事考察之，亦以归于国有，方能得有有统一有系统的组织。且因位置之关系及一般经济生活之发展而发生之地代，在此种土地，亦以归于国有为最正当，若归于私有而任其独占，其结果必伤害公共的利益不少。

（六）水路——瓦格涅对于水路，并未从捕鱼方面着想，仅就动力的原因之方面着想，亦以为应归公有，其意以为水路亦与矿山相等，其地代之利益，皆由于其存在之稀少，与其地方之位置，乃至一般经济状态之发展等而来者，故不适于归于私人之所得。而且水路之利用，其自然的价值，颇难测定，因而若归其所有者独占，难免不发生垄断一般之利益之流弊也。

要之，瓦格涅虽属于一般历史派之人，而其主张土地所有及地代之理论，所贡献者实极重大，即谓关于土地所有之问题，能发表有科学的理论之建设者，当推氏为初祖，亦非过誉。尤以历史派之人，每谓土地所有，不过一种历史的事实，因而不论当时情形如何，惟知适应历史的发展的法则，所有法制及经济上之处理与形态，竟可以相仍不变者，而不知私有制固非合于永久之真理，同时公有制亦非对于任何场合而可行者，且不仅土地之理论上为然，即一般经济学上之一大进步。亦即由此而出，氏之理论，即基于此种根本见解而出发者，最为故坚实而有力。且使关于土地改良之诸般见解，能渐渐脱离想象说之域，于科学的基础之上，有所建设，则其功盖可谓甚大者。

第九章　土地公有论

第一节　土地公有论之一般

前章所述,皆关于土地私有制之事实,或在其事实之下之诸般问题也。此观于第一节、第二节及最后一节所论述而可明者,土地私有制,原非极致的制度,不过为历史发展上之一过程,于社会一般之利益,认为有树立与维持之必要,又认为有利时,始得以看出其有存在之意义耳,非无论在任何时代任何情形之下,断非存续与维持不可者。若因其存在,转使社会一般之利益不能调和,则为社会一般之利益计,即另以其他有效而又便利之方法代之,又有何不可者。不惟无所谓不可而已,实于增进人类一般之福祉,拥护社会全体之利益,有应急起直追者。

如此,则知如前所言,有从根本上反对土地私有制之不合事理,而主张废止之,欲以实行其土地国有制或地方团体所有制者之议论蜂起,固非无的而发矢也。然据吾人所见,如欲议论土地私有制之非理,似已有不免后时之嫌,土地私有制既由于历史的发展之必要上沿袭而来,则在必要的情形之下,自不能不承认其为正当。盖社会一切制度,本无所谓绝对的真,亦无所谓绝对的是,惟因其制度在必要的情形之下,始得谓之为真为是耳,若时过境迁,于情形既无必要,即不能不谓之为非为恶也。是以论者在方今情形之下,乃指摘私有制之弊害而欲废止之,并代之以公有制,其不失为可以倾听之一大问题,自不待言。而论者之所主张,极中肯綮,对于时弊,确为一顶门针,亦自不得而否定也。吾人于以下,试就所谓土地公有论者加以观察。

一、土地公有论之两派

在主张土地公有,尤其为主张国有者之中,亦自分两派。其一即所谓土地改良论者,其二即社会主义者(尤其为提倡所谓 Collectivism 一派)是也。前者虽只主张土地国有;后者则不仅对于土地,并主张举一切生产手段归于国有,主张举一切生产企业,悉归国营。次节以下,吾人欲先述土地改良论者之所主张,再简单叙述集产主义之主张。惟吾人对于土地公有论之一般,亦不能不一叙述之,以稍窥见其涯略。

凡持有欲废止土地私有制并代之以公有制之议论者,必须负有两个重大的责任。其一,即必须就现行之私有制,指摘其弊害,痛论其不可继续,而必须废除之之责任也;其二,则于废止之后,必须树立其他制度,讲究其积极的方策,毋使其制度再含有私有制之弊害,而能适于社会一般之调和,使贡献于人类福祉之增进者,甚大之责任也。若不能尽此两大责任,而徒然倡导废止土地私有制者,妄也。

二、公有论者之责任

从来在土地公有论者中,于以上所举之两大责任,能尽前者之责任而加以讨论者固不少,而对于后者,能披沥其满足之见解者,则甚寥寥也。公有之实行方法如何,既含糊不敢论及,惟盲目地欲废止土地私有制,是果能使人类之幸福得以一朝实现乎,此不能无疑也。

在废止土地私有制而代以公有制之时,第一当发生之根本问题,即所谓社会公共团体者,果有废止土地私有制使变为公有制之权能与否之问题也。在主张土地公有者,必将以下之议论,答覆此一大问题矣。其意以为人之利用土地之方法,既不再用现行之私有制度,自可以其他方法代之,而且关于土地私有制之发达,据历史上之事实所表示,当初之土地,本不属于私人所有,而为团体所公有者,其后乃由私人凭藉其腕力或其他权力,始逐渐使之归于私有耳。然而其第二项之答覆,全根据历史上之事实立论,不免尚有错误。何则?土地私有制之成立,决非如论者之所思考,皆根据腕力及其他暴力所使然者,乃根据各人间有智能技俩之自然的优劣,又由于自然的徐徐始有私有制之确定,固不得而否认者。且此亦不仅关于土地之私有制为然,观于后节之所详论,亦自有可以瞭然者。

三、国际劳动协会之所信

社会主义者之某一派,例如国际劳动协会(der internationale Arbeiterbund)诸人,以为私人而所有土地,亦与所有其他资本者同,其所有者之阶级,皆即据此以为命令支配其他无所有者之阶级之手段者。而对于一旦实行土地国有之后,其经营管理之方法究应如何,则不免人人意见分歧,有主张以公共团体之共同责任管理者,有主张委之个人或耕种组合之手管理者。然而前者则实行极为困难,后者之中,亦不免有育成私有制之嫌。总之,皆为公有之难于实行者。

复次,则如某人之所主张,以为农地渐渐兼并,大地主制广行,小地主不堪其竞争,始有渐次坠入深渊之倾向,于此而仍许土地私有制,使在其上行其自由竞争,则必与社会一般之利益相背驰,故不得不使之属于公有者。然而谓土地有兼并之倾向者,亦不能一概断定为恶劣,而有当依国家与地方之别而有其情形不同者。例如英国,一般虽有土地兼并之事实,而在欧洲大陆及日本,则又以土地小分为其普通状态,并不足以证明有兼并之事实者,在日本虽无可信赖之统计,若据欧洲大陆诸国之统计所表示,则土地所有不独无兼并之倾向,却反有小分之倾向,此盖因土地之经营渐次趋于集约,遂亦为势之所不免者。其谓小地主以有大地主在,经营上必立于不利之地位,竞争上必陷于没落之境遇者,尤为不达事理之言,盖在农业生产,与工业生产不同,非必大规模之资本的组织常占优越的地位,而小规模者,常立于劣等之地位也,事实上且有与此相反,小地方以小规模集约资本劳动,施行其爱惜自己之土地之经营,有比较大地主完全依赖有给之经理人施行大规模之粗放的经营,更见为优秀者。即前者较之后者,无论于国民经济上或经营者之私经济上,皆以有利者居其多数也。因而专就此点以攻击土地私有之非,其立论之根据,难免不过于薄弱。

复次,又有谓方今土地之负债过重,凡土地收益之大部分,不归于所有者之手,而全入于债权者之怀,故所谓土地所有者,仅有其名,所有者不过仅拥有其虚有权而已。如此,则土地私有制度,又有何继续保持之必要者。然其土地负债,若由所有者被迫于消费经济之必要而出此,则论者之说或为正当,倘其负债全出于土地改良(Melioration)之用途,则举其负债额,仍得据其土地之价值增加,以归诸所有者之手,并非徒拥有其虚有权,而不过以他人之资本使附着于所有者之土地之价值之一部分而已,即令因此而有所负担,夫亦何足深忧。

四、与农民之宣言书

其与农民之宣言书(Manifest an die landwirtschaftliche Bevölkerung),虽不过一种极简单之宣言书,然其中实具有能传达马克思、拉萨尔等社会主义者之经济学说之神髓者,虽谓为社会民主党之圣经,固亦无不可也。

其中有曰:土地之为物,与其中所包含之一切物质,同为自然所赐与,因而即不能不以之作为全人类之共有财产。不过古代之强有力者,完全凭其剑力,而创为土地之私有耳。试思世间一切赃物,即令阅时过久,亦不能变为正当之所有物,即不能视为由于他人所赠与或买卖,而认为获得他人之正当之所有物也。购买土地之人,系由于土地之掠夺者诈得卖价,同时又由购买者,复对于社会而行使其新诈伪焉。如此,则在古昔,惟以暴力支配土地,及至现代,则更以资本之阴险的力量,而同样地以支配土地也。

Die Erde ist mit allem, was darinnen, ein Geschenk der Natur und somit ein unveräusserliches Gemeingut der ganzen Menschheit. Nur durch Waffengewalt hatten sich die Starken des Alterthums in den Besitz des Grund und Bodens gesetzt. Kein Raubgut aber wird durch 'Verjährung' rechtmässiges Eigenthum und kann ebensowenig durch Schenkung oder Verkauf das rechtmässige Eigenthum eines anderen werden. Die Landkäufer sind von dem Landräubern nur um die Verkaufssumme betrogen und die Käufer begehen an der Gesellschaft einen neuen Betrug. Darum wie sich in alter Zeit die rohe Gewalt des Bodens bemächtigt hat, so bemächtigt sich desselben in der modernen Zeit die heimtückische Macht des Kapitals.

然而若问资本为何物,则所谓资本者,实一切过去之共同劳动之产出物,盖凡人只能以其独自一己之力产出其生存所必要之物资也。而资本者,则根据对于劳动所应支付之工资而未支付,而由于其积蓄而成立者。此所以惟有社会共同体能为一切土地之正当所有者,亦惟有社会共同体能为一切资本价值之正当所有者耳。所谓资本主者,既以不正当的获得购买手段,复以不正当地取得土地,又何能根据此两重之原因,以主张彼之所得为正当的所有权者。如此,则世间一切之土地,只能为社会之共有财产,决非可分割者,亦决非根据其他的方法所能处分者,惟可作为租地,谋社会全体之利益,而委托之于耕种组合而已。

Das Kapital ist das Erzeugniss der gemeinsamen Arbeit aller vergangenen Zeiten. Denn ein Mensch allein erzeugt durch seine eigene Kraft kaum mehr, als er zu seinem Lebensunterhalt bedarf. Das Kapital entstand demnach aus der Anhäufung unbezahlter Löhne für erzeugte Arbeit. Wie die gesammte Gesellschaft nur allein die berechtigte Eigenthümerin allen Grund und Bodens ist, so ist die Gesammtgesellschaft auch nur allein berechtigte Eigenthümerin des Kapitals und aller Kapitalwerte.

…Ein Kapitalist kann daher nur mit unrechtmässig erworbenen Kaufmitteln unrechtmässig erworbenen Grund und Boden anschaffen und deshalb aus doppelten Grunden nie Anspruch auf rechtmässiges Eigenthum machen. Ist demgemäss aller Grund und Boden Gemeingut der Gesellschaft, so kann nie vertheilt oder sonst veräussert, sondern nur als Lehnsgut Ackerbaugenossenschaften zur Ausbeutung für die Gesammtgesellschaft übergeben werden.

如此,则不仅对于向有之资本,当实行社会斗争。即对于土地所有,亦有不得不问之开始斗争者。

据此,则此宣言书之目的,在于欲完全变革旧态,而用以达其道程者,于是欲组织农业生产组合(die landwirtschaftliche Produktionsgenossenschaft),而根据组合制度,使劳动者于工资以外,更得参与企业赢益之分配,且使彼等负有指导管理业务之责任,而又能均沾其利益者。如此,则其经营,系依据民主的组合制度,以谋状态之根本的变革,且以废止贵族的支配土地之制度者也。

然欲为此根本的改革,则第一所必要者,即不得不从关于道德及正义观念之根抵上加以改革,而使所谓享乐者,成为人生之目的,依据科学、技术,与业务所当尊重之享乐为最高文化之观念,能通行于一般而后可。必使世间一切活动之人,对此享乐,有一样同等之权利,凡对之而欲有所贡献于社会者,皆为劳动者而又为其同胞，必使各国之劳动者皆为其一家一团，必使世界之人类成立为一国家，认定地球为其祖国之观念，通行于一般而后可。

五、宇宙同胞主义

此即宇宙同胞主义之主张，合天下国家为一体，视一切人类为同胞者也。如是，只有社会国家为惟我独尊之存在，而为地上惟一之支配者而已。

由此观之，则所谓土地公有论者，只能认为含有狭意味之经济上之议论，并非对之而有充分之理解与正当的判断者。苟不放开眼界而自社会生活之上观之，或自所谓人道所谓人类之福祉之大问题上观之，均不能真正了解其意义者。若夫专由区区经济上之利害打算，以议论土地公有论之利与不利，皆不免仅了解人生生活之末节，而不足以语土地公有之大问题也。必也自正义之观念，与人生之价值加以批评，如社会主义者之所主张，与土地改良论者之所倡导，始能谓之为有意义有价值耳。

惟经济学上之分配问题，并不仅为所谓经济之狭隘范围之问题，而常广与社会道德之见地相接触者，若完全离此见地，专就纯经济学理观察，则确为意义深重之问题。如关于土地所有之问题，以言乎经济学上之分配问题，虽似缺乏直接之关系，而实则不然。若以分配问题只限于地代、利息、工资，赢益等事，即为拘泥形式，不能了解分配论之真正意义也。土地所有问题，系与人生生活最有关系之问题，且自其意义之内容言之，固仍以经济上之分配问题为出发点者也。

总之，凡欲以经济的利害之狭隘眼光窥测土地公有论之人，皆非触及问题之生命之人，即所谓登堂而未入室者也。

吾人兹于以下，更绍介土地有公论泰斗显理佐治之见解，以窥见此中之消息焉。

第二节　显理佐治之土地国有论(其一)

在土地有公论者中，其最为世人所知，或则热心遵奉其说，或则极力非难其说，而常为批评之标的或引证之根源者，实为显理佐治(Henry George)之议论。氏于其所著《进步与贫困》(Progress and Poverty)中,先述社会进步可惊之势,次述其间发生之许多社会的弊害,尤其为劳动者阶级之生活,有日益陷于危殆之事实,至于惟一之救济策,则主张当断然排斥土地私有制,而努力实行土地公有制。

一、土地私有反于正义

显理佐治所以主张土地公有论者,盖谓土地私有之反于正义也。氏亦相信欲议论土地所有问题,当先以正义(justice)之观念,作为批评之标准,若土地私有一事,不违反正义之观念,则土地公有论即为误谬;反之,若土地私有一事不能合于正义,则土地公有即不能不承认为挽救社会弊害之真实而有效之方策也。

氏以为凡人谓此物为自己之物者,以为专供自己之利用,可以完全排斥他人之干涉也。换言之,即可以承认所有权之根源者,实为人之可以自由处置自己之一身,因而可以自由使用自己之力,因而可以自由处置依据自己之劳动所生产者耳。人既能自由处置自己之一身,故对于以自己之劳力化而为具体的物体之物,自能排除他人之干涉,而主张自己之专有权。是以人人现在所使用,所消费,即泛称为享乐者之一切物件,其为自己所制作者,自不待言,得以完全占有之,即令不然,而为某人可以自由处分者,亦由于制作此物之生产者,有可以自由处分者使之然耳。质言之,即不过由于生产者以其权利辗转相传,移交于现在享有该货物之人,对于货物而有其所有权耳。即生产者系依据自己之劳动而生产,故得以该货物卖给商人;商人既对之支付相当之代价,即得以继承生产者对其货物之处分权,因而再得以之转卖于消费者。消费者又对之而支付有相当之代价,故亦得继承该商人由于该生产者所授与对于货物之处分权,而对于其货物,并有其使用,收益处分之权者。是以消费者之所有权,实即为生产者之所有权之传来者,毕竟生产者既对于依据自己之劳动所生产之货物,有可以处分之权,故现在持有其货物而享有其利用者,不过继承其所有权而已。若使无此继承,则对于非依据自己劳力所生产之货物之所有权之权源,终无法为之说明。盖人人除对于自己自身有自然权以外,固无有可认为其他权利之根源之自然权者。

若夫所有权而由其人对于自身所有权利以外之物发生之时，则此究应由何物表现乎？是则终无由看出其根源之所在也。所谓自然者，除对于人之以其自身劳动所造成之结果以外，决不许其有专有权者。在所谓自然者视之，世界万人皆为其亲爱之赤子，固皆一视同仁，绝无爱憎之区别，上自王公，下至乞丐，固非有所轩轾于其间也。自然惟对其爱儿以自己劳动挥汗所造得者，始允许其专有，至对于成为自然物而存在之物，则固许容各人得以平等享乐者也。

二、土地系所以供给世界万人者

然观于今之所谓土地者，其非由人类劳动所能造出之物，已无疑义，而实为自然供给万人所享有以给与于世界万人者也。因而享有土地之事，即不能不万人平等。乃一部之少数者，竟据之以为已有，而排斥他人享受其利益，其专横亦可谓太甚矣。然而所谓所有权者，既承认所有者之专有权，得对于他人排斥其干涉，则对此土地之天然物，而承认其所有权，并立有所谓土地私有制度，虽欲谓为非违反正义不得也。

原来对于货物而设有动产与不动产之区别，实极不合逻辑，真实之分类，只有由于劳动所造成者，与不然者两类而已。以天然给与之土地，与人在其上所造之房屋，共称之曰不动产，可谓乱暴已极。盖一则属于经济学上所谓富（Wealth）之部分，一则属于所谓土地（Land）（即天然物之意味）之部分也。若确定两者之区别，一则作为凭藉劳动所造成者，一则作为由于天然所给与者，则可知对于前者之所有权虽属正当，而对于后者之所有权极不正当，前者足以使人主张其对于自身之自由权，后者实使某人垄断人人应得平等享受天然给与之他人之权利也。

要之，世人之有同等自由利用土地之权，与世人之可以同等自由呼吸空气之权，固毫无所择也。毕竟既有人类存在，即应有此自然之权利者，各人既由于自然赋与以平等之存在，则各人于主张其生存之上，而有其平等之权利，其又奚疑。惟欲维持其生存，则对于自然所给与世人之享乐物，于各人所有之权利外，须依据他人所有之平等权利，而受有限制耳。任何人皆不能迫胁他人之生存，以垄断他人之平等的权利者。假令现今存在之人，虽愿意抛弃其对于土地之各自的平等权，以给与少数者，而承认其对于土地之某一部分人之专横，但今人究持有何种理由，并敢于抛弃其子子孙孙对于土地可以主张之平等权乎。夫以自然之眼光视之，今之人固为其无爱憎之亲爱赤子，后之人亦彼之无爱憎之亲爱赤子也。若今人而能擅自蹂躏后人之权利，则是以今人而迫胁后人之生存也。其理由如何，请有以语我来？

三、土地私有制为社会一切弊病之根源

今之人，固号称为获得有政治上之自由者，即社会各方面，亦号称骎骎乎有长足之进步者。乃在此自由与进步之间，反使大多数者之生活日益困难，加之以工资制度，非使人悉成为奴隶化不止。讲究诸般之救治策者愈多，而实效愈不克举。其间果无有何等之矛盾何等之非理存在乎？剀切言之，即所谓土地所有，为其根本的误谬之最显露者。因有此根本的非理，于是即养成一切非理，现代之生活，以此而陷于危险，现代之进步，亦遂以此而愈不安定。然而方今文华灿烂之中，社会之暗黑面，竟呈如是惨憺之状，在食料丰富，物资润泽之中，竟使多数之人濒于饥饿，毙于贫困，此究非自然所为之狡狯也，非天命之定数也，乃由于人生所造成之罪孽，人手所敢行之非理也。所谓罪恶，所谓贫穷，决非由于人口增加产业发达所诱致之必然结果，实则因土地私有制度之实行，而随人口增加与产业发达以俱来也。盖以自然平等给与各人之土地，无端而为一部分之人所专占，实为违反正义之行为。私有土地，既妨碍他人对于土地之平等权，其必然之结果，固有非酿成富之分配不平均不止者。何则？劳动者若无土地，则何物亦不能产生，故既被拒绝其对于土地之平等使用权，必使劳动者不能主张其对于生产物之权利。而又因一人专有土地之结果，遂至对于他人欲在其土地上劳动者，即得向其要求代偿，于是土地所有者，即令袖手无为，亦可获得多大之所得，劳动者即胼手胝足，刻苦勉励，终亦毫无所得。如此，则一人无端而暴富，其他多数者乃贫苦而日衰，遂使社会不得不分裂而成为富者之阶级与极贫者之阶级。此即支付使用土地之代价所号为地代者阶之厉也。地代果为何物，毕竟皆由于土地私有制度所产出者。

若欲对于天然物而强行主张人之所有权，除其人对于其物有改善之事实而外，无可根据之理由也。然而在此场合，人之对于土地而有其专有权者，亦惟对其改善之部分始有之耳，若对于天然之物，依然不能主张其有何权利也。

顾或有谓土地之天然物与其改善之土地之物,实有不可分离者,对于现存之土地,就其地味沃度,究能至何程度,分析某种为天然的,某种为改善的,实属无由测知,然而在否认土地私有之议论上,仍无何等之妨碍也。纵令于天然物之土地上加以改善,其结果至于不可分离,但在有二物混合而不可分离之时,亦只有以大者兼并小者为原则,未闻以小者而能兼并其大者也。吾思之,吾重思之,人为乃自天然而出者,非天然必自人为而出者。惟然,则只有天然兼并人为,人为不能兼并天然明矣。土地既为天与者,即令依据人为而有改善又何妨碍之有。

总之,特定之个人,而以世界万人平等应得之天然物之土地攘为私有,实为背理之甚者,毋怪社会万般之罪恶,尽由此而发生也。凡私人垄断土地之利益以据为私有,而由此以获得之利益,即据土地之价格可以窥知之。而地价者,亦即私人依据对于私有之土地攘夺社会所有之权利,所最能具体的表明者。而地代亦即私有土地之私人,对于社会应支付之土地专有之代价也。若如论者之说,谓土地私有之权源,当求之于先占之事实,未免其愚太甚。信如所说,则今后生来之子子孙孙,其又如何?如欲自圆其说,则必承认列车中最初乘人之旅客,可以箱笼纵横,据席而卧,妨碍他人之乘坐而后可。世间宁有此种强词夺理之议论耶?

要之,承认土地私有制度,实为使一部分人从土地上驱逐其他之大部分之人,此为不可否定之事实,而现今此种趋势最为显著者,莫英国若也。盖人而不能在土地之上经营生产,竟从土地上加以驱逐,即为直接夺去其人之劳动机会,其生存安得不危,其存在安能有望,世间不法之事,固未有过此者。

四、土地私有使劳动者为奴隶化

复次,显理佐治又相信土地私有之结局,必有使劳动者成为奴隶化者。氏之言曰:土地之私有,在利用土地必要之程度,有并其人而所有之者,如此项使用土地之必要为绝对的,则并其人而所有之事亦不得不为绝对的。何则?譬有一无人岛于此,于住满百人之外,即禁止其移住,假令其中之一人得专有其土地,而其他之九十九人,绝对不能所有土地,则此土地所有者之一人,其结果必并其他之九十九人而所有之。此种关系,在极复杂之社会中,虽不若此其显而易见，而其实状，则固与此毫无异也。若人人皆不能依赖土地生活，则此种关系必将无可幸免。盖自有商工业发达，资本主与劳动者对峙，人人脱离农业而为生活者加多，其状态虽为间接的，要其内容，则固与此毫无异也。总之，一方既有地价腾贵，一方复有工资下落，在总生产额之中，地主之所得则日日加多，劳动者所分配者则日益减少，终将使劳动者不能维持生存，亦实无可幸免者。

近时物质的进步虽甚著大，生产力之增加虽极伙多，乃其中之劳动者之生活，则逐日陷于穷境，其所谓工资者，真不过仅足糊口而止，此虽似不可思议，而究非不可思议也。何则？以既有土地私有制度，使少数人得以垄断天与之恩惠，则其他大多数人，自不得不陷于奴隶之境遇也。是以人人之生活，在直接专赖土地生活之国或时代，如实行土地私有，则其结果，必使多数农民成为农奴（Serfdom），而亦即此种关系之最为明白表现者。彼时之所谓奴隶者，或则为战争之俘虏，或则为捕获之黑人，其数较之普通之人类尚居少数。及至土地私有制既兴，则以多数人服从于少数人之权力下，因而乃有陷于奴隶的境遇之事实，而且地球万国，几于无一处无之，今则司空见惯，以为至庸无奇，遂成为人类社会一般之状态矣。

是以有欲对人逞其权力而又最狡黠者，乃不取根据生产以取得所得之迂回的手段，而选得振其腕力以为土地之领主的方法，一经领有其土地，即动辄成为附着于土地之多数人之君主。故曰土地之所有，即贵族制度之起源也。然非先有领主，而后行其土地之领有也，乃先有土地之领有，始有领主之发生耳。中世欧罗巴之贵族，所由有可惊之特权者，皆全由于土地之领有发露而来，仅就土地所有之简单的事实言之，一方则发生贵族，他方则发生臣下，前者则领有一切，后者则一无所有。以故在对于土地而承认或维持领主之权威之间，其附着于土地而生活者，惟有仰承领主之鼻息，以唯唯听命而已。而为其领主者，亦惟有随其所欲，对于附着于土地之人民，课以种种之负担，以肥其无厌之囊橐，他方则呻吟于其负担者，日益陷于穷境而卒无如之何也。信哉土地所有即权力之源也。由是社会即有贵贱贫富之区别发生，而使两阶级之间，几如划有鸿沟而不可逾越矣。

然而此种关系，至今犹积习相沿，以致劳动者之大众，一步一步陷于奴隶境遇，虽曰生产愈益隆盛，物资愈益充裕，而劳动者则无论如何夙夜匪懈，如何刻苦自励，终无参与于充裕之分配之望，几有愈劳动而愈不得改善其境遇之势，劳动之结果，除得以维持其一种动物的生存之外，其他一切，则概归于他人之手，工资则跌落而复跌落，非使生活达到最低限度不止。生产力之增加，其真可惊乎哉。所谓地代者，固亦非吸尽生产之利益不止也。

五、现今之奴隶制度为奴隶制度中之最惨酷者

如此，则无论在何文明国，劳动者之生活状态，有日趋恶劣之势，在自由之美名之下，以度其极悲惨之奴隶生涯焉。而且此种奴隶制度，在一切奴隶制度之中，要以此种状态最为惨酷恶辣。何则？劳动者任是如何劳动，其所得终不过仅足其动物的生存而止，而在收买彼之劳动，即对彼支付工资之企业者之人，亦在一种无形的压迫之下，迫之不得不然，故凡所以困苦劳动者，决非特定之个人敢于残酷不仁，而实由于需要供给之关系，有一种无可避免之无形的法则驱之至此耳。既为无形之法则，则亦无一种特定之人负责，而惟有以此法则所编出之一种关系，使举世之人奔走骇汗，疲于奔命，而莫知所究诘耳。由是劳动则化而为货物，劳动者则变而为机器，而又无主人，无臣下，惟有购买者与贩卖者之关系而已。

当奴隶制度盛行之时，人人以为奴隶之境遇殊堪怜悯，固已。然在所有奴隶者，若从自己终局之利益着想，必不至加以过于惨酷之虐待，至少亦当保持彼等之健康，注意彼等之劳动力不衰退，方于其自身之利益无妨也。乃在今之所谓无形的奴隶制度之下者，则并上述之主人者而亦无之，惟有所谓契约者之无形关系，故劳动者之状态，纵令备极悲惨，终不足以动为主人者之一顾，无所谓恩义，无所谓慰藉，惟以残忍无形之鞭扑，日日加鞭挞于劳动者，使益益濒于死地而后已。是以方今劳动者之状态，较之昔日之奴隶，更不得不悲惨，以冷酷的契约之手，固只有铁面无情，绝无所谓人道也。又在昔时连同土地买卖之农奴，尚因其所有者之利己心与其为主人者之情谊心，不致有极端之虐待也。又因欲根据土地以谋生活者，只在于欲得土地，并不至由于竞争，而有达于互相吞噬之极端的惨酷也。然在现代社会，则所谓自由竞争者，其所要求于劳动者，非达到最高之限度不止。如欲知其如何酷烈，试一观于富兴工业之中心地

之最下级民之实际生活状态,当相信余言之非诬也。

在人生痛苦之中,诚哉未有如所谓极贫者之辛辣者。绝望的贫穷,即导人于罪恶之路也。小人穷斯滥,古语信有明征,贫困之结果,即来德性之堕落,失堕人生可尊可敬之微妙的感情,终必有逼人非至于为非作歹不止者,而方今劳动者之阶级,则日日为一种不可抗的势力所逼迫,使其益益濒于死地,真有使人不寒而栗者。惟不可忘者,此种不可抗的势力,岂真如天灾地变之不可抵抗乎,岂真如风潮澎湃无法避免乎?顾吾思之,本为天然平等给与万人之土地,乃认许少数之人所专占独有,使举世百凡之弊病,万恶之渊薮,悉以此为归宿,则是以土地之私有为上臼,以物质的进步为下臼,劳动者阶级置身于此上下两臼之中间,而又加以最大之压力,其不成为齑粉也几希矣。

六、土地私有乃公然之盗贼也

土地所有之不当,以其毫无可据之正当理由,观于上述之议论,自可彻底明了矣。故即令如何饰辞强辩,而真理固自不可磨灭。乃举世之人,习非胜是,不独不明此中之真理,而反以不狂为狂,竟有明目张胆以痛斥否认土地私有之非者,一闻有反对土地私有之议论出,几于人皆欲杀。呜呼,其亦可哀也已。毕竟世间之多数人,绝不考虑事物之原理,只知墨守习惯,若在当今之世,试一放开眼界以观察事物之真相,当无不知土地私有制度之为悖理畔道者。即在研究经济学之人,苟不了解对于土地之所有,与对于人所生产之地之货物之所有,有根本的相异之事实,则亦不能考究生产论与分配论。而对此土地私有之事实,在经济学之大著述中,亦复若明若昧的承认之,绝无有就土地所有之根本原理,公然开始彻底研究者,只漠然考察私有制度,在使土地得有适当之使用,及希望文化之发达上,成为必要的当面的事实而已。

然在考察事物之真理,怀疑土地私有之根源,而研究其是非之人,则必了然于土地私有之绝对无理,在方今文明与进步之中,实以此为贫苦与惨状之祸水,社会之弊病、政治之腐败,全以此为其根柢。思念及此,则土地私有即非从速废止不可,此乃当然之事实也。乃世之人竟有虽悟及此,而犹逡巡却步,不敢公然主张断行土地私有制之废止,抑又何耶?此无他,彼等盖相信向来久立于土地私有制之下者,方且以土地私有认为永久之利益,且据此以为基础而立计算，今若一举而实行土地公有，难免不予以侵害，致酿成不法行动之结果也。据彼等之意，以为若实行土地公有，则土地所有权本为正当之权利，本为支出其劳动结果，为代价以购入者，因此或不免侵害其人之权利。是以彼等主张如欲实行土地公有，则对于土地之所有者，即不能不与以充分之赔偿。否则本欲为正义而实行公有者，反陷于极不合理之举动也。

如斯宾塞（Herbert Spencer）于其所著（Social statics）中，虽极力阐明土地私有权之无根据，而对于现在之土地所有者，则又以为要为其人或其祖先，依据正当之手段，提供有可获得之利益，始因之而取得者，故主张当充分承认其正当之权源，容纳其要求，且又道破土地所有之问题，早晚必当解决，而又为最困难的社会问题之一者。

七、对于土地所有者之赔偿问题

所谓“欲实行土地国有，则国家必须评定各所有地之正当市价，且照价与地主以充分之赔偿”之说，实依据上述之信念而来者。彼约翰司徒滑特弥尔（Mill，J.S.）固亦相信土地私有之为背理者，然亦不脱上述之信念，故主张仅以土地将来可发生之利益，使归属于社会而已。即据氏所考虑，欲将土地之现在市价正确评定，依然以其价格归于地主之所有，不欲根据将来改良之结果，而以由于自然发生之土地价格之增加，使归属于国家之所有。

然而此等学说，终非可以实行者，兹可存而不论，惟其根本之误谬，即不知正义与非理之间，不能因妥协以使其连络一事是也。若果如其所主张，则欲因保全土地所有者之利益，难免不毁伤社会一般之利益，土地所有者并未因此而失却何等特别的利益，社会一般，亦未必因此而赢得何等之利益。即以代偿给与现在之地主而收买其权利，此不过使地主以现据土地所有而享有之利益，复承认其变为他种形态之利益耳。若依据公债或租税以充收买土地之费用，而使社会一般人负担之，是使地主在现在既得以地代之形态所占取之负担课诸人民，此后则不取地代而取利息，一如从前可收得不当之利得耳。如此，则所谓悖理违义者，亦复与前何异。若地主照现代之制度不动，以之作为地代，而以今后所当收入者作为预付，而在其总额中，使收买代价之利息，比诸将来当收入之总额较少，则或者尚不失为社会之利益，顾吾思之，则今之所有土地者，其所定为利益之主要的部分，皆指定将来土地价格之益益腾贵计算者，今若以时价收买其土地，必举包含有将来投机的利益以为利益，而估计其价格必矣，因而收买土地而支付代价，使地主收得利息，实不啻使彼于地代所应收入之利益以外，又加入将来可收入之投机的地代，亦得有确实收入也。如此，则因为收买土地，反使社会所负担者，较之不收买时尤大，一方则使地主之利益，亦较之现在之利益尤大，此皆不当之甚者。

约翰司徒滑特弥尔之方策，即欲以土地之价格由于将来之不劳的增加（The future increase in the value of land），为国有之方策者也，此虽具有使将来不再发生有如现今支配不公平之以上的不公平的效能，然决不能谓为社会弊病之救治策也。即在将来，亦依然有使现今社会之一部分人，得对于其他部分之人，得维持其不当之利益者。故其效能极为薄弱，惟有批评为慰情聊胜无之政策而已。要之，弥尔虽甚了解土地利益之非理，而终为马尔萨斯派之教义所束缚，以为人生之悲惨，当归因于天公之播弄，而非依据人为使之然者。故其结果，对于所谓土地私有者，并未认为最大之弊害，对于土地公有，亦不认其有多大的价值，惟相信如欲救济弊病，惟有使人抑制其天性而已。如氏之热诚，如氏之纯洁，尚且不敢公然努力于经济法则之真正的调和，不能认识社会一切弊病发生之惟一之根源，可见具有真知灼见者之难也。

八、无赔偿之必要

夫地主之垄断土地之利益，固为一种之公盗而无疑者，且其窃盗的行为，非若盗金盗马等类之窃盗行为然，仅以一次之行为终了者。质言之，即为一种继续犯，既有过去之行为，又有现在之行为，并在古往今来，有继续不断的行为而成立者。然则地主所受之利益，既具有一种犯罪的性质，则惟有赶速遮断其利益，使彼辈痛改前非，方为急务中之急务也。又安有对其不正当之利益，而给与以赔偿之必要者，世人若对于收回赃物而必给以赔偿，当无人不笑其愚且狂矣。

平心论之，所谓地代，究具有如何之性质者。地代决非由于土地之天然自然的发生，亦非由于地主行为之结果而发生者，乃依据社会之发达始有之耳。地代之起源既在社会，则其增加亦自当无一不待社会之发达，地代之发生与发育,社会之为力至大,则以其利益举归属于社会,方于正理相合,个人无论以如何名义,非可得而私有之者。地主亦惟有俯首听命,而不敢主张有何等之权利也。

凡收买赃品者,纵令善意无过失,然而对于正当所有者之要求,又安有请求赔偿其支付代价之权利者,土地发生之利益,为地主垄断属于社会之利益,而有一种公盗之活动者,虽于向前地主接受时,亦系对之而根据有正当之权源,提供有获得劳动之结果,然亦不能对于社会有要求赔偿之权利也。即令于其土地之上,加以改良,方增加其价格,而私有之土地,既为赃品,亦终无可以要求赔偿之权利也。此实法律上正义之要求,固终无如之何,是以今既欲断行土地公有,即不外乎以被盗之物品,使返还于正当所有者之社会之意味耳。在现在之所有土地者,决无有可要求何等之赔偿之理,使其无偿而移归公有,并无所谓不合法。不惟无所谓不合法而已,且实为最合于正理者。

要之,土地私有制度,既反于正义,而又为社会百凡弊病惟一之根源,社会惟有以一大勇断决行公有而已。决行公有,一举而将社会之病根摧陷廓清,则安享其幸福者,社会万人也,因而即在彼之地主之自身,亦为安享幸福者之一,大地主所受之私益,固已现实而无可疑,至于小地主等所受之利益,尤为广大无边,自更不待烦言也。盖土地公有,全为正义之所命令,正义在于和平,和平即能增进福祉,然而其关键,则全在于公平无私也。

第三节　显理佐治之土地国有论(其二)

显理佐治以为欲确立土地国有论,又当就土地所有加以历史的观察,以证明土地本来之制度原为团体公有之事实,而说明土地私有之为非者,吾人试绍介其说于下:

一、最可畏之习惯力

世间最可畏者,莫如习惯之力,无论其事实如何不合理,苟已习闻习见,则人人习而安之,决无有以为不合理者,而且以为正当,以为无可致疑之余地,以为神圣不可侵犯。土地私有制度,尤其显然者,在方今法制之下,无论何国,固无一而不行土地私有制度者。不仅吾人生而育成于私有制度之下，即吾之祖若父，亦无一不育成于土地私有制之下。故吾等以为所谓土地私有者，真如日月经天，江河行地，毫无可以怀疑之余地者，不仅不能问其所以然，且亦不敢问其所以然。

而在方今之社会制度与法制之下者，以为土地私有，已为既定之事实，不惟不考究其合理与否，且有以为必有土地私有，始能耕作，能改良，又能使各个人与社会之利益得以一致，得以增进者。今若猝然倡说土地私有之不合理，而且主张归于公有合于至理，则必使社会之人愕然骇怪，而斥其说之妄诞，甚至绝叫其主张之荒谬且危险，必将紊乱社会之秩序，颠覆法制之基础，有非排斥之，抨击之，加以制裁不可者，于人皆盲，反以不盲者为盲，无他，习惯之力也。

然试一放开眼界，以观察事理之真相，即凡现时通行或从古即行之事，亦不能谓为绝对之真理，谓为永久不可变更之制度也。今是昨非，天下事大抵如此，土地私有制度，虽为往古所已行，又为方今所通行，然不能即以为神圣不可侵犯之社会之大原则也。在奴隶制度通行之时代，世人固未有认其不合理者，及至今日，则人人皆知奴隶制度之不当，盖以血肉之躯，作为私有权之目的，固为违背道义之最甚者。

又如曾以君主政体为一般政体之时代，几无人能相信无君主亦可治国者。乃在方今，如法兰西如美利坚等之大国，亦以无君主而治，且因此而愈隆盛愈强大，即以一小者言之，中国在前清时皆蓄辫，反以无辫者为怪，妇女皆缠足，反以天足为可笑，而今则完全相反（按此为译者图便于易解起见，故引之，非原文中有此文也，幸勿误会）。无他，皆时代之习俗也。故因时代之变迁与人心之进化而有变化，此为不可忘者，而社会凡百之制度，殆无不如此也。

古往今来，虽对于土地一律承认其有私有制，然非以其合于真理而然也，因而在自今以后，亦非有必然且不得不然者也。

二、土地私有制无原始的起源

然若更放开眼界观之，当知对于土地之私有制度，决无原始的起源者。无宁谓人类之原始以及其永续的观念，只有万人同等之使用权，至于承认个人的土地私有，若自历史的观之，比较地尚为新的事实。据多数学者及旅行家之所证实，则在人类社会组织之当初，对于土地，一般只承认公共的使用，无论自历史的观之，或自伦理的观之，几无不以土地私有为所谓公盗者。此决非基于契约而成立者也。若考其所自始，殆无不由于战争与征服而起，为狡狯者恶用其迷信与法律所攫得者。

考之古史，无论亚细亚、欧罗巴、亚美利加乃至阿非利加，凡土地，皆为部落团体之共有。各人对于土地，不过仅有其平等使用权，其由于劳动之结果而成者，虽承认有对于他种动产之私有权，或因土地耕作，须应在其土地上之劳动，有对于土地生产，认有绝对的私有权之必要发生，亦与此土地公有之事实绝不矛盾。其土地即有分割于产业主体（例如家族、氏族或各个人）之场合，亦仅以所谓必要者为限度，在原则上，则不问土地之为森林、牧场，或耕地，固皆以之作为团体之公有者。

三、原始的公有制之实例

此种原始的公有状态，至今犹可于印度及俄罗斯之村落团体间，瑞士山间之坎吞（Canton）北阿非利加之 Kabyles，南阿非利加之 Kaffirs，爪哇岛之土人，新西兰之某地方等发见之。

拉甫雷（M.Emile de Laveleye，Primitive Property）曰：凡未开人种之社会，其土地皆为部落团体所共有，其后划出时期，始分配于各家族团体间，使各各听从自然之命令，得以自己之劳动从事生活。于是各人生活之愉快，即与其精力智能为比例，然而各人决不至苦于生活资料之缺乏，对于其间之所谓不平均者，亦得以充分注意先事预防。

若氏之所言而确，则一般对于土地虽允许各人平等利用，倘某特定之人对于土地而得有排他的独占权，即不得不因此而发生疑问。而其推移之过程与理由，皆于大抵之场合可以探知之。然究在何处发露乎？概括言之，即其酋长及军人阶级之手有权力之集中也。彼等每遇征战，其被征服者皆为奴隶，其共有之土地，皆为征服者之所有，而遂由征服者独占其利益也。

希腊罗马所以酿成国内之大扰乱者，即此对于土地之各人平均之权利思想，与某阶级之欲努力独占，遂至互相争斗轧轹不止耳，于是 Lycurgus，及 Solon 之法制，不得不因之发生，而又不得不有 Licinian Law 法律之制定。然而独占土地之势力，终能使此等设施归于无效，于是亡希腊者，即此大所有地（great estates）阶之厉也，亡罗马者，亦即其大所有地也。

后世对于土地而有绝对的私有权之观念，其始皆自罗马继承之，然有须切记者，即在罗马，其初固未有以土地为私有者，其耕地多为公有地，而委之于共同使用（The corn land that was of public right），此恰与条顿人之Mark，瑞士人之alimend相似。其后始渐以是等公有地归于家长制大家族patrician families之私有，及其私有地逐渐增大，始有所谓latifundia之出现。于是向之共同耕种之农民，今则对于所有者，乃不得不支付地代，而化为rent paying colonii，或出都会而投入无资产阶级之群矣。而此大所有地（latifundia），并扩充而至于意大利全土，叙叙利、阿非利加北部、西班牙高卢等处，其一切农业，皆由奴隶或佃户经营之，即夺其人格的独立，又以掠夺的农业枯渴地力，而罗马之生机亦由此遂绝矣。

由此言之，则亡罗马者，非北方之蛮敌也，若问罗马灭亡之原因，固不得不求之于其借地制也。

反之，灭罗马者之日耳曼人，其状态又如何？拉甫雷曰：对于自由之权利，与对于氏族内各家族之酋长平等共有之财产不可分的权利，实日耳曼村落惟一主要之权利也。此种绝对的平等观，为各个人显著的性状，因为有此性状，遂得以未开化之小团体，竟得取罗马帝国而代之也。

四、封建制度

日耳曼人征服罗马以后，所树立之封建制度，虽非欧洲所特有者，然其民族既以平等与个人性为本旨，则被其征服之后，自应有此当然之结果，惟非在此封建制度之下，对于土地而认有绝对的排他的所有权也。君主为人民之代表，而所有土地，对于私人虽许其所有土地，然必有种种公共的义务附随之，有其最后之处分权者，则仍为团体之自身也。

所谓封建制度者，不待言，固以土地之绝对的所有为基础而成立者，然而有其绝对的所有权者，实为所谓地主（landlords），彼等对其所有地（Domain），实为绝对的所有者。然在此封建制度之中，于此所有权上，更置有一种权利，由是等地主集合连带造成一种领地，其领主对之，始有至上之权利。在其权利所允许之范围以内，复使各地主对其所有地得以行使权利。而所谓领主之权利者，即不外乎代表团体全体之权利者。质言之，惟有此种团体乃得对于土地而有其至高无上之权利也。

如此，则知所谓封建制度者，于其起源及发展上，实可谓对于土地之共同权之思想占有胜利者，而以向有之绝对的租种法，改变为有条件附之租种，对于地主收得地代之特权，则改为赋课某种特定之义务以为报偿者。

更有不可忘者，在欧洲封建制度盛行之中，尚有人民之共有地（Commonland or Communalland）存在，其面积且决非甚狭小者。法兰西至革命前，西班牙直至现在，某地方尚有一种习惯，土地在收获之后，人人有在其上自由牧畜自由通行之权利，其他类似于此之事例，可以证明土地之公有性者尚复不少。

总之，此种事例，皆足表示土地之富于公有性，为土地公有之思想最普遍者，即土地私有实行以后，曩日之公有，固未完全归于消灭也。

及至封建制度崩坏以后，现代文明之一般的倾向，即打破上述之土地公有的思想，而树立有对于土地之绝对的所有权。即个人之自由思想勃兴，对于土地遂认有树立个人所有权之必要，于是而将向来加于土地所有之上之至上权一一打落，对于土地，亦完全与对于其他之动产同，而认有绝对的处分权矣。

然在当今法制之下，对于土地之所有权，虽被十分确认，土地之为私有确无可疑，然尚有设立种种法律的限制之必要，且各国亦皆不约而同，实以土地之性质，本不适于绝对无条件之私人所有权之目的，而与公共之利害，则颇有密接之关系也。故虽承认有私有权，有时为维持公共之利益起见，始有特别设立限制的规定之必要，如土地收用法，即足以窥见此中之消息者。

第四节　对于土地公有论之反驳（其一）

一、分配上地代之地位

显理佐治以为土地私有，为社会一切弊病之根源，在此进步与繁荣之中，反使社会多数之人被迫于贫苦，毕竟现代经济界之矛盾，实因依据土地私有，而以地代收归个人所有者为之梗也。氏以为生产之要素，本为土地、资本、劳动三者，因而其生产物必分配于此三者之间，对于土地有地代，对于资本则有利息,对于劳动则有工资之分配,是以此三者之中,若有一项要求过大之分配,而且要求不止,则其他二者,必愈益减少其分配,其不能认为满足明矣。而氏之解释李嘉图之《地代论》也,以为所谓地代者,乃为给养现在存在之人口计,为满足其农产物之需要计,在必要的耕地之中,取其最不利益之生产条件之下者与其不然者,而依据其生产费之差额所发生者也,而此耕作之界限,则由于人口之增加,与对于农产物之需要愈益增加,而逐渐扩张者,先由立有耕作界限之土地,逐渐以立于更不利益之生产条件之下之土地,加入于耕作之范围内,于是其结果,遂使本不发生一文地代之界限土地,亦逐渐发生地代,而最先发生地代久居于有利的条件之下之土地,则愈益增加其地代,因而随着人口之增加与经济界之必要日进,则地代要求分配之部分,愈见扩大,而且其所增加者,较之生产全体之增加,其来势尤为凶猛,以此遂使其他之利息及工资之分配,就中尤以劳动之分配,愈不得不逐渐减少也。

是以若从显理佐治之所考虑,以为在此进步与繁荣之中,而使贫民增加之困穷,年甚一年,日甚一日者,皆由于地代具有自然的增加之性质也。其所增加之地代,又以有土地私有制度之故,遂全为地主之个人所攘夺,社会之多数者,因此更陷于困穷,实为势所必至,此所由在经济学之原理,不可不指示土地私有制之必当废止也。然而此理果不谬耶?地代果如显理佐治之所信有必然的增加耶?此则急需研究之问题也。

二、地代增加之势非必然的

反对显理佐治之说者有曰:若从李嘉图《地代论》之原理,必以为一国若在孤立之状态,又与其他各国断绝经济的交通,则地代必当逐渐腾贵,而当以其生产之大部分全归于土地之利益也。盖人口虽日益增加,对于农产物之需要亦日益加重,如欲谋其供给,即有逐渐耕作劣等土地之必要,而所以供给其需要者,终难免有不足之恨也。然若就方今之经济状态观之,欲实现此孤立的状态,实属不可能之事,而无宁谓近时之交通机关有可惊之发达,地球上之距离渐形短缩,国民经济相互间之连络关系更加密接,又因轮船、火车、电报、电话之发达,实可打成世界为一丸,非使之成为一大市场不止。是以方今美洲处女地所产之丰富谷物,已远涉重洋而充满于欧洲之市场,锡德尼新金山所屠之羊肉，能保存其新鲜之佳味，以充伦敦市中之消费，固皆数见不鲜之事也。

情状如此，故在一国，纵有农产物之供给不足，即可由他国增加其新供给，而使谷价不特不呈特别之腾贵，反增大其下落之趋势。谷价既不腾贵，则地代亦自不应腾贵，故谓生产物之分配，当全归于土地之利益者，实属难于立论。加之近时有工业之著大的发达，工资颇为腾贵，农民皆舍乡里而向都会，其结果，益使农村之劳动更形不足；而又因资本多集中于都会，乡村则资本缺乏，其结果，亦使地主之利益逐渐减少，而决无所谓增加也。

然据吾人观之，此种反对论，其理论过于太偏，且亦不合于某种实际。论者仅见近时之农业状态，遂据之以为立论之基础，而实非适合世界各国实情之议论也。在欧洲之实状，容或有如论者之说，因近时谷物之价格大落，可遮断农业地代之腾贵。然如日本者，则食料品之大部分，只限于米谷，而其产地在地球上又被限于比较的狭范围内，因而此种关系，似已稍稍被局于孤立的经济状态之下，则论者之说，尤为不当，米谷之需给关系，比年有失调和，供给常感不足，以故米谷之价格只有向一方腾贵之势，绝不见有下落之势，则根据论者之论法，至少亦不足以规律日本现时之《地代论》也。

试将日本米之国内生产额与消费额之关系列表于下：

年　次	内地生产额	内地消费额	生产过不足额
明治二〇	37191424 石	36862258 石(+)	329166 石
明治二一	39999199 石	38678804 石(+)	1320395 石
明治二二	38645470 石	37356581 石(+)	1288889 石
明治二三	33007566 石	34690155 石(-)	1682589 石
明治二四	43037809 石	42909814 石(+)	127995 石
明治二五	38181405 石	38024332 石(+)	157073 石
明治二六	41429676 石	41350731 石(+)	78945 石
明治二七	37264718 石	38014863 石(-)	747445 石
明治二八	41859047 石	41813111 石(+)	45936 石
明治二九	39960798 石	39943851 石(+)	16947 石
明治三〇	36240351 石	38234412 石(-)	1994061 石
明治三一	33039293 石	37246622 石(-)	4207309 石
明治三二	47387666 石	47173513 石(+)	214153 石

续表

年　次	内地生产额	内地消费额	生产过不足额
明治三三	39698258 石	40365698 石(-)	667340 石
明治三四	41466422 石	42243140 石(-)	776718 石
明治三五	46914434 石	48320680 石(-)	1406246 石
明治三六	36932266 石	41863648 石(-)	4931382 石
明治三七	46473298 石	52408907 石(-)	5935609 石
明治三八	51430221 石	56427261 石(-)	4997040 石
明治三九	38172560 石	41123946 石(-)	2951386 石
明治四〇	46302530 石	49309607 石(-)	3007077 石
明治四一	49052065 石	51663767 石(-)	2611702 石

据上表观之，在明治二〇年前后，国内之米谷生产额，尚超过消费额，自是以后，生产额几与消费额相近，明治三〇年以后，则消费额超过生产额者甚远，其后，则愈益表示不足额之增加矣。自明治二〇年至二九年，凡 10 年间，平均国内生产额为 39057981 石，国内消费额则为 38964450 石，两两相抵，生产尚有少许之过剩，而自三〇年至三九年凡 10 年间，平均生产额，为 41775477 石，消费额则为 45440783 石，实有 2665306 石之不足。更就三五年至三九年 5 年间平均观之，生产额为 43984556 石，消费额则为 48028888 石，其不足额正达于 400 万石以上矣。

欲弥补此项生产不足额，非输入外国米不可，其输入统计表则又如下：

年　次	石　数	年　次	石　数
明治二〇	29492 石	明治三二	693249 石
明治二一	5114 石	明治三三	960531 石
明治二二	21730 石	明治三四	1307014 石
明治二三	1930569 石	明治三五	1893810 石
明治二四	704763 石	明治三六	5108510 石
明治二五	346210 石	明治三七	6187350 石
明治二六	587613 石	明治三八	4870283 石
明治二七	1387944 石	明治三九	2562456 石
明治二八	707838 石	明治四〇	2843511 石

续表

年　　次	石　　数	年　　次	石　　数
明治二九	782041 石	明治四一	2038488 石
明治三〇	2646585 石	明治四二	1391505 石
明治三一	4912426 石		

若比较以上两表观之,则日本国内之生产不足额,与输入额略相接近,即自明治三五年至三九年凡 5 年间,平均输入额为 4124422 石,正与生产不足额相等。

使自外国输入之米,其品质并不劣于日本产,而其输入又极自由,则米价断不至因供给不足而腾贵也。乃征之于实际,则外国米较之日本米,品质颇劣,不适于日本人一般之消费,因而一般人民米谷消费之状态,已稍稍近于封锁的孤立状态,加之为保护农民之故,米谷输入关税,又设有比较的高率,遂使米价益育成比年趋于腾贵之势。是以米价腾贵,为现今一般之情势,几无下落之希望。试就明治三十三年至四十一年之统计观之,则此 9 年间之米价极为可惊,几示有 50%之腾贵,列表如下:

日本国内产糙米大阪市价表

明治三十三年平均	10884 元	100
明治三十四年同	11830 元	109
明治三十五年同	12294 元	113
明治三十六年同	13845 元	127
明治三十七年同	13346 元	123
明治三十八年同	12391 元	115
明治三十九年同	14249 元	131
明治四十年同	16166 元	148
明治四十一年同	15612 元	143

年年之米价,关系于收成之丰歉者至大,比年虽不免有多少之变动,然就大体之倾向观之,米价仍有继续腾贵之势,而其势每年均向同一之方向进行,此观于上表而可知者。且其腾贵之速度,又颇急速,以不足 10 年之间,竟有 50%之腾贵,决不能谓其速度之缓慢也。

在此种状态之下，则日本农地之地代，自非增加不可，征诸吾人在《地代论》第三章所阐明地代增减之理，可知地代之必应增加者，在一方则根据农耕技术之改良土地之改善等，以增加土地生产力，方能致农生产量增加，而在他方则又因人口增加，以致对于农生产物之需要增加，因而农产物之价格必然腾贵，否则或因农耕技术之改善，或农业经营组织之改良等，能节减其生产费，或则又因运输交通机关之发达普及，以致农产物运搬费得以低减。要之，必于数者中有其一，方不至异常腾贵耳。而在上述情形之下，若有农产物价格腾贵，亦可区别为两种而观察之。其一，为有人口增殖，对于食料品之需要增加，以致举向有之耕地范围，不能应此增加之需要，则不得不渐向沃度较劣位置不便之土地，以扩张耕作之范围，且因有此扩张，则界限地之品位，必逐渐趋于低下，其间生产之费用，亦必逐渐加多，即以生产物搬出市场，其费用亦必增大，因而农产物之价格，遂不得不逐渐腾贵者是也。其二，则一国内之土地，业已耕作殆尽，虽欲扩张其耕作界限，实已无可扩张，因而在其能否扩张之范围内，倘竟无可扩张，于是谷价即以其不能适应需要，结果遂必有逐渐腾贵不止者是也。

然则日本现今之状态，在以上二者中，究属于何一方面。质言之，似以属于后者一方面之成分居多，此所由谷价则逐渐腾贵，而地代亦因之增加不止也。

加之所谓地代者，即令谷价毫不腾贵，甚至即有下落，亦依然有增加者，此吾人于《地代论》中，业已详言之矣。其实即如上所述，或因农作法改良之结果，较之向来之农生产量已有增加，或因交通机关之普及发达等，较之从前可以较少之费用运致农产物于市场，始有此现象耳。质言之，即令农产物之价格不腾贵，然其生产费（包含运搬费）若然减少，则地代亦依然可以腾贵也。要之，地代之为物，若谓一遇谷价下落，即当随之而减少，此实有不能一概断定者，地代之增加，与谷价之下落，固非势不两立者也。然则果如论者之说，欲以此打破显理佐治之主张，其势固有所不能也。

三、农业地代与宅地地代有区别之必要

复次，论者所反驳显理佐治之说，只注意于农业地代，而忘却都市中宅地

之地代,此尤为一大缺点。方今地代可惊之增加,宅地地代较之农业地代固尤甚也。盖此宅地地代,因为都市发达,以其土地在便宜之位置,最适于为商业用地、工场用地,或住宅用地,以故需要激增,其趋向腾贵之势,几于不可遏抑,其腾贵之势之如何有力,亦无须吾人一一举证,此观于目下著大之事实即可以证明者。总之,此种腾贵之趋势,虽由于都市中交通机关发达,可多少加以和缓,然其和缓之力,远不如腾贵之势之猛进,此无论在何都市,苟日日发展膨胀,则宅地地代,断未有不表示著大之腾贵者。而此自然的增加之地代,固无一不归于土地所有者之囊橐者,纵令所有者一事不为,而日日追随社会之发达与经济之发达,固已安享太平,愈益增加其多大之不劳所得也。

四、农业收益之薄少

论者又谓:农业之歉收,为势之所不免,故其生产之成绩,所赖于自然力者至大,其结果,常有灾害之来,多出于意料所不及者,至少亦以对于每年之收获,决不能有充分之预定,故农民因此极不利益,则土地所有,亦决不如世人所信之为最有利者,而且现今多数国家之农民,多有祖遗及自身负担之重债,故其土地发生之利益,有完全归诸高利贷等所攘夺者。而且现今之租税,以农民尤以地主所负担者最重,地租本为确定的,征收时又绝少漏税者,在多数国内,地租之比例,往往过重,此亦可认为减少土地所有之利益之最有力的原因也。

然所由至此者,皆由有所谓土地私有制度,始发生此弊害耳。即令有此现象,亦不足以论证土地所有之非违反事理,并以攻击土地公有论之非。且论者之为此说,不过指摘土地私有制度偶然有此富于弊害之事实,遂袒护之,以为不必要急谋废除耳,殊不知此特借寇兵而赍盗粮也。即退一步,谓论者之所说,确以方今之土地所有,于所有者真有此不利益,是益足以证明土地私有之为违反事理,且表示其不利益也。然又何必不使之归于公有,使地主得享幸福,并使社会全般得有平均之福利耶?

五、所有权之权源

惟欲批评显理佐治之说,则对于氏所主张,谓人非根据自己之劳动所产出者,皆不得为所有权之目的,并专占其利益,以排斥他人之干涉,关于此点,却必须加以充分之考虑而后可。若如氏所主张，人非凭借自己之劳动产出或以之交换而获得者，皆不能为所有权之目的，欲贯彻此理论，遂谓土地之所赖于天然之恩惠者至大，以之攘为私有，在理论上实足以证明其不当也。然而对于所有权之基础，若从根本上加以如此穿凿附会，而谓其基础必不可不在劳动，则其议论殊属牵强。如此，亦不过欲自圆其说，遂武断一切而不顾耳。显理佐治如欲强人承认所有权之起源确在劳动，而欲人人佩服其确为不可移易之理，恐于事终不可能，而不过其本人以为想当然耳。

如谓凡人必对于凭藉己力以造出或交换之物，始能主张其所有权之正当，则其命题，已不免先有舛错。何则？谓人为动物固不谬，若谓非人者即非动物，则理论上殊难贯彻，显理佐治主张之舛错，何以异此。尽人之为动物虽极确切，谓非人即非动物，实未有确切之证明也。前项命题虽真，不能即主张后项命题亦真，此固逻辑上之法则也。

是以若谓对于非凭借劳力所生产之物而主张所有者即为非理，持此以强世人信服，恐亦戛戛乎其难矣。充氏之说，亦不过逞其立词之巧妙与其笔力之雄健，足以使闻者色骇而已。

六、土地之天然性

复次，显理佐治以为土地为纯然的天与者，无论如何加以人之劳动，终必为天然物之土地之性质所埋没，土地并不因有人之加以劳动，遂改变其天然物之性质者，盖天然物之性质极大，而人为性特小，大者吞并小者，小者被吞并于大者，此土地之依然成为其天然物也。然此实不免于牵强附会之讥也。假令作如是说，然而方今之土地，究竟其天然之性能与人为之性能何者为大，何者为小，极不容易断定。浸假有人主张，谓方今之土地，其天然之性能，皆为数千年来由于人类加以劳动，投以资本，使变化其性能之结果，因而与其谓现今之土地为天然物，无宁谓因有人类加以第二之性能，始成为土地之性能，又谁能驳斥其主张之全无根据者。总之，无论以土地看作天然物或看作人为的，皆不过世人凭空结撰之词，惟经济学之纯理所以说明《地代论》者，亦既明知不能承认土地之为纯然的天然物，业如吾人在《地代论》中之所详论，至少亦当知方今之土地，固包含有天然的性能与由于人为之结果而成之两种性能者也。

夫土地之为物,若就其载受力与其位置之关系言之,固为天然的,至于土地之生产力,则所待于人为之结果者至大,方今大多数土地之生产力,与其谓由于天与,无宁谓成于人为之结果者居多,或更近于事理。顾吾思之,土地之天然位置,近时有交通机关之发达,颇受有极大之影响。故今日一言及土地,则都市中之商业用地或住宅用地之土地,与农耕用地实大异其性质。若一概论断之,殊不免有陷于理论不正确之嫌。盖今之都市之土地,自其经济的意义言之,固以所占位置之关系为最重;反之,农用耕地,则以其生产力为最重,以现今交通机关之发达,与市场需给中心地之散在于各所,因之位置之关系,渐丧失其重要之意义也。是以在前者,虽不妨稍稍认为天然物,若以后者亦认为天然物,似有不当,佐治忘却此种区别,而一概论断之,不可谓非其理论之尚缺彻底者。

然若不谈所有权之起源之根本问题,专观察关于地代及地价之实情,则诚有如佐治之所深忧者,在农地虽甚少,若在都市中之商业用地或住宅用地,则其激烈情状,实有如觌面事实之所指示而纤细靡遗者。若地代增加之事实,真为社会困难之根源,则为排除社会之难关起见,所当取为社会政策之第一义,固当自断行废止都市之土地私有始矣。

然而如前所言,土地公有论固非仅可以狭义之经济上之议论视之者,宜广自社会生活之上,就其所谓人道,所谓人类之福祉,应立于绝大无边之理想上着想者。必自正义之观念观之,必自人生之价值批评观之,始足知其为最有意义也。如显理佐治之说,实足使凡廉懦立,理想的为人道大吐气焰,向理想试其热诚之努力,指示社会弊病之根源,为救现时之大苦大难,而作大狮子吼者,乃骙夫竖儒,辄敢以其坐井观天之见,妄加批评,亦可谓蚍蜉撼大树,可笑其不自量也已。

要之,显理佐治之发表土地国有论,其抱有光明正大之心事,高尚纯洁之理想,而又具有对于人道之热烈的爱情,固天下万世所当人人敬仰者,加之以奇警之文情,艳丽而又雄健之笔致,真千古不磨之大著作也。

第五节　对于土地公有论之反驳(其二)

显理佐治之土地国有论一出,对其理论的方面,固有如前节所述之反驳论，即对于氏所主张根据历史的事实，指示公有制之原始的制度，以论证公有论之合于正理一层，亦有加以不少激烈之抨击者。吾人兹略为绍介于下：

一、拉甫雷之土地公有原始说

由于历史的立场，最初攻击土地私有制之非者，为英国之缅因 Henry Sumner Maine（Village Communities in the East and West 1871），承氏之后，而因之受有刺激，更大唱其所主张者，则为拉甫雷（Laveleye，M. Emile de，De la propriété et de ses formes primitives）。氏以为无论在任何原始民族，固未有实行土地私有者，惟有村落团体、种族团体等共同的土地所有（der kollektive Grundbesitz）而已。其后，始有逞暴力，施诡计，而使此等共有之土地化为私有地，终至使私有地竟压倒或消灭公有地耳。其树立有现今之意味之土地私有制者，则罗马人实应先尸其咎也。

氏更根据此种历史的事实，谓土地之有私有权，决非发生于自然法，而不过任意的制度，将来总应归于消灭，仍复归于原有之公有制者。

氏又以为村落团体，如有废除租税之必要，亦宜再使其所有土地，又对于各家族为谋其获得必要的生产资料计，亦希望授予以可耕作之一定土地。而氏又终属重农学派之人，以为国家主要的收入，固无有较之取之土地税更为便利者。总之，氏为抱有农业的共产主义之理想者，故其描写土地公有后之国民状态，专就十分有光明之方面着笔，以努力说明土地共产主义，如何能保障个人之自由与独立者。氏盖相信在原始状态，土地共产主义固在自然的正义观念之下，到处发挥其势力者，吾人今日亦惟有十分尽力，使复归于此种共产的状态而已。

显理佐治之土地公有论，其历史的举证，盖完全承袭拉甫雷研究之结果而来者，彼相信拉氏之研究正当不误故援用之。是以拉氏所研究者，若尚有所未到，或其判定似近武断，则显理佐治之说明，即不免失其立论之本据，然而学者间对于拉甫雷之说，固已有不少之非难攻击者。

二、土地私有之起源

如吾人本书第三章第三节所详论，人类在未脱离原始状态，根据狩猎、渔捞，或采取野生果实以经营生活之众，即所称为狩猎渔捞民族，其所称呼之所有物，大抵不出于由于自己所捕获采取或调制之物，其人本无一定之居住地，惟有逐水草而居耳。在此种状态之下，本无所谓土地所有之观念，其有土地所有者，必始于各民族或种族团体为牧养其家畜计，方需要有土地耳。因而其所有者，必为各民族或种族团体所共有，决非各个人之私有，团体之所有地，为团体共同所使用，各人皆于其上共同从事牧畜，其土地之所有，惟就各团体相互间加以区别而已。是以最古之原始的土地所有，不能不认为采取一种公有制者。

其后渐有粗野耕作的经济状态表现，则已由牧畜而进于农耕，于是牧场经济，遂不得不与原始的耕作经济结合。然当初之农耕，尚未脱离漂泊的生活，其耕作皆由于民族或种族之手共同行之，尚未有个人的土地私有也。其全地皆为共有地。及至人类脱离漂泊的生活而渐成为土著，遂发生一大变革，关于土地之使用，各个人之权利逐渐扩张，其结果，始有完全自由成为个人的土地私有出现。

此种进化之过程，虽因民族不同，不能谓其大抵如此，然既树立有土地定着之俗，选定一定之住宅而居之，则土地共有制，即必因此废止，各人必各以其住宅周围附近之地取为己有，此固无待烦言者。然在村落组织之下，其事态之进步，亦未必如此急遽，其间必有两种典型表现。一即村落内之组合，一切耕地，皆由共同耕作，共同收获，以分配于各家族团体间者是也，一则为划定可耕作之村落公有地，分割为同样的多数部分，以分与于村落内之组合是也。然而此种分与，决非赋与以绝对的所有权，不过一时的许其使用收益而已，因而其土地，亦不过变更有新分割之状态。如此，则其所有权，最初只对其房屋及园圃承认之，其后遂以此为中心，而逐渐向其周围扩大，终至并其公有草地，亦被分割，仅留有山林及牧场，长此保其共有之遗迹而已。

凡上所述，皆就土地私有之发达，加以普通之说明者。然而人类进化之过程，果皆如此之单一耶？任何国家，任何民族，果皆取一轨一条之过程而进化耶？人类进化之道，果皆如此平平坦坦毫无阻碍以进行者耶？是皆不能无疑也。近时对于向之论文明史者，谓人类文化之发达，皆取同一之径路，进化法则，皆为单一性，已不能无异论矣。人类在其住所，有气候风土之不同，因而其生存之物质的条件有不同，而其民族特有之性状，所谓民族性者亦不同，故其进化发达之过程，必不一律，各民族固各各有其特有之进化路径者，所谓各民族皆一律向进化之轨程者误也，此皆近时之说也。

吾人固亦相信人类之进化，亦从其具体的条件之差异，其道程断非一律，各民族必各各随其特有之文化而有其制度者。然在领导进化一般之倾向之大体法则，则仍不能不认有同一之法则，惟因其发现之形式不同，则在其进化之道程上，不免千变万化，至其横亘于根柢上之大动脉，固仍可相信其为惟一而单独者。

是以关于土地私有之问题，谓其最初由于公有的共有状态，渐次始有私有制度之发达，如此空洞立说，本无多大错误，不过一民族所有之具体的状态，自然有不能谓他民族亦如此者，因而不能谓某民族内土地所有之某状态，为其原始的状态，则他之民族在进化之道程上，亦必有此状态也。此皆就土地所有，欲根据历史的立论者，所不能不先加以考虑者也。

总之，拉甫雷及其他多数学者，固皆主张土地私有制度，无论在何文明民族，固非原始的即存在者，当初之对于土地，实皆属于民族或种族团体之所有也。

Die wirtschaftsgeschichtliche Forschung hat dargetan, dass bei allen Kulturvölkern Privateigentum am Grund und Boden eine ursprünglich unbekannte Institution ist; der Stamm (Clan), der das Land in Besitz nimmt, gilt alsBodeneigenthümer (Buchenberger, Agrarwesen und Agrarpolitik I. Bd. S. 235. 40)——Feldgemeinschaft und Markgenossenschaft sind keine den Germanen ausschliesslich eigentümliche Einrichtung, denn die vergleichende Rechtswissenschaft vermag das genossenschaftliche Grundeigentum nicht nur bei stammverwandten Völkern älterer und neuerer Zeit nachzuweisen, sondern stellt es als eine urgeschichtliche Institution von all gemeiner Verbreitung dar, welche sich unter dem Einfluss eigenartiger Verhältnisse bei verschiedenen Völkern der Erde bis heute als die regelmässige bäuerliche Besitzform erhalten hat.①

① Brunner, *Deutsche Rechtsgeschichte* I(1887)S.63.

上所示例,皆拉氏表示诸多民族之土地,归于团体所有之状态也。然对此示例,则喀德麟曾一一加以反驳,兹试说明如下。①

三、俄罗斯之 Mir

俄罗斯之(Mir)——俄国昔时村落之土地,皆属于村落团体即 Mir 之所有,村落团体内之成年男子,于结婚以后,同时对于其公有地,即取得一定之权利(Los)。在其村落内之住宅及附属之园圃,皆为其个人之所私有。直至1861 年解放农民为止,其土地与农民,皆为诸侯寺院或贵族之所有,农民对于领主,负有纳税服劳之义务,村落内部之行政,比较地尚极自由。惟其土地,有于每年,或 2 年、3 年、7 年、10 年,必从新变更其分配者。

自哈斯托孙(Haxthausen)为始,固皆相信俄国之 Mir 为土地公有之原始的形式矣,即如拉甫雷,亦主张此种 Mir 之组织,足以表示关于土地所有之原始为形势,而为其起源之最古者。然据近时历史的研究之结果,追溯至十七世纪以前,固未有可承认其存在者。

总之,据喀德麟之所见,则以为俄国之所谓 Mir 者,并不能认为斯拉夫民族特有的原始的土地共有制度,并自原始的即存在者,其土地亦属于个人的领主,领主于征收租税之便宜上,始以此为村落团体之共同责任(Solidarische Haftpflicht),而以其土地委之于其共同管理而已。即 Mir 制度,并非自然的发达之制度,而不过人为的造成之方便制度,实不足以证明土地公有之为原始的制度也。

要之,关于 Mir 之起源,学者间颇有议论,哈斯托孙虽以为原始的且为斯拉夫人所特有,然而多赉钦教授(Treitscherin)则以为不过在 18 世纪始,以赋课人头税之故,始以人为的创设之者。然而后者之见解,基于历史的事实甚深,其说较有根据,迩来关于 Mir 起源之研究,颇占有势力矣。

(Wladimir Gr.Simkhowitsch.Handwörterbuch der Staatswissenschaften VI.Bd. Artikel “Mir”.)

---

① Cathrein(Das Privatgrundeigentum und seine Gegner.Eine kritische Auseinandersetzung mit den agrarsozialistischen Theorien von Emile de Laveleye und Henry George, 4. Aufl. 1909 Freiburg im Ereisgau).

惟有一疑问，则领主对于土地之权，究为私权，抑为公权，此则所急应研究者也。若其权而为私权，则其土地即应属于领主之私有，复由领主对其村落团体，命其在村落团体之下租种经营者，是则并非土地共有制，而不过领主一人所有之私有制也。若其领主之权，一如日本德川氏时代之诸侯，则不过为公法上之权利，所谓领有权耳，领主向村落团体所征收者，则为租税，其土地并非领主所私有，有其所有权者，仍属于村落团体，是则不能不认为实行土地共有制者。然而其起源，业如多赉钦之所指示，恐在18世纪初期，亦如俄国之例，以属于大贵族私有之土地委任村落团体使之共同管理者。

至少，亦当如多赉钦之所研究Mir之制度，必有其原始的起源者，其不足表示土地制度之原始状态，事实极为明了，若夫拉甫雷等，以为其起源之事迹极新，则殊有不足尊重者也。

四、南斯拉夫人之Zadruga

南斯拉夫人之die Zadruga——拉甫雷又以为塞尔维亚、波斯尼亚、保加利亚及其他南斯拉夫人种之间，亦有一种类似俄国之Mir，而实行原始的共有制者。即一家中虽有涉及二代三代，而绝少涉及四代者，于同一之房屋内，营共同之经济，其不动产总为共有，由共同管理之，若其一家之人口过多，始于其间分割其所有地，使之分离之制度也。拉甫雷并主张此种原始的制度，在斯拉夫人种间，固有涉及全般而广行之者，更有某学者主张，则谓在原始时代，印度格玛尼亚种族（Indogermanen）亦有此一般共通之制度者。

惟有不可忘者，die Zadruga制度，土地固为共有，其管理亦属共同行之，然而所谓die Zadruga者，只限于一家族，其人口至多亦不过五六十人。土地之面积，亦不出25赫克忒以上。即就一家言之，土地亦属于一家之所有，不许以之让渡，赠与或遗赠他人，有离去其家者，同时亦即丧失其对于土地之权利。由此言之，则此种制度，仍为一家之私有，并不足以证明土地之为公有也。

加之，若据喀德麟之所述，die Zedruga决非斯拉夫人原始之物，乃立于土耳其治下之后，始逐渐发生者。毕竟亦因有特别之课税组织始开其端，此为近时精密的史的研究之结果所证明，颇有可以置信者。

五、爪哇岛之土地制度

复次,拉甫雷又谓爪哇亦无土地私有制,其土地属于村落团体之共有,定有一定之期间,必行更新其分割者。然氏又承认此土地为领主之所有,不过以其管理委任于村落团体,因而村落团体,每年必有一定之纳贡。即此种村落团体(dessa),亦如俄国之 Mir,对于土地,负有共同之责任,领主亦对于土地而有其所有权者。要之,此种制度,不能不谓其与俄国之 Mir 相似,同立于一种法律关系之下者,因而凡所以议论 Mir 者,即以之议论此种制度亦可。

六、日耳曼人之马克

日耳曼人之 Markgenossenschaft——据拉甫雷所主张,谓日耳曼人亦与俄国及爪哇同,固亦有规定土地共有制之时期,而分割其土地之制度者,此说在 19 世纪初期,由柏鲁华及奥斯逊(G.v.Below und Haussen)等倡导之,而济柏尔(H.v.Sybel)祖述之,然而日耳曼人之制度,除席查之《加利亚征讨记》及达西达斯之《格玛尼亚》以外,别无可考,而在此等记录中,终无由发见此种制度之痕迹。因而上举各学者之说,均不过与他种民族比较所得来者,社会主义者虽极欢迎之,忠实的历史家,则固一律否认之也。

据蓝佩利喜(Lamprecht)所述,马克制度,于 13 世纪以前,实无可考,大抵至 14 世纪有之,亦系土地之领主。以土地颁给农民而起源者,与俄国之 Mir、爪哇之土地制度同,其土地原属于领主之所有,使农民负有共同责任之条件,而于便宜上贷与之耳。

七、希腊罗马之农业共产制度

希腊罗马之农业共产制度(Agrarkommunismus)主张希腊人间亦有土地共有制者,为法人胡礼特(P.Viollet),而克兰格斯(Fustel de Coulanges)则加以激烈之反对,近时则卜尔曼(Pöhlmann,Geschichte des antiken Kommunismus und Sozialismus 2 Bde.München 1893-1901)又已全部为之推翻矣。盖谓自希腊有史以来,并无可认为有土地共有制之痕迹者,惟在荷马时代及其以后,施行家族共产主义,有传至二三代而一家之财产并不分析,实为共有而又共同管理者。然而此种制度，并非一般的，且亦不能认为古代所曾行之共产主义之遗物。即就荷马(Homer)所著之 Iliad and Odyssey 两书中所描写者观之，亦终不足以证明当时曾施行土地共有制，且适足以反映与土地共有制有其不调和者耳。

谓古代罗马亦曾行土地共有制者，此为孟申(Momsen)之所自信，而胡礼特及拉甫雷等亦祖述之，然其土地，则为市民之所私有，此观于西雪洛之书中所可证明者，土地除某种国有地之外，固皆私有，且以之分割于私人者。

要之，拉甫雷等虽就多数民族，述其有土地制度之公有的起源，并主张一般原始的制度，固皆以其土地为团体所共有者，然至近时，则颇遭有力的反对，尤其为参照精密的史的研究而加以反驳者不少，至今即谓其无法维持，殆亦非过言矣。

吾人主张土地公有论，本无一定有史的举证之必要。质言之，即无论历史的事实，或为私有，或为公有，均可存而不论，纵令原始的制度为公有，于主张方今之应归公有制并不加益，即令原始的制度而为私有制，亦于方今之主张土地公有制者毫不加损。盖凡制度文物，在历史的发达之过程上，苟应时代之要求而有其必要，自有其存在之理由，若时过境迁，即非可以主张其神圣不可侵犯而有永久的存在之价值者。况土地私有制度，在方今之时势，既与人类一般之福祉不一致，又与社会公共之利害相抵触，其由于土地私有制所发生之弊害，擢发难数，以致毁伤公共一般之利益，几于诛不胜诛，吾人惟有本此理由，直截了当，以主张从速实行采用公有制可耳。而又何必迂回曲折，援用历史的事实，虽其用意，本欲巩固其主张之论据，而不知反因此授人以柄，转贻反对论者以可乘之弱点，画蛇添足之故智，此则为吾人所不取也。

土地公有论虽为一种理想论，而实为对于方今之弊害之救济策，确有至大之价值者，就此意义愈推敲而真理愈出，此吾人所应刻刻不忘者也。

第六节　集产主义(Collectivism)

一、土地公有论与科尔克地伟斯谟

倡导土地改良论者之显理佐治，固欲废止土地之私有制，而代以依据国有之形式之公有主义者也。然在多数的生产货物中，仅以土地移归公有，究能一扫社会组织、经济组织之余弊与否，不免大有疑问。盖生产手段仍归私有，而又以发生之新价值仍归私人所得，则方今社会弊病之所由发生者，其生产手段，并不仅以土地为限，若于多数之生产手段中，仅以土地移归公有，恐仍不能从根本上铲除其弊害也。尤其一观察近来生产界之情状，能在生产上占有最优越地位而最骇人者，实非土地而为他种生产资本，尤其为机器、原料、补助原料等，若使此等物件仍归私有，许容私人的生产企业，则虽举全世界之土地悉归公有，恐仍于事无济，若欲将由于生产手段之私有而来之忧患铲除净尽，则必由私人之手，将其生产手段完全夺取，使其悉数移于国家，即共同生活团体之手不可，此即 Collectivism（直译之则为集产主义）之所由起，而亦即其主张之大本也。

质言之，即集产主义亦并不以所谓土地国有者之半途主义为满足也。集产主义之所主张，即欲举一切可供生产之用，即所谓生产财者，一概禁止私有，因即据此以禁止私人之生产企业，凡可为所得之源之资本，亦当一概归于社会所有，以实行一切生产企业及利得之分配，而此所谓集产主义者，可知即为狭义的社会主义，欲废止一切财产之私有，使悉归于社会所有，无大无小，悉由社会之手行之，而与彼之所谓共产主义者互相对立者也。

总之，集产主义之理论，其内容实遍及于人生生活之全般，而包容有社会生活之各方面者，因而如欲窥见其全豹，既非吾人之素志，则亦可存而不论，吾人惟探究土地之经济理论，就土地所有之关系，评论研究其公有论，得以稍知集产主义之所主张而已，故仅就其与所谓所有有关系者，加以考究可耳。

吾人于以下，试就所谓所有者之权利关系，观察集产主义之理想，并论述其对于方今法制之批评。

二、现行所有制之不合理

集产主义以为方今之法律制度，原以一方维持社会公共之利益，一方又以保证各个人之利益为本旨者也。故法律之规定，皆宜从此本旨而造出，然实不过一片之饰词耳。何则？若就方今之法律制度一审察其真相，其所称为公共的利益者，实不外乎少数的个人或阶级的利益也，在方今之社会组织，实已造成为一种三角塔，上有少数支配者之阶级，下有大多数之社会民众，然而方今之国家组织，原由于武力所造成者，故社会之秩序，国家之制度，惟知一切保持命令服从之关系。法律既欲维持此种关系，故其一切规矩准绳，只便于少数的支配者，而造成大多数之社会民众之不利，固亦无足怪也。因此加以考察，凡人之所有之希望与努力，若深入其神髓窥之，无非一方欲维持发展自己之生存，一方谋子子孙孙之永续二者而已。换言之，即不外谋自己现在之发展与自己将来之永续耳。而所以对此二大目的之法律关系，一为所有，一即家族组织也。因而关于所有权之法规，与关于家族组织之法制，必须与此人类生活之二大要旨有所接触而后可。

若此二大法律关系，一如现今之制度，既与社会多数者之利益不一致，复以少数支配者之利益与便利为主眼，于是大多数者遂因此而受至大之损害，且因此以妨害大多数者自己之发展，更复不知几许，是则即谓为毁伤人类生存之本义，夫岂过言。故凡欲改造社会以增进人类之福祉，畅遂文明终局之发达者，皆欲对于上之二大关系，而企图根本地改造，固非无因也。

是以关于所有之问题，即成为欲保持旧社会制度，与欲建设新社会制度两种人见解冲突之焦点，其他物权上、债权上、亲族法上、承继法上许多问题，皆以此为中心而附随之而起者也。

社会主义者与共产主义者，所由欲废止所有权者，即以此等关系，当由经济上立于平等观之上，欲使得有个人人格之自主平等，即不可不先求物质的生产条件平等，因此即须废止个人专占某种利益之所有权，对于人生生活所必要之货物，俾个人能得有均等利用之道，此即其主张之根柢也。总之，在前者则希望对于各个人与以一切平等之生存条件，后者则企图适应各人自身先天的不平等，在享有货物之状态，虽不宜一切平等，亦当使各人各各应其功绩，而与之以公平的享有货物。至于欲废止所有权，则两者之见解固相同也，惟所谓社会改良主义者，关于此点，颇有异议，盖其所见，不过欲于所有权之基础上，逐渐举其社会改良之实而已。

吾人前已言之，所有权之观念，其起源盖最古，而又为最古而且维持最久之制度也。然其所以能维持至今者，皆由于社会组织与国家组织，为有权力者之力所维持，而所有权制度，又能与支配者之利益一致也。然既如前所言，社会公共之利益，固不许行使绝对无制限之所有权者，即在现行制度之下，亦不能不对之而设有许多之限制，此亦业如前述矣。盖土地所有制度，亦既证明非永久不可侵者，惟于社会进化之法则有必要，方始保障其存续耳，若既已不必要，且认其存续为有害，则必逐渐加以限制，或从根本上加以铲除，皆有所迫于不得已者。今则对于所有权已因侵害未有所有权者大多数者之利益太甚，因而必欲要求改造之时势业成熟矣。此则时势之要求，而进化大原则之所命也。

所有权之起源，业如前章所详论，凡所谓所有权，尤其为对于土地之所有权，其始固皆依据暴力与狡诈所获得，此社会主义者或土地改良论者所同具之见解也。盖军人阶级则恃其剑戟之力以征略土地，否则为奸邪之辈，依据其狡猾之计略，以诈取土地，此皆彼辈之所深信不疑者，至少亦以欧洲大所有地之起源，为必成于暴力者，此皆史实之所能证明者。当希腊罗马时代，依武力以略取土地，虽非一般所通行，然征诸过去十世纪，例如诺曼人之征略英吉利（1066年），根据宗教改革，而有寺院领地之解放，维仙保克战争（1620年）后，而有宾眉之土地没收，法兰西革命之结果，而有寺院领地之大没收，皆其一适例也。及入19世纪以后，暴力侵略，虽已渐归淘汰，然而1863年波兰暴动之后，其贵族之领地，亦多为俄国所没收，又自1877至1878年之俄土战争后，巴尔干半岛，亦尚有没收回教徒领地之事实也。

要之，方今之土地私有状态，决非适应于经济生活之要求者，所有权之内容，亦决非不与经济生活之必要相抵触者，凡过去及现在所关于所有权之法规，不仅不能适应各个人之必要以为货物之分配，而其所谓所有权者，亦非依据所有者之劳动所获得者。

凡一切武断的组织，不仅容易陷于专制主义，即关于货物，亦多不顾虑其性能本质如何，经济上之用途，则任其杂乱无章，亦可谓不合理之太甚者。夫对于货物，既不问其性质如何，又不谋其经济用途如何。惟知一味同等允许其有所有权，则世间乱暴之事，固未有如此之甚者，而对于动产与不动产，竟不认有丝毫区别，尤属毫无意味，此社会主义者与其他希望有新社会组织者所由忍之无可忍也。

三、货物之类别与其所有关系

于是有以为若在新社会，则对于货物，须从其性能、用途、区别为三种，而各各对之异其法制形式者。

第一种类之货物，即非变化其性能，不能适合人人之利用者是也。然此亦有非完全变化其性状不可者，亦有只须部分的变化其性状已足者。前者如食料品、薪炭、即狭义之消费财也；后者如衣服，系依据使用之次数，而渐渐变化其性状者也。今则不妨综括此二者，称之曰广义之消费财。此种货物，人人于满足欲望而使用之之时，有须深入其性状者，有须在人与货物之间保持其密接之关系者，新社会对此，亦以许容个人之所有权为便宜，且为正当。

第二种类之货物，即人人不必变更其性状，即可直接充满足欲望之用者也，通常称之曰使用财。例如房屋、什器、公园、动物园，其他类似如此之娱乐场所、书籍、装饰品之类是也。此种货物，须与第一种货物，加以严格之区别而后可。而此所谓第二种类之货物者，其人与货物，虽不能结合密接的排他专占的关系，然能讲求其利用之方法，且能与众同乐，故对之自无承认其有所有权之理，且亦无其必要。然现今之对于此种货物，竟承认其有私有权，以致少数者务求多为蓄积，因此遂酿成社会生活暗黑面之弊害不少，即所谓贫富之悬隔也。故在新社会，关于此种类之使用财，务必对于私人，仅能许容其有使用权，且必举其所有权使之归属于国家。

第三种类之货物，即方今国民经济上所称之生产手段，可任听各人或加或不加劳力，以供生产新财货之用，且使之适应以为物财之分配者。属于此种类者，即有各种收益之土地、矿山、工场、其他营业所、铁路、轮船、原料品之类是也。在方今之法律制度，既蔑视货物之性能及用途，故对于此种生产手段，亦视为与其他财货即消费财及使用财同，而可知其为一样许容有私有权者。然在新社会组织，则必十分认识货物之经济的性能，故对于此种货物，绝对地不承认有私人之个别的所有权。盖私人若据此为生产手段之私有，以经营其生产，即为现今经济组织发生一切弊病之根源，而财富之所以集积于少数者之手，贫富之悬隔所以愈甚，社会大多数者所以徒为少数有资者所苦役，又被其垄断利益，而行其经济的掠夺，推原祸始，殆无一不以此阶之厉也。是以在新社会组织，必以此种货物全归诸国家所有，绝无可用其犹疑者。

在方今法制之下，彼容许个人私有使用财及生产手段之事实，即酿成使个人屈服于其他个人，又使之陷于从属关系者也。及中世末期以后，有方今之新国家发生，始将向来存在私人手中之立法、裁判、警察诸权，夺而归诸国家，方使个人不敢依据公法的权力以凌压其他之个人耳。然而方今既尚存有私有关系，仍可藉此以凌压他人也。是以在将来之时代，必先将是等公权，由家长手中夺取，以剥夺其根据使用财及生产财之私有权所生之抑压手段，不使个人得有凌压他人之机会，此理所当然者也。

吾人于以下，试详细说明此三种财货之所有关系。

（一）消费财

上项第一种消费财，自该货物本来之性质言之，固为消费财，然因其使用之方法如何，一方为消费财，同时又可为他种财者。例如食料品，其本来之性质固消费财也，又如煤，如以之供暖炉用，亦为消费财，然若用为工场蒸汽机关之燃料，则又成为生产财矣。以故在新社会之法制，对于所谓消费财者，虽亦如现今之容许其有私有权，然其私有权之行使，则有两方面，此不可不知者。其一，即随所有者之所欲，供满足欲望之用，甚至可任其破毁之，抛弃之，或独自处分之者是也。又其一，则以之卖与他人，或赠与，或以之供作担保，对于他人发生关系，以讲求使用之方法是也。

然在新社会组织，对于此两方面，虽不吝予以许容，而在债务关系，则惟有国家对于个人行之，决不许有现今个人相互间可以行之者，因而担保问题，决不能因此表现，即对于个人各自使用其所有的消费财，亦为维持社会一般之利益计，不能不设有多少之限制也。

（二）使用财

次则为使用财，如前所述，固直接供人之利用者，然多数人同时或顺次利用之，既无所谓不便，又无所谓有妨，是以对此种类之财，只须能供人人之利用即足，实无特别握有独占的排他的所有权之必要，因而在新劳动国，必以其所有权归于地方团体或国家，乃至较此更大之公共团体所有，对于个人，惟不过许容其有使用权而已。而此种货物，又自有两种区别。一为道路、公园、桥梁、港湾等，即令多数人以一定之数目同时利用之，而彼此互不相妨，故对于此种货物，不必对于各个人，特别地赋与以使用权，惟有任听个人随意使用，仅对之设立一定之取缔规则已足。

至于第二种之使用财中，其性质上，有专属于特定之个人或家族使用之必要者，具体地言之，如房屋、什器、书籍、装饰品，时表等即是。此种使用财，国家对于各个人，不可不特殊地赋与以使用权，惟其权利，仅以使用为限，决不许其收得果实，盖既发生果实，即不得不认为属于生产财矣。

（三）生产财

最后所称为生产手段或生产财者，即如前所言，凡属于或加或不加人工，以之用于生产新财货之财货之总称也。其中亦有四种。第一，即供生产新货物之用者之各种土地，如耕地、牧场、森林、矿山、江河之类；第二，为工场其他营业之场所；第三，广义的交通机关，即铁路、轮船、道路、便于行舟之河流、仓库，及其他便于货物分配之设备；第四，则供生产用之必要的原料品也。

大抵生产之最后目的，惟在能产出直接满足人类欲望之消费财及使用财，然欲达此最后之目的，在生产技术上，即不能不踏入种种阶级。例如农夫收获小麦，面厂碾为面粉，最后始由面包店制为面包，此一定之次序也。然在新社会，则认小麦与面粉为生产手段，而认面包为消费财。乃在方今之法律制度之下，对于此种生产手段，竟许容其有私有权，同时并许其有私人的债权之设定。因此，一方既发生不为何等劳动而可收得巨大所得之怪现象，他方更发生由于某种类之人，以经济的势力支配其他之多数人，反以个人使役他之个人，掠夺其利益，为正当适法之行为。如此，则对于消费财与使用财，纵许容私人有其所有权，而其财货，既有早晚必归消灭之性质，苟不据此以生产新货物，则亦不至发生上述之弊害，仅与房屋及货币之贷借情形相似，不至使其所有者成为生产手段之所有者，以赢得经济的地位也。

此种生产手段，在经济上并国家生活上，殊有重大之意义，故在新劳动国，决不承认其有个人的私有权，只知一切收归国家或国家之结合体所有而已。彼之仅以土地所有，由私人之手夺而移于国家之议论，譬犹行路然，尚不过在半途耳，宁独土地，凡以上所举四种生产手段，固无一不应举而归之国有者也。如仅以土地收归国有，实不足以救方今之经济并社会组织所发生之诸种弊病。

须知病入膏肓,固非从根本上加以诊治不为功也。

以故关于生产手段,决非可以许容私人有其使用权者,既曰使用,难免不即以之生产新货物,然则所谓废止其私的所有权者,尚复有何意味。须知在新国家,凡关于生产手段与使用,有非一切使归属于国家不可者。盖在新国家组织之下,凡所谓生产手段之生产手段,固必绝对的置诸私人的交通之范围以外者也。

四、分配方法之问题

然则新社会组织,其财货之分配,果应如何,此则吾人所亟应攻究之问题也。原来社会主义,系根据分配问题立论,故其结果,即当以此为社会主义的法制之中心点,因而对此究应如何解答,即不可不知社会主义的理论之价值,并明了其本性。今试简单叙述新社会之分配方法之大要于下。

然而对于现今之私有制度与社会主义的分配组织,在其区别之大本上,不能不先有一言,盖一则由于自然的而发育而长成,一则与此相反,而根据理性之反省所促成之组织方法也。前者之立法及法律学,在未有明确之历史以前,即已存在;后者则出于政治的并科学的反省之结果也。两者间既有此根本的差异,此则不可或忘者也。

而且社会主义之分配组织,其间更有主观的方法与客观的方法,不可不知。所谓主观的方法者,必将消费财之所有并使用财之使用,适应各个人所必要者而分配之,因而在此方法,凡应参与分配之各个人之主观的条件,例如其年龄、男女之性别、贤愚、强弱等,均有重大的意义。然在客观的方法则不然,完全脱离参与分配之各个人之主观的状态,惟以客观的经济事实为区别之标准,使各人应其所有之劳动量与其性质参与分配。因而在前者虽甚简单,后者则极复杂,其间殆难免不发生许多困难,尤其为劳动不能者,国家社会即不能不对之而有扶养之必要也。

试就共产主义与社会主义之区别考之,共产主义则标榜经济上各个人之绝对的平等,故其结果,遂欲取主观的分配方法;社会主义,则希望经济上有公平的分配,彼以为绝对的平等不仅非绝对的必要,且不正当,而无宁采用客观的分配方法。

五、主观的分配方法

先就主观的分配方法观之,亦有放任的与必待国家之干涉的两种区别。所谓放任的分配方法,如字所读,即使各人随其所欲以取得其所必要之方法,所谓养欲给求无为而治者是也。在方今制度之下,如空气、大洋、江河之水,以其存在量无限,既使人随其所欲而取得之,又如公园、道路,在一定之范围内,亦听各人随其所欲而使用之。一日间几次通行道路,几次游览公园,全属各人之自由。于是此种制度,若加以十二分之扩张,对于一切货物,亦许容其自由取得自由使用,此即放任的分配方法之本旨也。是以共产的无政府主义,即不外采用此种分配方法者,以其时并无有加以干涉之政府组织也。

然而此种方法,在习惯于现今之私有制之下之人,必有以为万难通行者。何则? 如真欲行此方法,则必以全社会之人,受有充分社会的教养,而其公共心,又必无遗憾的发达,为其必要的条件也。使全社会之人皆能以社会之心为心,而绝无逾闲荡检者,则此种分配方法,实最合于理想的人生之幸福,固无有过此者。

至于第二种之方法,则必经由国家之手,对于各个人,应其必要以为分配之方法也。即各个人维持生存所必要者,固可要求国家之支给,而在其他之一方,凡胜任劳动者,亦不能不受国家之指定,以分任相当之劳动,然其所服之劳动与其所受之生活资料之间,并无相当适合之关系。盖以人生斯世,必有其所以为人而生存(Menschenwürdiges Dasein)者之权利,至现时始渐认识为属于自然之命令,方今既设有疾病、失业保险,与养老年金等制度,即此认识之佐证之明明表现于社会者。惟其生存,则因其年龄与身体之强弱而有不同,此又无待烦言者。

人类之生存,必先满足物质的必要,然后始及于精神的必要,此一定之顺序也。然在方今法制之下,社会组织既悉为权力关系所支配,故其结果,遂使立于支配者地位之少数人,几举其欲望无不畅遂,尚有富余,大多数者则有不能遂其为人而生存之实状。于是将来之新社会,苟欲根本地加以改善,则必对于全社会之人,除保障其生存以外,更须使之各得满足其精神的诸般欲望也必矣。

要之，对于各人，既与以一定之生活资料，又课以一定之劳动，此固国家的主观的分配方法之本旨也。有欲特别满足某种之欲望者，则必于公共的劳动而外，更须分任特别之劳动，因而此种方法，动辄有化为殭石之恐，此自由放任的分配方法，所由欲起而代之，而使之渐趋于和缓也。

六、客观的分配方法

复次，客观的分配方法则又何如，其所主张者，即欲废止一切土地及资本之私有，至少亦当废止土地之私有制度，其所认为前提者，固当以其所有，移交于国家之手，而为社会组织之状态也。然而真正的社会主义的分配制度，非仅欲以对于土地之所有权公平分配于各市民间，使得有和解之状态者，假令有此状态，则所有权之废止仍无意义，而与社会主义之根本的主张，实不相容者。

盖客观的分配组织，必举土地及一切资本成为国有制者为前提，同时又以对于全劳动收益之权利(das Recht auf den vollen Arbeitsertrag)为其基础者也。因而在此组织之下，必使地代以及资本所得，凡与劳动不相伴者，一切不能发生，依据劳动所造出之价值，除为维持国家所必要的负担以外，悉应使之归属于劳动者之所得。此时必废止金属货币，而代之以劳动货币，然其价值之尺度，则又非单纯的时间劳动而平均劳动也。国家举一切之物财及勤劳，分配于此种劳动，使各劳动者按照表现彼所应受之平均劳动之劳动货币额，而向国家之仓库中领取货物。

然此不过对于能胜任劳动之人之分配方法耳。至于年少不堪作业者，疾病、老衰不能劳动者，则不得不依据其他之方法及社会的设备以讲究救助扶养之道也。而且依据平均劳动之测定，以制定劳动货币，实际上亦极困难，而又因劳动效程之着着进步，亦不能不有时时改订之必要。论者又以为此种方法，若果实行，势必举一切劳动，皆加以同等待遇，于是毁瓦画墁之劳动与疲精劳神之劳动，必将同受一样之支付，而且学者与美术家之平均劳动时间，往往比较肉体劳动者为短，或不免使前者较之后者，只能获得少许之报酬，而不能认为满足，此则可以非难者也。

要之，多少之非难与缺点虽不能免，然而社会主义之理想，则固欲谋经济生活上之调和，使各个人能得公平，消灭由于现有之组织之不公平、不调和，而确立圆满的文物制度，以增进人类之幸福，希望社会之进步者也。其热心快肠，固确有可以十分尊重之价值，若徒震惊其名声之可恐怖，而一概排斥之，疾视之，憎恶之，亦非有识者所应出之态度也。

马基亚勿利（Machiavelli）固尝言之，在有多数人不为血汗之活动，可以不劳而获，而得享安富尊荣之国，则真正的自由的国家组织，必不容易实现。诚如所言，在此种国内，其所有之权力，皆由于习惯之所育成，苟欲根据新理想以建立合理的民主主义，即不得不与之恶战苦斗。恶战苦斗，固所不应辞者，苟其所斗争者而果公明正大，则在社会进化之上，自有不得不加以几许之琢磨也。惟若出以阴险与狡诈，则终非可认许者耳。然而好逞权威者，则又多好出于此谋，是又责之不胜责也。

七、根柢之伦理观

惟所谓土地公有论者与集产主义，其根柢上均含有最大之伦理观，其所主张，实出于以自由平等为人生生活之本义，为其热诚之表现者。在现今之私有制度，既反乎平等观的人生生活之本义，于是因有私有制度，遂使一人可以支配他人，所有者可以垄断掠夺非所有者之利益，分割社会为所有者之阶级与非所有者之阶级，使之互相分裂，俨然形成一种不可逾越之大鸿沟，由是两阶级间，互相反目疾视，斗争轧轹，无时休息，一方则愈富愈荣，他方则愈贫愈萎，愈益沉沦于极惨澹之悲境，现制之不合理如此，要之皆以其中有互相矛盾之理由存在也。如欲纠正现制之误谬，此所由主张土地乃至一切生产手段必应采用公有制也。

社会组织之不平均，遂发生所有者之阶级与非所有者之阶级，于是其一方，遂有掠夺他方之思想，即所谓劳动掠夺之教义（The doctrine of the exploitation of labour-die Ausbeutung der Arbeit）是也。此种教义，伊古以来即行之，及圣西门（St.Simon）出，始于此有一种历史哲学的构成。彼以为人之所以掠夺他人者，乃私有财产制当然之结果所直接发生者，故彼相信私有制一日不废止，则劳动掠夺之事实，必永远不能消灭。然而所谓劳动掠夺云云，为现实社会客观的事实，同时又含有一种之伦理观，而现在之伦理观，又实反乎彼之所谓平等观者。平等观之定义，以为人人之人格，在其自身实为神圣的最高目的，因而人人在自己自身之愿望之领域以外，决非可以供他人之利益便利而被其所使役者，此种信念，即平等观之基础，亦即掠夺说之基础也。所谓个人人格平等之信念，当然与所谓劳动掠夺之不可分离的经济观，互相关联，故若舍弃此伦理观，则劳动掠夺说之意义，亦将丧失其太半矣。

确定个人人格平等之信念，则大哲康德（Kant）之功也。康德之言曰："自然界之一切事物，吾人人类取之可供作一种手段者也。然而人之所以为人，只能以其自己之本身为目的，决不含有对于他之目的而为其手段之意义者。"诚哉是言，各个人无论若何卑贱，亦必具有一种绝对无条件的价值，而卓然超越他物之某物者。总之，其人之性质，即为其人之人格。在一己之个人人格，既具有绝对无条件之最上价值，则在人格相互间，自应无何等优越上下之差别，各各皆应对当平等，此则了无可疑者也。

然而个人人格之平等，若仅在法律上并社会交际上承认之，尚不免为空中楼阁，而不能谓为根基十分稳固也。必也在人生生活之基础的经济关系上，确有其平等，确有其平等待遇，确有其平等之事实实现而后可。此社会主义所由要求社会组织之改造，必据此平等之伦理观，以为现实生活之大原则也。

然而既有土地及资本之私有制度存在，则地主与资本主自不肯舍弃其无须何等生产手段得为劳动之主人之地位。换言之，即生产手段之私人权，固与各个人之自由及平等之权利不两立者。因而土地公有论者与集产主义派之人，其所主张及要求，亦不过欲以所谓人之自由的根本主要权利，于伦理的相结合之自然权上，置其根据而已。

故凡不了解此根本的伦理观即为其主张之基础者，则对于土地公有论与所谓集产主义之议论，皆非能了解其真意义者。

*　　*　　*　　*　　*

以上所述，吾人对于土地问题，固可相信其了无遗憾者。即由地代论进而论及地价，次论土地投机，更由自然增价及增价税，以讨究土地所有之理论与沿革及现状，终则归结于土地公有论。其间之议论，虽有精粗，究以关于农地之议论与关于都市宅地之议论，必须交互错综，互相攻究，因而所感之不便不少，顺笔叙述，其间容不免有使读者难于领悟者，然若照推理之径路加以推敲，则理论仍属一贯，即叙述之体裁，亦觉其无大缺点，此则著者之私衷所窃认为满足者也。

惟最后述及土地公有论以至集产主义，不能十分放胆，振笔直书，故不能深入显出，而且学说之介绍与批评以及驳论与主张，均不无一概从略，未免有不彻底之恨，在著者之见解，虽觉格格不吐，不见畅快，然既为环境所迫，不许尽情吐露，不许旗帜鲜明，以云不得要领，诚哉不得要领，此则读者与著者所均不能不引为遗恨者也。

倘因此而使世人有所误解，则非著者之罪，而为其顽迷、固陋、偏见、无学之罪也。著者只知以学者之态度率直发表之而已。孔子曰："仁者见之谓之仁，智者见之谓之智"，吾愿读是书者，万勿胶柱鼓瑟也可。

汉英译名对照表[①]

三画		西摩勒耳	Schmoller
马尔萨斯	Malthus,T.R.	西雪洛	Cicero
马克思	Marx.K.	亚丹斯密	Smith,Adam
马克劳德	McLeod	亚柏斯特	Eberstadt
卫布	Webb,Sydny	达特尔	Tuttle
四画		达马修开	Damanschke
巴斯榻	Bastiat,F.	达微德	David,Ed.
瓦拉	Walras,L.	达西达斯	Tacitus
瓦莱斯陶逊	Dawson,W.	约翰司徒滑特弥尔	Mill,J.S.
瓦格涅	Wagner,Ad.	**七画**	
韦柏	Weber,Ad.	阿第开斯	Adickes,O.
五画		伯仑斯太恩	Bernstein,Ed.
卡尔兰顿特	Landolt,C.	何夫曼	Hoffmann
布利特	Bredt	克尼斯	Knies
布伦达诺	Brentano	克拔	Kappe,H.
边姆巴勃克	Böhm-Bawerk	克来恩勃希特	Kleinwächter
兰得里	Landry	克兰格斯	Coulanges,Fustel de
六画		坎柏尔巴拉满	Bannerman,C.
许兹	Schuz	岐利安	Kilian
多赉钦	Treitscherin	李比西	Liebig
安得孙	Anderson,J.	李普克尼希	Liebknecht
考茨基	Kautsky,K.	李嘉图	Ricardo,D.
西思蒙第	Sismondie	杜能	Thünen,J.H.

① 因简繁体字转换,此表格较原书有些变动。——编者注

续表

麦雅斯考维斯启	Miaskowski	爱伦巴拉	Ellenborough
玛卡洛	Mac Calloch	爱斯葵	Asquith
八画		班达列阿尼	Pantaleoni
拉甫雷	Laveleye, M.Emile de	高森	Gossen, H.H.
拉乌	Rau	十一画	
拉萨尔	Lassalle	康拉德	Conrad, Otto
披尔逊	Pierson	康德	Kant
孟申	Momsen	萨孟他	Samter, A.
孟革	Menger	萨焚宜	Savigne
凯撒	Caesar, Julius	堵哥	Turgot, A.R.J.
泽丰兹	Jevons	十二画	
弥尔	John Stuart Mill	喀列	Carey, H.
弥尔父子	James Mill and John Stuart Mill	喀德麟	Cathrein
九画		富克斯	Fuchs
柯札亚	Kozak, Th.	提尔	Thaer, Albert
哈斯托孙	Haxthausen	斐雪	Fisher, I.
威廉汤卜逊	Thompson, W.	斯坦孟	Stamm, R.Th.
洛柏图斯	Rodbertus	斯盆斯	Stein, Spence, Th.
洛瑟	Roscher	斯泰因	Stein, Lorenz v.
洪保德	Humboldt, Alx.v.	斯宾塞	Spencer, Herbert
费里浦韦须	Philippovich	缅因	Maine, H.S.
勃(费)达	F.A.Fetter	鲁兰德	Ruhland
胡斐兰	Hufeland	十三画	
胡礼特	Viollet, P.	塞利格曼	Seligman
显理佐治	George, Henry	葛拉克	Clark, J.B.
十画		詹姆斯弥尔	Mill, James
恩格尔	Engels, Fr.	蓝佩利喜	Lamprecht
格罗斯满	Grossmann, E.	十四画	
栖聂	Senior	赫尔曼	Herrmann, F.B.W
泰罗	Taylor, F.M.		

责任编辑：崔秀军

图书在版编目（CIP）数据

李达全集.第八卷/汪信砚 主编. —北京：人民出版社，2016.12
ISBN 978-7-01-016972-9

Ⅰ.①李… Ⅱ.①汪… Ⅲ.①李达（1890—1966）-全集 Ⅳ.①C52

中国版本图书馆 CIP 数据核字（2016）第 282956 号

李达全集
LIDA QUANJI
第八卷

汪信砚　主编

人民出版社 出版发行
（100706　北京市东城区隆福寺街 99 号）

北京新华印刷有限公司印刷　新华书店经销

2016 年 12 月第 1 版　2016 年 12 月北京第 1 次印刷
开本：710 毫米×1000 毫米 1/16　印张：21.75
字数：360 千字

ISBN 978-7-01-016972-9　定价：119.00 元

邮购地址 100706　北京市东城区隆福寺街 99 号
人民东方图书销售中心　电话（010）65250042　65289539